Beatriz Sarlo

LA AUDACIA Y EL CÁLCULO

Kirchner 2003-2010

Sudamericana

Sarlo, Beatriz
La audacia y el cálculo. - 1ª ed. – Buenos Aires :
Sudamericana, 2011.
240 p. ; 23x16 cm. (Ensayo)

ISBN 978-95-07-3504-9

1. Ensayo Argentino. I. Título
CDD A864

IMPRESO EN LA ARGENTINA

Queda hecho el depósito
que previene la ley 11.723.

Humberto I 531, Buenos Aires.

www.megustaleer.com.ar

ISBN 978-95-07-3504-9

Esta edición de 23.000 ejemplares se terminó de imprimir en Kalifón S.A.,
Humboldt 66, Ramos Mejía, Bs. As., en el mes de abril de 2011.

LA AUDACIA
Y EL CÁLCULO

Kirchner 2003-2010

Prólogo

"Empecé mal el día; la vi a Sarlo en el bondi." Encontré la frase hace unos meses en Twitter. Yo no empiezo mal el día si me cruzo con un kirchnerista en el subte. De mañana, leo diarios sobre papel, y muchas veces ese principio es duro; otras veces, desconcertante. Siempre me obliga a pensar.

Si alguien busca un panfleto, no lo encontrará en este libro. Mejor sería que lo abandonara en la mesa de la librería donde lo esté hojeando. Traté de ver los últimos ocho años como si formaran parte de una serie que no rinde su sentido en términos simples. Quizá sea más complicada de lo que yo pueda explicarme hoy, pero hice el esfuerzo de entenderla. Busqué la perspectiva de un historiador de la cultura al que le ha tocado como objeto el presente. Para entender hay que describir: captar un hecho en sus aspectos menos previsibles, sobre todo, descubrir los detalles, el revés de las generalizaciones y de las ideas recibidas.

Deseché la tentación de recordar sólo lo sucedido la semana previa. Lo que pareció importante hace tres o cuatro años no debería pasarse por alto ahora. Hay que frenar la velocidad de la rotación simbólica. Además, si el presente argentino comparte rasgos con otras situaciones latinoamericanas, esto no es un pase libre a un comparatismo que, como las cosas serían de este modo en todas partes, vuelve aceptable lo inaceptable. Saber que no somos originales no le quita dramatismo a la experiencia. Sólo implica saber que otros pueblos conocen desgracias o fortunas similares.

Kirchner fue un hombre del presente. Por eso este libro lo observa allí donde la política se entreteje con la cultura contemporánea. Hice el recuento de las desventuras de lo político cuando se adapta a un medio televisivo que impone su estética, su velocidad y su ideal de *casting*, provocando equivocaciones como las de los candidatos pop e importando figuras como las de los neopolíticos que, antes que cualquier otra cosa, aprendieron televisión con sus asesores de imagen. Recorrí los blogs, las redes sociales, las guerrillas simbólicas oficialistas u opositoras enfrentadas en Twitter, donde los 140 caracteres hierven todo el día, comentando noticias verdaderas, falsas o aproximativas, difundiendo el rumor, el capricho, la propaganda y la opinión. Busqué entender la novedad de la movilización a través de Facebook y la organización de la polémica en *6 7 8*. Los rasgos de la política cocinada en los medios le tocaron a Kirchner como habrían podido tocarle a otro. Durante los primeros años, su estrategia comunicativa fue más bien tradicional y clásicamente populista: hostilidad con la crítica, comunicación directa con el "pueblo". Luego ascendió, a través de un batallón de intermediarios, a la constelación web-tv.

Seguí atentamente los discursos intelectuales que fueron la atmósfera en la cual avanzó la idea de que el kirchnerismo era el progresismo a la medida de la época, antes de que la agitara la militancia. Recostado en las organizaciones de derechos humanos, a las que introdujo en la casa de gobierno, y en un grupo de escritores y académicos que se reúne en la Biblioteca Nacional y al cual Kirchner distinguió con su visita, el kirchnerismo tiene su brigada simbólica. Leí bien los documentos de Carta Abierta, porque allí está la última versión de un viejo tema: la capacidad del peronismo para transformarse en un imán de los progresistas que deciden pasar por alto muchos de sus rasgos y bajar algunas banderas.

Finalmente, el hombre que sorprendió a casi todos en el 2003. El kirchnerismo ha ganado una batalla cultural y traté de explicarme justamente eso en términos políticos (este libro no habla ni de la pobreza ni de la corrupción, ni de la economía). Para ganar una batalla es tan necesaria la audacia como el cálculo. Las dos palabras describen a Kirchner. Entendió mucho de política. Sus tácticas fueron irritantes y, muchas veces, equivocadas incluso para sus propios objetivos e intereses. Pero los errores nunca mostraron a alguien que no sabía dónde estaba parado, cuál era el suelo que pisaba. Despótico, decidido, autoritario, valiente, rápido, ambicioso, sectario, inteligente, hipócrita, los adjetivos pueden apilarse sobre este hombre. No hago un balance como si se tratara de decir simplemente: permitió la corrupción pero amplió los planes sociales; ahogó el federalismo pero hizo obra pública; renovó la Corte Suprema pero ignoró la institucionalidad republicana; aprovechó el crecimiento y permitió los negociados de sus amigos y subordinados; o, a la inversa, aunque sus amigos y él hicieron grandes negocios, lo importante ha sido el crecimiento o los planes sociales. Todo es cierto y cada uno hace las cuentas en un debate que ya lleva varios años.

Tampoco pienso que el kirchnerismo es el único progresismo posible de la Argentina real. Por el contrario, el progresismo hoy tiene ideales que Kirchner no conoció. Pero sería tema de otro libro. Éste fue mi propia bitácora para las elecciones de 2011. Voy a votar recordando lo que acá dejo escrito.

Buenos Aires, enero de 2011

Agradecimientos

Durante los últimos dos o tres años escribí muchas notas para *La Nación*. Me gusta hacerlo, a pesar de las reacciones un poco fuertes. A mi amigo Jorge Fernández Díaz tengo que agradecerle su generosidad intelectual; se ocupó de esas notas antes y después de que fueran publicadas, me sugirió decenas de temas y estuvo atento siempre que a mí se me ocurría alguno. Edi Zunino y Carlos Russo de *Perfil* me propusieron varias incursiones periodísticas al terreno de los hechos. Pablo Avelluto tuvo la idea de que escribiera este libro, algo que se volvió evidente sólo cuando él lo sugirió. Quiero mencionar a mis amigos María Matilde Ollier, Vicente Palermo y Rodolfo Rodil; con ellos hablo mucho de política y aprendo. Silvia Sigal me provoca a pensar más allá de las fronteras argentinas. Rafael Filippelli, obsesionado por el día a día político, acostumbra acusarme de graves errores; no siempre tiene razón, pero obliga a mejorar un poco los argumentos.

I. Aventuras de la política en Celebrityland

Explorar un lugar común: no hay política sin medios; por ahora, tampoco hay política sin televisión. La televisión es, a su manera, intensamente política; y la política, intensamente televisiva. Esta implicación mutua no produce buena política, pero es la manifestación más accesible de lo político para ciudadanos que entienden mucho más de televisión que de ninguna otra forma cultural. Sobre todo, de una mayoría que se divierte, se aburre, se informa o se confunde con la televisión, que es el medio socialmente más inclusivo.[1]

Su impacto tiene escala industrial: se produce industrialmente, el capital necesario es muy grande, la expectativa de lucro responde a esa inversión. Por lo tanto, debe ser consumida por la mayor cantidad de gente posible. Aunque los canales de cable se especialicen en perfiles de público, la televisión de aire tiene el ímpetu universal de los productos de primera necesidad. No todo el mundo mira esa televisión, pero casi todos saben lo que en ella sucede porque, todavía hoy, define el sistema de las estrellas y es la que, con infinita fidelidad, registra la prensa.[2] La televisión domina los canales por donde circulan los mensajes y también define qué tipo de mensajes circulan allí; es licenciataria de las autopistas visuales y productora o cliente principal de los programas que difunde. Por eso, su negocio es la inclusividad, no los nichos, aunque, como decía un experto publicitario hace muchos años: "Después de x puntos de *rating* lo único que se sigue vendiendo es la electricidad que consumen los aparatos encendidos".

Internet, en cambio, está estratificada por el acceso al hardware y a la banda ancha. Además, es un reino dividido en madrigueras, proclive a alentar las peculiaridades y los estilos tribales. La televisión de aire, en cambio, no persigue la especialización sino la conquista de una "banda ancha" de público, medido según las tecnologías del *rating*. La televisión de aire destruye barreras, aunque no todos los públicos se dejen incluir en ella; y aunque sus programas, de hecho, se diferencien por franjas horarias y por los perfiles diferentes (aunque no muy diferentes) de las emisoras.

La televisión es el medio que exige menos credenciales educativas. El uso más elemental de internet requiere, en casi todos los casos, saber leer y estar en condiciones de tipear algunas palabras. Contra lo que se cree, internet todavía hoy es mucho texto, organizado de modo caótico pese a los buscadores y a las *push technologies* que sugieren los resultados de una búsqueda sobre la base de preferencias anteriores. A ver televisión se aprende viendo televisión, casi sin saber nada antes; lo que se necesita está en la pantalla, repetido en continuado, sobre todo por la modalidad actual de que los programas de la tarde amplifiquen lo que sucede en los de la noche y los de la noche citen los nuevos avatares que suceden a la tarde: televisión en *loop*. Si se hace *zapping* media hora por día es casi imposible quedarse fuera de la conversación (esto sin contar los rebotes en las páginas de noticias que siguen a la televisión como fanzines enamorados).

Como es extremadamente sencillo "ponerse al día", el espacio televisivo pone bajos requisitos de acceso, facilidad acentuada por el hecho de que mucho de lo emitido comparte la elementalidad con los discursos más crudos de sus audiencias: otro *loop*. Muchos lo han considerado el efecto democrático, antielitista, de los medios, aunque es posible que ahora comience a revisarse ese optimismo. Quizá no haya secretos, pero hay poder simbólico desigualmente repartido y, lo que es peor, repartido según las reglas de bronce del capitalismo. El efecto comunicacional de este *loop* entre programas y audiencias, que hacen de espejo, es pedagógicamente eficaz. Se aprende por repeticiones y automatizaciones. Si, de la noche a la mañana, desapareciera la televisión, la esfera pública quedaría reducida a unas pocas decenas de miles de ciudadanos, un club minoritario tan fatal como la repetida pesadilla de la cultura de mercado. La televisión universal es hoy el contorsionado espacio de la mayor parte. Las mayorías silenciosas o locuaces son mayorías televisivas.

Bernard Stiegler avanza una definición tan corta como tajante: "Es el reino de la estupidez".[3] Se refiere a la televisión "normal", es decir la hegemónica en los canales de aire, la que da el tono y decide los géneros y tipos de discurso. Los programas culturales o periodísticos que escapan a las regulaciones de la televisión "normal" no plantean un desafío a esa hegemonía, si a ese desafío se lo calcula por la medida de valor que es el *rating*. Existe, a veces contra toda predicción, una televisión otra; un caso como *6 7 8* se analizará más adelante.

La televisión se alimenta de dos sustancias inmateriales: el conflicto (como forma del relato) y el instante (como medida, inconmensurable, de tiempo). Todo debe responder a la más cruda actualidad o presentar el más crudo enfrentamiento que multiplique la tensión folletinesca del *reality show*, el ritmo frenético de los programas de chismes y la insolencia guaranga de los magazines "periodísticos". La televisión es tan instantánea como inevitable es su obsolescencia: del minuto caliente al olvido. Ningún otro medio devora con tanta velocidad sus materiales. Es un descomunal tubo digestivo, un barril sin fondo.

Los profesores, santones, gurúes y expertos digitales afirman que esta televisión es cosa del pasado. Lo es, probablemente, para los jóvenes de capas medias con gran capacidad de acceso a las innovaciones tecnoculturales. Pero todavía hoy, en América Latina, la televisión es el mostrador que despacha casi todos los consumos simbólicos y su poder se fortalece por el reconocimiento que recibe no sólo de su público, sino de quienes desean obtener o conservar un lugar de alta visibilidad. Los nuevos medios digitales dan la impresión a sus usuarios de que forman una especie de nación de elegidos; pero la otra nación, la de quienes no tienen Facebook y no lograrían un buen *tweet*, es la roca base. Las comunicaciones digitales independientes de la televisión comercial son el futuro de los que tienen un futuro asegurado (comenzando porque se les ha asegurado una escuela, un trabajo, una temporalidad para los proyectos).

Celebrityland

En la televisión viven las *celebrities*.[4] El ser de una *celebrity* es independiente de su actividad y de sus méritos. Los que alcanzan ese estado incandescente de la fama después de sostener durante décadas una carrera en el *show business* son las *celebrities* "clásicas", cuyo rango no corre el riesgo de volatilizarse después de una temporada televisiva, aunque se diga, con razón, que es muy difícil mantenerlo. Pero existen, como es obvio, las *celebrities* "instantáneas", que acceden a esa jerarquía de manera fulgurante y, en general, la pierden del mismo modo, para terminar en las oscuras bambalinas de donde salieron. A diferencia de las "clásicas", estas *celebrities* "instantáneas" son célebres por nada, se las reconoce brevemente por nada y, hasta el fin, exponen el vacío de su ascenso, sabiendo que está amenazado, tarde o temprano, por el más temible vacío de su desaparición.

Ambas categorías de famosos viven en Celebrityland y, a menudo, se acusan unos a otros de integrar una casta de orgullosos por su linaje o de advenedizos sin pasado. Esta comarca imaginaria adora las jerarquías: una nobleza de linaje; una masa de trabajadores de la celebridad, pequeñas *celebrities*, o *celebrities* pasajeras, a quienes les espera el éxito o el fracaso, pero también la burla, el escarnio, la adulación tan súbita como precaria, la decadencia, el ninguneo; centenares de pretendientes ansiosos que hacen cualquier cosa por recibir la luz caprichosa y esquiva; alrededor, todos los que ha aprendido, mirando televisión, a hablar para la pantalla: *floggers cool*, señoras suburbanas, kioskeros que presencian el día a día de la calle, travestis, prostitutas que se defienden donde pueden y hacen bien en conectar su estética con las de sus colegas televisivas a la espera de un golpe de fortuna.

No es necesario ser audiencia de televisión para reconocer que las cosas suceden de este modo, ya que se encuentran los inevitables rebotes en la prensa escrita, donde las *celebrities* son tapa de la sección "Espectáculos" con una generosidad que en otros países y en diarios de seriedad equivalente sólo obtienen celebridades de excepción, como Oprah Winfrey. En la Argentina, los avatares de Celebrityland son mucho más percusivos y ruidosos que en los países que inventaron ese reino de maravillas audiovisuales. Por eso la influencia de Celebrityland no se extiende únicamente sobre sus sostenedores o sus beneficiarios, sino que da una forma expresiva a lo público, cuya influencia va más lejos que los *shows* en los cuales la celebridad es el tema central.

Celebrityland extiende su hegemonía sobre los estilos culturales, cuyo centro estuvo primero en el *show business* pero que hoy se ha expandido al deporte, con los enlaces morganáticos entre estrellitas súbitas y futbolistas millonarios, un lucrativo invento de los últimos años, cuya patente es de Beckham, que ha distribuido el *franchising* por todo el mundo; o a través de las contorsionadas relaciones entre deporte y política, como se dio en Argentina con "los goles secuestrados" y la alianza (casi un amor imposible) entre Maradona y el gobierno K. Sólo queda afuera de lo que sucede en Celebrityland quien se retire del mundo e, incluso en ese caso improbable, podría tratarse de una estrategia en negativo, una reaparición fantasmática a lo Greta Garbo. No son bien vistas las excepciones. Por supuesto, se critica el elitismo de los que permanecen afuera.

Celebrityland no ocupa el espacio real, aunque da la impresión de que posee locaciones fijas como Punta del Este, Miami, las playas brasileñas, los centros de ski, los VIP de las disco, los desfiles de moda y los estrenos. Estas locaciones valen porque son mostradas en la televisión, es decir que, conceptualmente, no son extratelevisivas sino decorados. El territorio es la pantalla y los estudios, un espacio técnico de grabación al cual las audiencias eventualmente acceden. Pero lo fundamental de Celebrityland no es el espacio (meramente decorativo, banal, lujoso o precario) sino el tiempo que transcurre allí: ininterrumpido durante todo el día, fraccionado en fragmentos paralelos que se superponen y se entrecruzan con el control remoto que permite encontrar, con frecuencia, los mismos personajes a la misma hora en pantallas diferentes: ubicuidad de las celebridades.

A diferencia de los mitos espacializados, como los parques temáticos,[5] Celebrityland podría llamarse, con mayor precisión, Celebritytime. No es un juego palabras. Comparte este rasgo con formas técnicamente más avanzadas como Twitter, que no es un espacio *donde* se coincide, sino un tiempo *durante el cual* se coincide (por eso, en Twitter se llama Timeline la sucesión de mensajes, y no Muro como en Facebook). El sentido común tendería a creer que lo fundamental es el espacio televisivo; más bien hay que reconocer que el espacio es indiferente (gran escenario de revistas, pista de patinaje, cancha de fútbol 5, comedor o living-room escenográficos, villa miseria, barrio suburbano) porque cualquier cosa habitada por una *celebrity* recibe su transferencia y se vuelve aurática. El tiempo ininterrumpido y que puede superponerse por *zapping* es, en cambio, decisivo. Tan aborrecible como el vacío es la ruptura de esa temporalidad. Por eso, las estrategias están dirigidas a evitar que el espectador corte y salte fuera del *loop*.

El valor de celebridad se mide por cantidad de impactos por unidad de tiempo. A más impactos por unidad de tiempo, mayor valor. También cuenta el factor de permanencia en una memoria colectiva inestable y caprichosa, que positivamente invertido, puede convertir a un advenedizo, cuya corta estadía es precaria, en un residente legal con papeles. Quien pasa por la televisión tiene la oportunidad de entrar en el régimen de la celebridad, pero esto no se cumple invariablemente sino que, por el contrario, debe responder a la combinación de alguna cualidad o defecto con la captación del instante (un tonto que no sabe hablar enfrentado a un soberbio de larga fama puede ganar muchos puntos). Como en la política, el factor suerte no puede excluirse de un diseño abierto a la improvisación y el repentismo tanto como a la repetición formulaica y, por lo tanto, conocida por cualquier aspirante. La torpeza ridícula puede tener tantas posibilidades como la destreza. Tinelli lo sabe; antes de Tinelli lo supieron el viejo Canal 9 y Crónica TV.

La improvisación exige "ritmo" y "brevedad", sin excluir la repetición que ancla los sentidos. Como hay que conquistar la franja de espectadores social y culturalmente más amplia posible, los discursos deben desechar todo lo que requiera algo más que una identificación sencilla; evitar el *zapping* es evitar el momento en que alguien no entiende y, porque se aburre, cambia. La oratoria de Celebrityland penaliza muy severamente la complejidad semántica, las frases adversativas y consecutivas, las atenuaciones, las intercalaciones, las parentéticas, en síntesis: lo que demora la llegada de la frase a su final. Favorece los registros suspensivos y exclamativos. Ninguna frase trunca es considerada incompleta sino expresiva o sincera, indignada o emocionada; se permite cortar la frase en cualquier parte. Discursivamente, la televisión es populista.

Este somero régimen sintáctico se adapta bien a las expansiones subjetivas: yo pienso, yo siento, a mí me pasa. La subjetividad es de permanente interés, ya que para ser una celebridad es necesario exponerse como prueba de proximidad y de "humanidad". La subjetividad tiene la engañosa capacidad de hacernos iguales y promover las identificaciones truchas. Príncipes y princesas de Celebrityland son intensamente confesionales, lo cual no exige sinceridad sino estilo: no se trata de una siempre improbable verdad subjetiva sino de alguien que se presenta "como lo que es": la máscara con la que circula en ese mundo. Esa máscara, sin embargo, debe resultar verosímil y comprensible; no ofrecer enigmas; inscribirse en un sistema binario de cualidades o defectos. Es el código psicológico de verosimilitud indispensable para construir el yo de quien se presenta como superficie a ser percibida y aceptada.

En Celebrityland no valen las ideas sino la Opinión, que no esconde su carácter subjetivo, basado en la experiencia, los sentimientos y la propia historia. La Opinión reemplaza a la idea sin exigir demasiado de quien la emite ni de quien la escucha. Tiene peso porque cotiza lo subjetivo como dimensión primordial, abierta a esas otras cualidades que gustan en Celebrityland: la sencillez de la expresión, la simpleza del relato, la "franqueza" (sea lo que sea lo que se designe de ese modo), las limitaciones de la razón frente a los argumentos "humanos". La Opinión es indiscutible, porque no se la refuta con ideas; sólo se le puede oponer otra, sostenida en una idéntica y supuesta experiencia. "A mí me pasó" no admite prueba en contra, salvo que se acuse a la frase de ser una mentira. Imposible señalar que la Opinión está cristalizada y es inerte. Justamente ésas son las cualidades que definen un lugar común y fortalecen su capacidad de emoción y adherencia. Las experiencias se creen universales; esta creencia les otorga autoridad y poder de convencimiento. No se puede juzgar la experiencia sino considerarla. El lugar común nos pone a todos en el mismo lugar imaginario.

El giro subjetivo de la cultura contemporánea es, en este aspecto, igualador: todo el mundo tiene experiencias y creencias respetables; los argumentos e ideas, en cambio, están menos democráticamente repartidos. Además, la experiencia refuerza casi siempre el sentimentalismo desaforado de Celebrityland, donde no hay límites para llorar o castigarse en cámara, agredir y reconciliarse, pasar del amor al odio y viceversa, cumpliendo así con la tradición melodramática y grandguignolesca, que sigue siendo popular en la era de la cultura generada casi únicamente por el mercado. Para vivir en Celebrityland o entenderla hay que ser un sentimental o un cínico que conoce perfectamente todos los recursos del sentimentalismo. Se admiten algunas excepciones, pero muy pocas. Disfrutar de Celebrityland es valorar el sentimentalismo. Esto no tiene excepción, lleva la marca genética de sus orígenes radio y teleteatrales.

La sentimentalidad se sostiene en particularidades. No se puede ser sentimental en abstracto. En medio de una feroz discusión política, donde quedaban cuestionados varios diputados de su partido y debilitado su jefe de bancada, Mauricio Macri recuperó el aura de *celebrity* porque, el 16 de noviembre de 2010, se casó por civil en la ciudad de Buenos Aires con una mujer a la que Macri, parroquiano del Twitter político, homenajeó con un *tweet* de enamorado ("negrita querida", etc.), que en el Timeline armaba curiosa sintaxis con las intervenciones de Aníbal Fernández o del canciller Timerman. Un link de ese *tweet*, irresistible para quien mira la televisión de Mirta y Susana, mostraba a Macri con el cursi ramito de azahar en su solapa. Como si la revista *¡Hola!* (que esa misma semana comenzó a circular en su edición argentina) estableciera sus jerarquías en la cuenta de Twitter del jefe de Gobierno porteño tanto como en las pantallas de los noticieros.

Francisco de Narváez, en un comercial exitoso de la campaña electoral de 2009, comunicó: "Tengo cinco hijos y otro en camino". Listo, el enunciado va directo al corazón: un padre prolífico, calmo y confiable, que está esperando el sexto y, sin embargo, encuentra tiempo para pensar un país mejor para usted y su familia, es alguien en quien se puede creer; se lo vote o no, nunca se dirá de él que se presenta como un hombre libre de lazos, un solitario consagrado por entero a una vocación y, en consecuencia, un modelo demasiado lejano, demasiado duro e intelectual. Los hijos son un gran capital en Celebrityland. Maradona nunca dejó de cantar su corito de "las nenas", no por cínico, sino porque su cabeza se moduló en el cruce de Fiorito y el país de la fama, una tierra donde se puede hacer cualquier cosa mientras se adore a los hijos y a la madre.

Subjetividad y sentimentalismo se adaptan bien a la medición del valor de los mensajes según la cantidad de impactos por unidad de tiempo. Los argumentos son siempre demasiado largos, las Opiniones sensibles son breves porque no necesitan demostración, se apoyan en un suelo de experiencias que se creen compartidas aun cuando un abismo separe a los televidentes del millonario con prole numerosa o del mejor futbolista de su época.

El régimen estético y ético de Celebrityland es el más conveniente para la circulación de mercancías reales o simbólicas. La distinción entre unas y otras ya no es estable. La mercancía es inescindible del discurso que la instituye como deseable, ya que no existe un valor de uso que no venga duplicado por un argumento simbólico que aumenta su valor mercantil (Nike y sus zapatillas: ¿cómo separarlas?, ¿cómo separar el logo de Nike del antebrazo del chico villero que quiso llevarlo tatuado allí?). En Celebrityland hay expertos en esta fusión porque la imagen y el discurso son también inescindibles: ¿quién toleraría las estupideces de Susana Giménez si no fueran dichas por ella, enunciadas por ese cuerpo enteramente *cyborg*, diseñado en Celebrityland?, ¿quién no consideraría extravagantes las caras hinchadas por intervenciones estéticas si no respondieran a la máscara que se lleva en Celebrityland?

La imposibilidad de separar lo real y la fantasía funda lo que, antes, se llamaba mito: un relato fantástico de dilemas que no pueden resolverse en la realidad. Si alguien reside en Celebrityland, su imagen y su discurso entrarán en una benéfica química de fusión. Para ello, sin embargo, no vale cualquier imagen ni cualquier discurso, sino los que respondan a las normas.

Para muchos teóricos, Celebrityland es un lugar de juego y de esparcimiento al que sus públicos recurren pero en el que no creen. En un sentido esto es así: el público tiene una vida y pueda comprobar que en ella no rigen las reglas que acepta para la televisión que mira unas cuantas horas por día simplemente para distraerse. Pero en otro sentido, Celebrityland tiene influencia. En primer lugar, porque ese tipo de esparcimiento lúdico habla de sus consumidores y de las destrezas que poseen o están dispuestos a comprometer tanto en el ocio como en otro tipo de actividades.

En segundo lugar, porque el ocio configura de modo bien profundo las costumbres y capacidades, las preferencias, los umbrales de tolerancia a la dificultad, la disposición a encarar cuestiones menos simples. Celebrityland mantiene abierta una gigantesca escuela de aprendizajes y lo que se aprende allí luego no se emplea sólo en ese ámbito hechizado, no concierne sólo a sus estrellas aristocráticas o plebeyas ni a sus súbditos y seguidores. Como un campo magnético, expande su zona de influencia a casi todo lo que sucede en otras esferas. La política, por supuesto, también la política.

En tercer lugar porque, y aquí voy al centro de la cuestión que me interesa ahora, es un modelo que pesa sobre la política hasta un punto que muchos políticos son casi únicamente *celebrities* (para riqueza y provecho de sus asesores de imagen). Aquí, un merecido recuerdo al programa que batió *ratings* en los meses anteriores a las elecciones de 2009.

La rendición de los cuñados

La prueba más persuasiva del carácter magnético y expansivo de Celebrityland (prueba de decadencia intelectual de la política y de bestialización de lo televisivo) fue "Gran Cuñado" de Marcelo Tinelli, emitido antes de las elecciones de 2009. No hay que olvidar ese momento de rendición de los políticos al *showbiz*. "Gran Cuñado" fue un test. Los que no fueron ni llamaron por teléfono al conductor se distinguieron de un destacamento ridículo que no evitó ninguna de las indignidades para debutar o consolidarse.

El público de "Gran Cuñado", si ya no lo sospechaba, se enteró de que los políticos en competencia electoral eran capaces de conchabarse como personajes de cualquier argumento; estaban al servicio de los votantes para divertirlos. Con la razón oscurecida por lo que les dicen los asesores de imagen, aceptaron "Gran Cuñado" como una cirugía después de un accidente: intervención dolorosa e indispensable, que los devolvía al mundo caricaturescos pero todavía vivos. Gracias a la producción de Tinelli, la mercadotecnia le ganó una batalla a la política. Ningún político fue penalizado por incorporarse a ese circo de tres pistas.

Custodiado por el cínico oficio mediático de Durán Barba (que sabe que sus clientes comparten la banalidad real mucho más de lo que suponen), Francisco de Narváez demostró ser tan *cool* como fuera necesario. Ser *cool* no es tragarse un sapo, sino gozar de la comida; rió y bailó con su imitador, tiró toda la buena onda como el animador de una fiesta infantil, y además, le ganó una elección a Kirchner en provincia de Buenos Aires, aunque a eso lo ayudaron también algunos votos que le transfirió, sin necesidad de pagar un asesor de imagen, el ex presidente Duhalde. Su victoria no puede atribuirse únicamente a "Gran Cuñado" y a la intemperancia de Kirchner durante la campaña. Pero hay que reconocer, que su asistencia al programa no le sacó un voto y, probablemente, le agregó muchos.

Los expertos en comunicación, que en América Latina suelen ser optimistas, explican que "la gente" no confunde un programa cómico con un noticiero y que, en cada caso, decide qué creer y qué no. Estas explicaciones, no siempre fundadas en otra cosa que no sea la opinión o los deseos del investigador, se han esforzado en demostrar que "la gente" no es manipulada por lo medios sino que tiene sus estratagemas para creerles un poco, desconfiar otro poco, mirar tonterías pero desarrollar, al mismo tiempo, el pensamiento crítico, etcétera. Si todo esto fuera exacto, no habría por qué alarmarse frente a las audiencias que han plebiscitado el modelo de los shows de Tinelli.

El humor de "Gran Cuñado" fue exclusivamente caricaturesco (X es directamente la hipérbole de x): Cristina se arreglaba las mechas; Néstor era bizco y desbocado; Reutemann, mudo; Carrió recitaba profecías; Macri tartamudeaba una incomprensible fonética de Barrio Norte. La exageración de unos cuantos rasgos produce el personaje, con su fisonomía retocada por el grotesco. La risa es inevitable, como en las imitaciones de cantantes, de actores, de deportistas. Por otra parte, ser caricaturizado es signo de notoriedad, porque sólo los famosos son personajes potenciales; los políticos suelen coleccionar las caricaturas que de ellos han publicado los diarios. Ritualmente se menciona a Tato Bores como un patrón del humor político televisivo, olvidando que no sólo su talento fue singular sino que vivió en años menos inclementes con los requisitos de la inteligencia. Tato Bores trabajaba, en primer lugar, con su propio cuerpo y voz: él era la carne de sus programas. Los monólogos no representaban a "otros" existentes, sino que lo mostraban actuando un personaje; eran invención cómica, no imitación caricaturesca. La ironía tenía un lugar más importante que la parodia.

El hecho de que "Gran Cuñado" fuera el *hit* de las semanas de campaña electoral en el 2009 habla de medios audiovisuales que han restringido su oferta y que no se atreven a colocar a grandes cómicos en pantalla porque no están seguros de que así retendrían las audiencias acostumbradas a una televisión de aire que va a lo seguro respetando la ley de los grandes números.[6] Por eso, la caricatura y el disfraz ocupan el lugar de recursos intelectualmente más difíciles, como lo fueron la puesta en escena y las ocurrencias verbales, casi surrealistas, porteñas sin costumbrismo servil, de Tato Bores. El humor se sostiene por la repetición de rasgos, la caricatura y la parodia. Pero también por la ironía, por la distancia reflexiva y no sólo por el pegoteo mimético con la realidad;

por la invención que convierte a un personaje en algo extraño y no sólo en la gigantografía de su modelo; por la incorporación de signos que no estaban antes en el diseño de una figura pública (un ejemplo ya clásico es Carlos Menem con su silloncito, dibujado por Hermenegildo Sabat). Las imitaciones son sólo un capítulo del humor. Hoy colonizan casi todo lo que la televisión pone en pantalla y, por lo tanto, el discurso se concentra en ellas, con una mirada cuya capacidad hipnótica seduce a los políticos.

Se piensa que un desvío que prescinda de la obviedad no puede conseguir más que un par de puntos de audiencia. La dieta humorística prescribe lo que se cree que su público puede digerir sin el menor esfuerzo; en un círculo pedagógico, lo inhabilita para practicar otros ejercicios de imaginación. No sabemos cómo podría ser el público; y muchos de los cautivos hogareños de la millonaria colonia de "Gran Cuñado" no saben si les gustaría una televisión diferente.

El estado del humor tiene una arista en común con el estado del discurso político. En ambos casos se desconfía de que las audiencias o los ciudadanos puedan interesarse por algo que no sea la repetición. Es cierto que la política se sostiene por la repetición, pero también por la innovación y la persuasión del argumento, por la explicación detallada de problemas que no son sencillos ni se pueden presentar solamente como "aquello que le interesa a la gente" (fórmula de un populismo empobrecedor y, en el fondo, despectivo), por la defensa de ideas y no sólo de consignas. Incluso en la era del eslogan hay salida y es posible romper el lenguaje estereotipado, si se confía en que los que votan pueden entender que, para gobernar, es necesario encarar cuestiones intelectualmente complejas y problemas técnicamente intricados. Esto no debería convertir a los políticos en jefes de trabajos prácticos de una cátedra universitaria, lo cual resulta igualmente ridículo, sino enfrentarlos con la tarea, más difícil, de traductores de las cuestiones públicas.

"Gran Cuñado" no ofreció sólo un diagnóstico de la televisión, sino de buena parte de los candidatos. Es correcto recordar el magnicidio televisivo de De la Rúa perpetrado también en un programa de Tinelli, pero sin sacar de allí lecciones equivocadas: De la Rúa cayó por sus propios méritos, entre los que se incluyó el que un conductor de kermés televisiva lo tratara de un modo que en el 2009 no pudo repetir con Kirchner. El diagnóstico que facilita "Gran Cuñado" tiene que ver con la dependencia de la política respecto de medios audiovisuales, no simplemente en el sentido en que todos afirman (no hay política sin televisión), sino en otro: ambos discursos, el de la caricatura y el de la mayoría de los políticos "reales" son demasiado elementales, reducidos a un puñado de tics y de singularidades. Muchos de los políticos que pelean por los primeros puestos se convencieron de que no existen sin televisión y, lo que es peor, se resignaron, por falta de imaginación o de inteligencia, a ser peor que la televisión promedio. Esto les sucede, sobre todo, a los neopolíticos, es decir, quienes no pertenecen a un partido histórico o deciden jugar solos, convencidos de que un partido les quita más de lo que les agrega. Típicamente: Macri y De Narváez; más discretamente, Scioli y Michetti.

El millonario tatuado y la mimesis

Francisco de Narváez, estrella doble (el real y el imitador) de "Gran Cuñado" se adaptó perfectamente a este régimen de pauperización. Producido como político por sus asesores de imagen, no le teme a las tautologías y se lo nota cómodo con las formas más difundidas del lugar común. Entre otras cosas ha dicho: "Voy a ser candidato a gobernar bien", "El pueblo argentino necesita esperanza", "Hay muchos proyectos de poder pero no terminan siendo un proyecto de país", "Tenemos un problema de dirigencia", "La gente quiere gobernantes honestos y preparados", "No hay una ley electoral que cambie la vocación de la gente", "La política no es para dividir, es para sumar"[7]. Las frases no han sido elegidas con malicia. Son las que los empleados de De Narváez usan como títulos de los centenares de videos que están en su página web oficial.

Eso es entender a la perfección las reglas de Celebrityland. Los videos repiten el momento fático de la política, la acción por la cual De Narváez dice sin necesidad de más discurso: *aquí estoy, con ustedes, en este pueblo, esta sociedad de fomento, esta escuela, esta universidad privada, este canal de televisión, Mírenme, vine a hacer contacto; llegué hasta aquí no para decir que la política es complicada sino que es sencilla y que yo tengo la capacidad en la que ustedes pueden confiar*. Todo esto sin mostrar otra cosa que su mera presencia. La política bajo la forma del ícono, convertida en *touch and feeling* suburbano, jugada a establecer un nexo donde el mensaje no obstruya (u obstruya lo menos posible) la función comunicativa con un mínimo contenido semántico. La política es juego de presencia; el político, en vez de decir, se hace manifiesto.

América 24 (el canal propiedad de De Narváez) cubre con la estética más adecuada sus desplazamientos por el mundo exterior, al que desciende como quien llega a la locación de un film, acompañado por su equipo de sonido y cámara. Visita Longchamps; junto a una mujer que parece una manzanera de las de Chiche Duhalde trasmigrada, De Narváez habla de las "salitas de primeros auxilios", y se atreve a una identificación que si no fuera falsa sería insultante: "Todos vivimos con miedo, porque violar la ley en la provincia de Buenos Aires no tiene riesgo y la paciencia se está acabando". Exactamente lo que podría haber dicho la mujer que De Narváez tiene como compañera de plano en la casita pobre de "un barrio demasiado humilde muy olvidado de todos, por las necesidades que tienen nuestros ancianos, nuestros hijos discapacitados", donde han llegado otros vecinos (imaginamos a los asistentes de producción del video narvaezco, desde horas antes, reuniendo a la gente allí). La manzanera reclama que el político vaya a ver sus carencias; De Narváez asegura que él va a traer gestión y capacidades concretas. La adoctrinada manzanera agrega: "Lo importante es que Francisco escucha a la gente directamente, el trato directo con el vecino".

Un clip. No innova: sabe que lo que se repite es lo efectivo. De todos modos, resulta un poco repugnante por la terrible asimetría que separa al visitante paquete de la gente que lo recibe, asimetría social y económica a la que, de todos modos, se ha acostumbrado el público de Celebrityland. Y eso explica que el mito sea eficaz, que la gente más pobre adore a sus *celebrities* más gastadoras, admire sus Rolex y sus coches importados o contrabandeados, sus mansiones tipo Beverly Hills y sus escapadas a Miami. Sin esa eficacia del mito, figuras como la de Francisco de Narváez no llegarían a ninguna parte.

Su estilo se copia de Celebrityland: el empresario maduro pero con onda y algo de pasado, un tatuaje siempre visible, grafiti pop-japonés en el cuello, vestuario adaptado a cada uno de los lugares por los que pasa, tono paternal pero no superior porque expresa en un lenguaje muy sencillo cosas iguales a las que escucha de "la gente", o las que sus asesores le han informado: el discurso del político siempre en espejo con su potenciales votantes, apenas si un poco separado, justo lo suficiente como para mostrar que sabe manejarse en las esferas en las que ellos, los vecinos de Longchamps, se perderían. Un poco protector, hermano mayor que hizo una carrera afortunada y vuelve a Almirante Brown convertido en *celebrity*, meta alcanzada sin penuria porque es millonario y pocos son tan afines a Celebrityland como los millonarios.

"La democracia argentina ha encontrado un techo difícil de perforar: la *escasa calidad de la cultura* política. ¿Cómo disociar la calidad de la dirigencia política de una sociedad de ciudadanos poco exigentes?"[8] Hugo Quiroga interroga así la relación bidireccional entre políticos y ciudadanos. Su pregunta desarma dos ilusiones: la ilusión populista de gente que no encuentra su representación, gente que es mejor que sus políticos (y no simplemente menos responsable); y la ilusión comunicacional de gente más perspicaz que las basuras mediáticas que consume. La incultura de los políticos produce, casi invariablemente, incultura ciudadana. La incultura de "la gente" es también la mejor coartada de los políticos que reafirman la servidumbre a lo que las encuestas informan que "la gente piensa": políticos sin capacidad de creación, sin la imaginación de una salida en diagonal que fisure lo dado, incluso lo que es dado por la Opinión de la gente.

De Narváez y Macri son políticos de la mimesis: reflejan lo que creen percibir; perciben lo que les construyen como real; se atienen a esa construcción y devuelven el reflejo. El círculo hermenéutico del infierno.

La política no ha podido moderar sus relaciones con Celebrityland; en parte, transcurre allí. No hay político que haya cometido la descortesía de negarse a almorzar con Mirtha Legrand (convengamos que existen pocos intelectuales que, de ser invitados, cometerían esa descortesía); Kirchner jugó con la idea, finalmente no llevada a la práctica, de hacer algo en "Gran Cuñado". Sólo Elisa Carrió (que come con Mirtha Legrand) se mantuvo afuera de ese circo. Pero no se trata solamente de ubicarse en los escenarios más degradados, más hostiles a la política. Porque se podría decir que "Gran Cuñado" despertó un interés inaudito en muchos candidatos y siempre es posible ilusionarse con que ese interés acorte el camino entre la caricatura y su modelo real, entre la burla y su víctima gozoza.

No participo del optimismo que haría de la televisión una especie de caldero de alquimista donde los materiales, contra toda probabilidad, se trasmutan. No hay una investigación empírica que sostenga esta ilusión. Lo que sí puede verse en la fenomenología cotidiana de la política es la influencia de las costumbres de Celebrityland. Los candidatos se posicionan como un producto, diseñan su imagen con asesores y arman equipos de márketing.

El vocabulario traído de la publicidad tiene consecuencias más allá de los mensajes publicitarios y la construcción de personajes tipificables y "relatos" atractivos. Nadie recuerda quién fue el primero que propuso dilucidar una interna por encuestas, pero esa proposición fue incorporada al *set* de instrumentos del que se podría disponer para evitar aquello que "no le interesa a la gente". Afortunadamente la ley de primarias abiertas, simultáneas y obligatorias cerró esta posibilidad. Pero subsiste la lógica del *casting*.

Con todo, el *cursus honorum* de la antigua política no debería idealizarse: estaba lleno de zancadillas y humillaciones, competencias sin mayores principios, ascensos y descensos por la voluntad de un jefe, las amistades y las cadenas familiares. Caudillos fraudulentos dominaban muchas provincias. El peronismo histórico, anterior a 1955, produjo una renovación gigantesca de personal político, pero no contribuyó a mejorar aquello en lo que su líder no estaba filosóficamente interesado: la partidocracia burguesa (como se la llamó). Los años posteriores al golpe de 1955, además de la proscripción (el factor fatal de las dos décadas que siguieron), fueron sin embargo un lapso de alto entrenamiento programático tanto de la izquierda revolucionaria como de la modernización de un ala radical separada del partido con el frondizismo y de la renovación de una fracción de lo que había quedado allí. En la UCR de 1982 o la renovación del PJ de 1985, se jugaron proyectos y no sólo fachadas. La selección que esos partidos hicieron en aquellos momentos mejoró su calidad política, ideológica y cultural. Fue una competencia resuelta de varias maneras, incluso muy conflictivas. No una convocatoria de actores para la superproducción de una campaña electoral o la instalación de un político en la opinión pública.

Casting

Celebrityland utiliza el *casting* como modalidad de ingreso en su territorio. No es un invento reciente, por supuesto.[9] Las películas, las publicidades, los participantes en concursos televisivos pasan por esa competencia de hecho.

También hoy la política funciona como un amplio estudio de *casting*. Por las antesalas y las salas, oficinas, baños y sucuchos de la casa de gobierno y de otras dependencias desfilan los actores. Lo mismo sucede en los despachos de la oposición. Hay un poco de todo. El actor que espera por primera vez un protagónico y afirma que él está para eso y para ninguna otra cosa. Los actores que se consideran multitarea, y aceptarían desempeñar el papel del protagonista tanto como el del *supporting actor* (es decir, el segundo del film). Los que amagan pretensiones en el *casting* para elevar el *cachet*, pero que se conformarán con mucho menos.

Vienen de todos los circuitos: figuras nacionales, grandes valores locales, jóvenes ambiciosos, conversos recientes, gente que sólo ha trabajado en bambalinas, viejos con experiencia en cualquier bolito, gente a la que parece que nunca le va a llegar la hora, gente a la que la hora ya se le pasó pero sigue en la brecha, gente del momento, de quien nadie se acordará mañana. Incluso puede haber sorpresas, actores elegidos para el rol porque otros no están disponibles y terminan convertidos en estrellas. Consúltese al respecto la llegada de Kirchner a la presidencia, después de que Reutemann declinó el papel y de la Sota no lograba subir en las encuestas.

Si las producciones del *show-business* tienen un responsable de *casting*, para el *casting* político el trabajo se desdobla. Porque no lo hacen sólo los dirigentes, sino los técnicos encuestadores que miden a los posibles candidatos. Es increíble pero políticos avezados necesitan que un encuestador les diga que "Scioli sigue midiendo bien en la provincia de Buenos Aires", como si un número x de casos fuera más definitivo que la suma de datos cuyo saber está al alcance de cualquiera: "la gente" conoce a Scioli porque perteneció al mundo de las *celebrities* y entró allí por el lado del deporte; lo aprecia y respeta por la entereza con que enfrentó la adversidad de su accidente; frente a los estilos confrontativos, comprueba que siempre reacciona como un "buen muchacho"; no habla como político sino como alguien del común que cultiva los mismos clichés de "la gente"; y un infinito número de etcéteras unidos por la "buena onda". Pregunta: ¿hay que medirlo a Scioli? Ni siquiera la "candidatura testimonial" o la incapacidad para encarar algo que preocupa en la provincia de Buenos Aires, como la inseguridad, pudo bajarle a Scioli los puntos. Casi todos los políticos hablan de su colocación en las encuestas.

En cuanto alguien ocupa un fugaz primer plano "se lo mide". En el 2010 se lo midió a Martín Redrado, que parecía dispuesto a sacrificarse, encadenado al Banco Central, para proteger las reservas, mientras salía en las revistas del corazón con una bailarina de Tinelli. Casi al mismo tiempo, se la medía a Mercedes Marcó del Pont, que sucedió a Redrado, no salía en las fotos de la noche porteña, pero se mostraba firme en el Congreso, sin perder una sonrisa de toda la boca. Hoy nadie mide a ninguno de los dos. Marcó del Pont sigue kirchnerista y Redrado abandonó a la bailarina, se reconcilió con su mujer y volvió a su hogar, se arregló nuevamente con la bailarina, se peleó una vez más y así de seguido.

Los encuestadores son el equipo técnico del *casting*, los que hacen las primeras entrevistas y les llevan a los responsables las mejores opciones entre las cuales se terminará eligiendo. Por supuesto, cuando las cosas exigen que las encuestas se pongan finas, en vísperas inmediatas de las elecciones, los encuestadores a veces se vuelven prudentes: "No pudimos encuestar bien tal zona del Gran Buenos Aires, porque es difícil entrar en la villas", o "Mandamos el equipo desde acá, y resulta que allá la gente les desconfiaba", o "La gente tiene miedo y oculta el voto", o "Encuestar por celular no da resultados del todo precisos". Pero los políticos necesitan las encuestas para enterarse de novedades sustanciales tales como que la "inseguridad" preocupa a la gente que, además, está muy interesada (¡oh sorpresa!) por la "educación".

En las elecciones del 2009, el kirchnerismo optó por una doble estrategia: asegurar la presencia de políticos que miden bien en las encuestas y, aunque estuvieran en otras funciones de gobierno, obligarlos a ser candidatos. A ese segundo invento se lo llamó "candidatura testimonial". Lo mismo hizo Macri con Gabriela Michetti: la vicejefe de gobierno renunció para trasmutar en diputada y nadie entiende los motivos de su oscura presencia en el Congreso, salvo que se los busque en un solo día: el de las elecciones para las que se creyó que ella reforzaba la lista de PRO. El kirchnerismo, por su parte, agregó un toque pintoresco a sus candidaturas testimoniales, trayendo a una figura destacada en Celebrityland (donde hace algunos años impuso la idea de la "belleza interior" para protegerse de la malignidad de quienes le atribuían varias cirugías estéticas) y en el mundo del teatro musical extratelevisivo, portadora de un pasado que la vinculaba con los setenta, y protagonista, justo en el 2009, de un musical sobre Eva Perón, producido con el aporte de la provincia de Buenos Aires. Pura sangre de Celebrityland con el valor agregado de una imagen peronista reciclada en la efigie de Eva y un remoto pasado que la vinculaba con la nueva canción, la política y el exilio.

Dos veces Nacha

Como un ejemplo más del magnetismo de Celebrityland, vale la pena recordar que no es la primera vez que el kirchnerismo quiso ponerle algunas fichas a Nacha Guevara. En el 2004, se la propuso para integrar el directorio del Fondo Nacional de las Artes. El episodio fue pintoresco. El 1° de junio de 2004, los diarios anunciaron el nombramiento de Javier González Fraga como presidente del Fondo Nacional de las Artes y de Nacha Guevara como directora ejecutiva, cargo que no existía en el organigrama del Fondo. Ambos nombramientos tenían la esperanza de diluir un escandalete producido por (brutales y verdaderas) declaraciones de Torcuato Di Tella, Secretario de Cultura de la Nación, quien con una sinceridad no acostumbrada para quien ejerce un cargo político y, especialmente, el que él ocupaba, había afirmado que "la cultura no interesa a nadie" y que el gobierno no se equivocaba al juzgar que otras cuestiones eran más urgentes.

Mientras una fila de economistas saludaba el nombramiento de González Fraga, el de Nacha Guevara fue recibido con reservas, aunque su posición en Celebrityland le aseguró, incluso de parte de los más críticos, los adjetivos de "creativa" y "talentosa", como prueba de que los laureles recogidos sobre el escenario son los únicos que pasan sin marchitarse a otras esferas de la vida pública. Que Nacha Guevara fuera considerada por algunos (o por miles) talentosa y creativa significaba muy poco en el cargo que se le ofrecía, para el cual no había demostrado ni creatividad ni talento porque, simplemente, la gestión cultural pública no había figurado entre las tareas mencionadas en el currículum de la diva. Lamentables fueron opiniones de gente que debía callarse la boca si sabía tan poco sobre lo que opinaba.[10]

Esa misma noche del 1° de junio, cumpliendo compromisos previos en Celebrityland, Nacha Guevara asistió a la entrega de los premios Martín Fierro (un evento de la televisión comercial), y allí se encontró y alternó, como lo informan los diarios, con otras distinguidas colegas: Florencia de la V. y Moria Casán. En ese marco inverosímil, Nacha manifestó su deseo, en cuanto se pusiera en funciones, de promocionar lo que llamó la "cultura underground". Interrogada más tarde, manifestó que todavía no se la conocía: "¡Es que no lo sabemos, porque está enterrada! Es la cultura del mañana, lo que harán los artistas, los Rimbaud del mañana".[11]

Los días pasaron sin que el nombramiento de la "creativa y talentosa" actriz se concretara, entre otros motivos no desdeñables porque era necesario conseguir una partida para pagarle el sueldo que reclamaba para vivir y que no está contemplado en el presupuesto del Fondo, cuyos miembros del directorio han trabajado *ad honorem* y sin cobrar viáticos desde la presidencia de Menem.

Mientras se exploraba de dónde podía sacarse la plata, Javier González Fraga hizo unas declaraciones alarmantes: "Le recomiendo hablar con Nacha Guevara, que será la vocera y quien en la práctica va a dirigir el Fondo de las Artes. Yo soy un mero administrador para ver que los créditos estén bien dados".[12] Finalmente, Alberto Fernández demostró que se podía confiar en él tanto como González Fraga confiaba en Nacha y anunció que se habían encontrado las partidas para pagar los sueldos del Directorio. Todo pareció listo para que Nacha Guevara se dedicara a desenterrar el underground y mostrar al mundo esos Rimbaud criollos.

Sin embargo, el 11 de agosto renunciaron a los cargos (que todavía no habían asumido) tanto González Fraga como Nacha porque las partidas "supletorias" no habían salido del underground presupuestario de donde debía sacarlas Alberto Fernández. Al parecer ambos se cansaron de esperar: "A dos meses y medio de haberse anunciado sus designaciones con bombos y platillos, el economista Javier González Fraga y la artista Nacha Guevara no asumirán, finalmente, en el Fondo Nacional de las Artes. La causa de la decisión reconsiderada por ambos sería la falta de presupuesto para convertir en rentados los cargos de directora ejecutiva que iba a ocupar Guevara, hoy inexistente en la estructura de la institución, y los otros doce que componen el directorio. 'El ofrecimiento se ha diluido. Hace un mes y medio que nadie del Gobierno me ha llamado', dijo anoche a *La Nación* González Fraga, que iba a ser designado presidente del directorio. Tras admitir que había conversado con Guevara en las últimas horas, dejó entrever que también la actriz reconsideraba su futuro en el Fondo de las Artes, organismo que entró en crisis en diciembre último, tras el alejamiento de la empresaria Amalia Fortabat. Dos fuentes de confianza de la artista dijeron anoche: 'Nacha está cansada por la demora del Gobierno en firmar el decreto' de creación de su cargo".[13] Fin del episodio.

Nacha Guevara no tenía ni las condiciones ni los antecedentes ni la formación para ser directora del Fondo. Allí se puede nombrar a cualquiera (tal era el caso), pero no era imprescindible defender ese nombramiento. Ni siquiera estaba más cerca de entender el Fondo en los años sesenta cuando su proximidad con el Instituto Di Tella era mayor que su dedicación a mantener la cara lisa y la mente repleta de burbujas New Age.

Elegir a Nacha Guevara revela una superficialidad descuidada, que Alberto Fernández, el entonces jefe de Gabinete que seguramente la apadrinó, se esmeraba en esconder cuando incursionaba en el rubro político. Pero es cierto que, en 2004, excepto en la Secretaría de Cultura, el kirchnerismo no tenía los nexos con el arte que hoy fortalecen su elenco de apoyos. Ese aislamiento ha terminado: ganaron una batalla cultural; Andrea del Boca y Florencia Peña comparten planos con intelectuales en los ritos oficialistas, ya sean duelos o festividades. Cuando todavía no tenían ese escudo de "conocidos", se tomó el peor camino en una comarca que se conocía poco: resignarse a una mescolanza de conveniencia y cholulismo que, de todos modos, sería injusto atribuir únicamente a Fernández y a los Kirchner. Es un mal de muchos.

Mescolanza típicamente argentina, que Menem agitó primero, cuando atrajo a Scioli, a Reutemann y a Palito. Ahora Boudou, precandidato para jefe de gobierno de Buenos Aires, insinúa que Florencia Peña podría figurar en su lista. Pero también se pueden mencionar ejemplos latinoamericanos y los nombres de muchos diputados de los parlamentos europeos (berlusconización que comenzó con la Cicciolina). Ensalada "posmoderna", que mezcla lo popular y lo culto, lo mediático y lo letrado, característica, para decirlo rápidamente, de un imaginación sostenida por el culto a la fama. Esa mezcla también se cocinó durante el primer peronismo, cuando su dirección fue ejercida por un líder apoyado en los medios de comunicación. Perón entendió perfectamente que la radio y la prensa escrita eran fundamentales para la construcción de una dirección política de masas. El acto en la plaza pública (en el que también era un especialista) debía decuplicarse por su transmisión en cadena nacional. Eva venía del mundo del espectáculo y eso a Perón nunca le pareció un defecto sino un capital simbólico considerable. La cuestión no es el origen de quien ocupa el cargo, sino su capacidad de convertir ese origen en un destino, en un impulso positivo, en un signo de reconocimiento. Eva tuvo esa capacidad única. Es injusto reprochar a Nacha Guevara que no posea ni su sombra.

Sin embargo, esto no se entendió bien y el episodio tuvo una secuela: *Nacha. Segunda Parte,* en la que se la nombra candidata a diputada por la provincia de Buenos Aires para las elecciones de 2009, acompañando a los adorables testimoniales Scioli y Sergio Massa: un trío muy Celebrityland (¿cómo olvidar el bien ganancial aportado por la impecable Karina Rabolini o por la muchachada del Club Tigre, respectivamente?). Convengamos que la distancia entre el lugar ofrecido en la lista de diputados bonaerenses y la actriz que estaba triunfando con el musical *Evita* era mayor todavía que en el caso anterior del Fondo de las Artes. La incorporación de Nacha Guevara (que renunció casi de inmediato al cargo ganado en la lista que la llevaba como elemento decorativo) sonó, desde el principio, como caprichosa e inadecuada.

Las candidaturas testimoniales de Scioli y Massa respondían a una lógica política con la cual es posible disentir; incluso es posible considerarla una forma de engaño o de decepción a los votantes. Pero la candidatura de Nacha (que terminó con su diploma en el tacho de desperdicios igual que los testimoniales) no responde a esa lógica, sino a la del capital simbólico de Celebrityland. La Presidenta se había emocionado mucho cuando vio el musical sobre Eva Perón. Nada hay más inconsistente que las emociones teatrales de gente que no va nunca al teatro. Les gusta o no les gusta lo primero que ven. Esto no tendría nada de particular, si ese sentimiento privado no hubiera pesado, aunque fuera muy poco, en aumentar la luminosidad de un halo peronista alrededor de la cabecita de Nacha Guevara. Si ella hubiera seguido como la artista de los sesenta, probablemente no habría conseguido un lugar en las listas del Frente para la Victoria. Los Kirchner se interesaron en ella porque, en los noventa, pasó a ser vecina de las *celebrities*, en los programas de la tarde. Sin este alquiler de un lugar en Celebrityland, Nacha Guevara no habría interesado.

Los dobles parecieron valiosos en esas elecciones del 2009. Nacha llegaba desde el escenario donde representaba a Eva como una estampita del peronismo histórico. Bajaba de ese escenario del musical caracterizada como una muñeca de cera del museo de Madame Tussaud. Algo muy retro, muy en la estética del pintor peronista Daniel Santoro, una Eva afín a la intemporalidad quirúrgica de las últimas décadas, vestida como un figurín de los cuarenta, rodeada del lujo de la comedia musical, anticipada o repetida por infinidad de planos de televisión que habían promocionado la obra. Incluso tenía el rictus doliente, religioso, que tiene a veces la Eva que pinta Santoro. Producida con la distancia y el trucaje teatral, esta parafernalia viaja muy mal a la escena política (aunque allí haya también distancia e ilusionismo). Siempre se fantasea con estas transmigraciones de cuerpos de una esfera a otra, como si fuera sencillo, como si se tratara simplemente de un acto de la voluntad sosteniendo un cuerpo en movimiento; como si el viaje de Eva no hubiera probado su talento en lugar de probar la posibilidad de que cualquiera pueda repetirlo. Fue la fortuna, la inteligencia intuitiva de Eva, la política de Perón y la excepcionalidad de una coyuntura las que produjeron el mito más fuerte de la historia argentina. Sus réplicas no pueden terminar sino en la intrascendencia.

Desde un punto de vista simbólico, la incorporación de Nacha a las listas fue una operación fracasada de antemano; ella misma, una actriz con experiencia, se veía singularmente incómoda en el papel que le habían asignado. Desde el punto de vista político no tuvo importancia ni perjudicó a nadie. Las listas se arman para pescar con robador y Nacha podía traer algunos votos; con toda seguridad, no hacía perder ninguno. La táctica del punteo, de las encuestas, de los cálculos, pasaba por las candidaturas testimoniales. Sin embargo, la idea que alguien tuvo (Scioli, la Presidenta) de llevar a Nacha como candidata indica que no puede exagerarse la influencia de la cultura de Celebrityland. No hay otro motivo para que ella estuviera allí. Sólo la combinación de una iconografía teatral y de una fama televisiva. Quien no la había visto en teatro la conocía de los programas que frecuentó en la media tarde, cuando mezcló su estilo con el de la New Age, que es una mitología y un "sistema" muy afín a la espontaneidad de Celebrityland, porque les da a algunos famosos la dimensión de lo profundo espiritual, fraseando como verdades filosóficas las banalidades de llevar una "vida que lo haga sentir bien con uno mismo y el mundo". Entre la crispación de Eva y la confianza yoga pacificada, Nacha caía simpática en lugares bien diferentes. Por su edad, diferentes públicos pueden evocarla como la Nacha de los sesenta o de cada una de las décadas siguientes. Se distingue por esas valencias múltiples. Pero no es eso lo más interesante de *Nacha. Segunda Parte*.

Scioli no fue una creación de Kirchner sino, como se dijo, de Menem, que conocía ese mundo perfectamente y tenía el estilo adecuado para moverse allí. Los Kirchner no lo dominaban sino que se vieron obligados a adquirirlo lentamente hasta llegar a moverse con soltura durante los culminantes festejos del Bicentenario. A lo largo de las décadas transcurridas en Santa Cruz, el cruce con las *celebrities* no fue para ellos ni una necesidad ni un proyecto (lo cual, a no dudarlo, los liberó de muchas horas de tontería). A veces me pregunto si vieron una película de Leonardo Favio.

Como sea, Celebrityland ya tiene su provincia K. Florencia Peña se ha convertido en militante (el tránsito es señalado con el respeto que merece) y locutora de actos cristinistas, como el del 24 de marzo de 2010 en la ESMA. Andrea del Boca, emocionada como sólo ella sabe mostrarlo en el acto por Eva del 26 de julio de 2009 en casa de gobierno, también miró hacia el cielo, con lo ojos bañados en lágrimas, durante el velorio de Néstor Kirchner. Maradona y Tinelli estuvieron allí y tuvieron el raro privilegio de abrazar a la viuda. Inevitablemente, las *celebrities* tienen que presentar su conversión bajo alguna forma de dramatismo que les resulte conocido; años hablando para las revistas del corazón marcan una estética y trazan límites. Se les pide demasiado si se las critica; se las subestima si se las pasa por alto. Sin embargo, otras experiencias enseñan que la incorporación de actrices y actores a la política es exitosa en países donde existen estructuras partidarias que prevengan los disparates, las trivialidades y los malos entendidos (fue ejemplar durante décadas la del partido comunista italiano). Allí donde las *celebrities* que se convierten quedan libradas a una espontaneidad que funciona en otro territorio, no se puede pedirles mucho más que un testimonio.

1 En el 2009, año electoral, quienes miraron tv abierta se distribuyeron según la siguiente pauta: 55,8 por ciento, sectores bajos; 29,4 por ciento, sectores medios; y 14,8 por ciento, sectores altos (IBOPE, *Boletín* enero 2010, http://www.ibope.com.ar/enews/0110/IBOPE_Enews_012010.pdf. Tinelli, que ocupó una escena importante para las elecciones del 2009, está en la televisión de aire y su programa rebota por todo el cable durante la semana: quien no se quiera enterar de lo que allí sucede debe exiliarse. Los canales de noticias del cable superaron a la televisión de aire en dos acontecimientos importantes del 2010: el salvataje de los mineros chilenos y la muerte de Néstor Kirchner (Laura Ventura, "El cable cuestiona el reinado de la tv abierta", *La Nación*, 14 de noviembre de 2010). Pese a esos dos momentos victoriosos de las canales de cable (en especial de TN) sobre los de aire, lo que los espectadores miran en el cable no define la Celebrityland argentina. O, por lo menos, no todavía. Pero hay que señalar que son los canales de noticias los que más se ven en el cable (de TN a Crónica TV), lo cual indica una tendencia. Como sea, los datos de IBOPE citados más arriba indicarían que los sectores llamados "bajos" (que coinciden con los menos conectados a internet y, por lo tanto, los que menos acceso tienen a otras modalidades de información y entretenimiento) son mayoritariamente público de la televisión de aire. A ese dato debería agregarse otro que atraviesa verticalmente a los televidentes: Fútbol para Todos, aparato deportivo-propagandístico del Gobierno nacional.

2 La televisión de aire define el *star-system*. Esto no quiere decir que no haya sufrido una pérdida considerable de audiencia: un 15% en los últimos cinco años; frente a un aumento del 16% del cable o el satélite (datos de IBOPE).

3 B. Stiegler, *Mécreance et discrédit. Les sociétés incontrôlables d'individus desaffectés*, París, Galilée, 2006. Véase también: B. Stiegler y Ars Industrialis, *Réenchanter le monde*, París, Flammarion-Champs, 2006.

4 Sobre la celebridad, véase el gran estudio de Leo Braudy, *The Frenzy of Reknown; Fame and its History*, New York, Oxford, 1986; y el recientemente aparecido de Fred Inglis, *A Short History of Celebrity*, Nueva York, Princeton University Press, 2009.

5 Sobre utopías espaciales, véase Louis Marin, *Utopiques: Jeux d'espaces*, París, Minuit, 1975.

6 La única excepción es "Peter Capusotto y sus videos", trasmitido por el canal público. Sobre el grotesco de las imitaciones televisivas retomo ideas que avancé en *La Nación.*

7 Todas las citas tomadas de la página oficial www.franciscodenarvaez.com.ar.

8 Hugo Quiroga, *La república desolada; los cambios políticos de la Argentina (2001-2009)*, Buenos Aires, Edhasa, 2010, p. 57.

9 Retomo argumentos que expuse en la revista *Debate*, julio de 2008.

10 "Carlos Rottemberg, ex dueño del teatro Ateneo, donde la artista puso en escena 'Nacha de noche' hace más de siete años, opinó: 'No conozco las cualidades de Nacha como funcionaria. Como artista la admiro. Pero tampoco sé para qué existe el Fondo de las Artes y tengo 29 años en mi profesión'. También Luis Ovsejevich, presidente de la Fundación Konex, en cuyo centro cultural la actriz representará la obra piazzolliana 'María de Buenos Aires' a fin de año, destacó la condición de 'hacedora y talentosa' de la artista." (*La Nación*, 1 junio de 2004). Oscar Barney Finn, Ernesto Schóo y Francisco Kröpfl se manifestaron críticamente sobre declaraciones un poco salvajes y bastante ignorantes del jefe de gabinete Alberto Fernández acerca del Fondo; y Héctor Tizón, miembro en ese momento del directorio, informó su decisión de renunciar al cargo.

11 "Necesitamos otro tipo de cultura", *La Nación*, 2 junio de 2004.

12 Susana Reinoso, "Una decisión que cambia la estructura del Fondo de las Artes", *La Nación*, 5 junio de 2004.

13 Susana Reinoso, "Nacha Guevara y González Fraga no irán al Fondo Nacional de las Artes", *La Nación*, 13 agosto de 2004.

II. ACTOS Y CUERPOS

Acciones diseñadas

No se puede criticar a nadie por descubrir tardíamente el influjo de Celebrityland. Por el contrario, fue bueno que en el 2003 Kirchner haya llegado a la presidencia sin ser un experto en los confines indecentes de la política televisiva; no lo hizo simplemente por cálculo ni sólo como estrategia de diferenciación; pudo sortear el destino que castigó a De la Rúa en el programa de Tinelli, al que asistió por razones inexplicables, como un pajuerano que se desplaza por un mundo donde no pueden sino sucederle catástrofes: confundido por su propio imitador, De la Rúa fue más ridículo que cualquier parodia que de él se hubiera hecho hasta el momento. Kirchner evitó esos desfiladeros, no visitando ningún lugar donde no le estuviera garantizado el dominio total de la escena.

Ésa era la estrategia comunicativa que expresó varias veces Alberto Fernández mientras fue jefe de comunicación residente en la oficina situada a metros de la de Kirchner en la casa de gobierno. Cuando Kirchner se negaba a ofrecer conferencias de prensa, Fernández recordaba que el Presidente se comunicaba directamente con el pueblo, sin la incómoda mediación de las preguntas de los periodistas. Eso no era exactamente así: Alberto Fernández era el enlace de la presidencia con el periodismo y, durante los primeros años ese vínculo funcionó bien. Muchos periodistas recuerdan el mismo (y repetido) momento electrizante en el que Kirchner irrumpía en el despacho de Fernández para ofrecer dadivosamente algunos comentarios *off the record*.[1] En ese sentido, la política comunicacional de Kirchner superaba a Celebrityland, la trascendía en sus actos sobre el territorio y alcanzaba a persuadir incluso a quienes, en la prensa, se convirtieron después en sus críticos. Kirchner podía sentirse más libre de la esclavitud televisiva porque estaba acumulando su poder por otros medios más políticos. Probablemente fue su mejor momento, esos dos primeros años en que se sintió tan inseguro como audaz.

Kirchner era el Presidente. No puede subestimarse la capacidad de iniciativa e independencia que viene con el cargo. Por supuesto, como lo demostró De la Rúa, es posible dilapidarla. Pero no era Kirchner un político que anduviera dilapidando su capital. Simplemente, no varió la estética.

Sin embargo, como su muerte dejó en la más desnuda evidencia, Kirchner era único: el caso Kirchner. Del otro lado, los políticos y la política. En las campañas electorales, la influencia de un estilo llegado de Celebrityland pesa sobre la estética de los candidatos de todos los partidos. La devaluación del discurso político, que (según se dice) nadie quiere escuchar, busca una compensación por otros medios. Lo que no puede ser pasado a través del discurso, por falta de paciencia de las audiencias, por falta de destreza de los que hablan, por haber creído muchos lo que les dicen sus asesores de imagen (¿y qué les van a decir sino aquello que les asegure sus contratos?), pasa por otras estrategias miméticas y dramáticas.

Un candidato cualquiera, Filmus, para el ejemplo, se saca una foto con casco protector, visitando una obra, demostrando nada, la pura deixis, el estar ahí; otro candidato, Aníbal Ibarra, recibe saludos de vecinos que habrían sido enviados por sus responsables de prensa; Roberto Lavagna, en el 2007, se sacó una foto con botas blancas visitando una manufactura pesquera, un tambo (o ambos establecimientos incluidos en un solo *tour*, lo que ahorraba en despliegue de vestuario *ad hoc*); Castells posó con artistas y su esposa Nina se convirtió en "chica de tapa" de *Noticias* y profesional de la *performance*; Heller, el "banquero guevarista" (según el semanario *Veintitrés*), se produce para una sesión fotográfica en Puerto Madero; Blumberg, ese héroe olvidado del *qualunquismo*, estuvo, mientras pudo, en safari fotográfico. Macri visita locaciones maltratadas o descuidadas por su propio gobierno; Francisco de Narváez muestra sus tatuajes en Pinamar; Carrió camina sobre arena y por las sierras; Scioli, ese hombre de mil recursos, inaugura paradores en la costa atlántica; Solanas pasa por el festival de Cosquín y por Carlos Paz. Y, en lo que a fotos se refiere, Cristina Kirchner tiene un álbum internacional y suburbano.

Las campañas del verano son el momento en que el discurso político hiberna, como si estuviera bajo el influjo de la novela ligera de vacaciones. Los políticos hablan en la playa para gente que ni así quiere escucharlos, o sea que se realiza un gesto innecesario frente a gente que se aburre enseguida de esa incrustación política inesperada. La política se trivializó hasta niveles que sólo se pueden alcanzar (sin que se acuse a nadie) en las playas de Gesell y Pinamar. Como si se quisiera demostrar lo contrario de lo que se dice: política de vacaciones. Se va a la playa porque a los futuros votantes hay que sorprenderlos como si la política se tratara de un número más de un *surprise party*.

El político se convierte en un inadecuado *entertainer* de gentes que no tienen mucha inclinación para dejarse entretener por esa visita extemporánea. En las playas es donde la política rinde el tributo más oneroso a las reglas que sigue el público de celebridades. Como modelos de Pancho Dotto en Punta del Este, los candidatos piensan que hay que estar allí donde la gente no tiene los ojos ocupados en otra cosa. Primer error. La mirada de la gente está ocupada con otras cosas y sus cuerpos y mentes, con otros deseos. Si alguien no atiende la política cuando ésta se hace presente en condiciones propicias, es poco posible que le preste atención cuando llega a interrumpir actividades más agradables que estrechar la mano de un candidato. Buscar al votante en las playas es como intentar la enseñanza de la regla de tres compuesta cuando los destinatarios del aprendizaje están ocupados con la PlayStation.

En las campañas de renovación parlamentaria, e incluso en las presidenciales, la política no confía en interesar a los votantes. Entonces, opta por el camino que aconsejan asesores perezosos: ir hacia ellos para capturarlos en sus momentos más desinteresados. Pero eso no sería lo más grave, porque simplemente implica reconocer que se ha tomado una inútil decisión de campaña, un hecho sin trascendencia positiva ni negativa. Lo grave es qué idea de la política empujó a los candidatos al ajetreo sobre la arena marítima, la visita a fábricas y establecimientos rurales, escuelas pobres, comedores y hospitales suburbanos a los que probablemente nunca más vuelvan. Tanta actividad frenética no consigue un resultado proporcional al esfuerzo y hay que aprender a saltar sobre los momentos más inadecuados de la inaferrable audiencia.

Las cuestiones políticas son crecientemente complejas. Los escenarios donde se elige presentarlas son crecientemente reductivos. Este dilema en el que los políticos se han colocado dócilmente no mejora las perspectivas, sino que, como todo dilema, bloquea cualquiera de las posibilidades de salida. Hay una diferencia esencial entre la visita de un político a una villa y su paseo para congraciarse con veraneantes en la playa. En la villa, el político visita aquel escenario que se compromete a cambiar (lo haga o no lo haga). La villa es necesaria como testigo de ese compromiso, de la proximidad de un hombre o una mujer que vienen de lejos a ver a esos que viven muy abajo. Nada de eso sucede en una playa o en la intersección de dos avenidas. Todo lo que se logra es un simulacro de contacto entre gentes desinteresadas, que están allí porque quieren y no porque han sido obligadas por la pobreza, como en el caso de una villa.

En los años noventa se inventaron las caminatas. Convencidos los políticos de que la gente no iría a grandes actos, que no abandonaría los barrios (ni mucho menos los barrios pobres) salvo por reivindicaciones puntuales, las caminatas y los desfiles a bordo de camiones y camionetas comenzaron a reemplazar los actos de campaña. El político se dejaba ver, saludaba, sonreía, eventualmente estrechaba algunas manos o recibía algunos papelitos con mensajes. De todos modos, las caminatas y los desfiles obligaban al político a desplazarse hasta los barrios donde la gente vivía y tenía sus problemas de alojamiento, servicio, transporte, escuela o salud. Se pisaba un territorio real, a veces hostil, a veces desalentador. En el *acto-caminata* la política estaba casi ausente porque consistía sólo en la imagen móvil del candidato sobre su carrito transportador, pero el pueblo para quien se caminaba podía verlo (con suerte), dando una especie de materialidad efímera a la presencia. Macri se distinguió en su campaña para ser jefe de gobierno: protagonizó la extravagante operación de lanzamiento en un basural de Villa Soldati, subido a un cajoncito y acompañado de una chiquita pobre que lo miraba como se mira a alguien que acaba de llegar de Celebrityland.

En las elecciones presidenciales del 2007 se consolidó una nueva tipología: el *acto de diseño*. Como siempre en estas cuestiones "postpolíticas", Macri tuvo el suyo. Incluyó lo que, desde hace unos años, parece un elemento inevitable de las fiestas de quince, los bar mitzvah y los casamientos: cotillón y remeras, videos, luces y musicalización. Los partidos como el PRO que se dirigen a "la gente" carecen de capacidad de movilización precisamente porque interpelan a sujetos que, por definición, no se movilizan. El acto de diseño es el sustituto ideal.

Desde hace años, salvo cuando intervienen los sindicatos con sus militantes y sus refuerzos de barras bravas, incluso el peronismo tuvo que reconocer las dificultades de poner gente en la plaza pública. Sin embargo, el Frente para la Victoria siempre cuenta con una base considerable, movilizada por jefes piqueteros o caudillos políticos. Lo nuevo hoy es que la "militancia K" revive una antigua historia de movilizaciones de organización más suelta. Pero hasta el 2009, el kirchnerismo dependía de los aportes clásicos de intendentes y gremialistas amigos y del combustible de los planes sociales. Del lado del radicalismo, a partir de la traición de Cobos, candidato en el 2007 a la vicepresidencia junto a Cristina Kirchner, la UCR que cuenta grandes actos en su historia, quedó desarticulada e inerte. Cuando decidió llevar a Roberto Lavagna, un peronista no kirchnerista, a la cabeza de su boleta presidencial, había perdido desastrosamente las elecciones presidenciales del 2003. A falta de un partido movilizado, también los radicales debían adaptarse al aire de los tiempos.

Roberto Lavagna lanzó su campaña el 21 de julio de 2007 en Tilcara, Jujuy, provincia de su compañero de fórmula Gerardo Morales, quien le prestó el lugar y los militantes que se recortaban contra el escenario espectacular: primeros planos de la Argentina profunda, voces folklorizables para la televisión de todo el país, un lanzamiento de "cine documental".[2] Lo opuesto al acto de diseño, realizado para la presentación porteña de Lavagna en el cine Gran Rex de Buenos Aires: música *pop* a un volumen que seguramente confundía a la vieja guardia radical de las primeras filas; un cuarteto de caños y un sexteto de percusión, uniformados; una soprano para el himno nacional; haces de luz que iluminaban el auditorio; seguridad y organización con aspectos y trajes de recepcionistas de expos; papel picado color plata lanzado, por medios mecánicos, desde el piso del escenario hasta el techo, como una cortina festiva; *teleprompter* y, por supuesto, dos videos: el primero con fragmentos documentales del pasado de los partidos que integraban el frente de Lavagna, y el segundo con un condensado *biopic* del candidato desde que llegó a Ezeiza en abril de 2002, para ocupar el crítico Ministerio de Economía bajo la presidencia de Duhalde, quien, para no ser menos, en diciembre de 2010 también lanzó su candidatura presidencial en un acto de diseño; atril cubierto por la bandera, que Duhalde tenía la libertad tecnológica de abandonar para pasearse por el escenario: "Tenía un pequeño micrófono en su mejilla derecha y dos pantallas gigantes a su espalda".[3]

El video, las bandas de sonido profesionales y el montaje escénico, las cámaras que toman al candidato o panean sobre el público, todo el dispositivo es una garantía contra el tedio y aseguran que no hay obligación de escuchar. La erosión de la política ha sido explicada por todos los que se ocupan de ella. Contemplando este paisaje devastado, tierra baldía de la estética pop, se entiende mejor qué alianza de desafección política y cultura mediática ha concurrido a la situación presente. Si allí hubiera un *masterbrain,* sería hostil a la plaza pública.

Sin embargo, la muerte pone al desnudo una médula sentimental y afectiva, a veces paroxística, cuya narración tiene mucho de lo que se aprende y se muestra en el mundo de las pantallas televisivas. La muerte de Raúl Alfonsín tuvo consecuencias políticas impensadas, como si esa desaparición iluminara de repente aquello que no había sido percibido durante más de una década. El anciano político volvía a primer plano, por lo que había hecho (que antes le había sido mezquinamente reconocido) y, sobre todo, porque la muerte lo iluminaba con ese fulgor definitivo de quien ya ha quedado fuera de toda batalla. La fila de quienes esperaron una noche para entrar en la capilla ardiente estaba poblada de jóvenes que no habían nacido cuando tuvo lugar el juicio a las juntas militares, pero que tampoco podían recordar las jornadas en las que Alfonsín le entregó la presidencia a Menem. Llegaban a la Plaza del Congreso para participar en un acto que tenía tanto de contrición (impensada), de reconocimiento (fatalmente tardío), como de evento televisivo (obligatorio). No se trata de discutirlo en términos de sinceridad. Si es difícil hablar de sinceridad en la esfera privada, más improbable sería acertar en lo que concierne a la pública. La gente de la larga fila estaba emocionada, tanto como pueda juzgarse la emoción por los signos exteriores (no hay otra forma de abordarla); sobre todo, estaba dispuesta a quedarse allí hasta acompañar a Alfonsín a su tumba en Recoleta. Finalmente, es posible que se supiera que se estaba participando en un "momento histórico", algo que se salta de la norma por el costado del drama y de la excepción. Las largas filas son ya, en sí mismas, la prueba de un pequeño sacrificio ofrecido al muerto (lo que hoy se designa con la palabra "aguante").

Lo mismo sucedió con Kirchner; cuanto más improbable parecía alcanzar la capilla ardiente, más gente se sumaba a la Plaza de Mayo, en una demostración de desinterés individual frente al absorbente interés del acontecimiento colectivo. El "aguante" no consistía en resistir hasta lograr la entrada en el recinto del féretro, sino en quedarse afuera, sabiendo que no se llegaría. El velorio transcurría en Plaza de Mayo tanto como en la casa de gobierno. Como en un recital donde todo lo que sucede se ve por las grandes pantallas, la televisión duplicaba en todas partes esta restauración instantánea de un nuevo altar de la notoriedad.

Sin embargo, pese a los llantos telegénicos de las *stars*, la vigilia final de Kirchner se resistía a entrar en régimen. Por el contrario, ponía bajo su régimen a las máquinas televisivas. Así se dio la paradoja de que TN trasmitiera prácticamente sin interrupciones el tributo póstumo a Kirchner, su implacable atacante.

Los cuerpos

Cristina Kirchner inauguró su presidencia vestida con un traje de encaje blanco, ajustado a la cintura. Se ha escrito quizá mucho más de lo necesario sobre la ropa de la Presidenta; sobre las extensiones de pelo, las inyecciones de bótox, el maquillaje de vedette. No vale la pena agregar nada a la lista de lo dicho en pro y en contra. Sin embargo, algo no ha sido subrayado.

El gusto de la Presidenta es cuestión suya. Definirlo como perfectamente afín a Celebrityland no es una crítica sino una descripción. Cristina Kirchner se viste tan en ese estilo como Mirtha Legrand. La Presidenta cultivó, hasta la muerte de su marido, la preferencia por lo vistoso, siempre en el borde de la exageración. Quisiera que los siguientes calificativos fueran leídos descriptivamente: abigarrado, ampuloso, barroco, pesado, falto de claridad conceptual, demasiado engamado o de un cromatismo chillón. Así se vistió, hasta la muerte de Kirchner, el cuerpo ceremonial del Estado. El estilo es más recatado pero no menos rutilante que el de las estrellas. Con ellas comparte, además, una originalidad: nunca lleva la misma ropa. En Celebrityland la ropa llega de los vestuarios preparados para los programas o de los diseñadores. No sabemos de dónde la recibe la Presidenta. Lo que la caracteriza es evitar la repetición. Algunas mujeres políticas muy bien vestidas, como la candidata socialista que perdió frente a Sarkozy en Francia, durante toda la campaña electoral (que podía seguirse en internet) dio siempre la impresión de llevar más o menos el mismo conjunto blanco. Seguramente no debía ser el mismo, pero eso es lo que saltaba al golpe de vista. Angela Merkel y Michelle Bachelet parecen vestir siempre con el mismo tailleur, el mismo corte, los mismos botones, en diferentes colores apastelados. Algo parecido sucedía con Margaret Thatcher, cuya cabeza lucía como un casco laqueado que no lograron despeinar ni los huracanes del Mar del Norte. Es obvio que esas mujeres no llevan las mismas ropas todos los días; pero el sentido común político ecualiza las variaciones, porque esas ropas no cubren cuerpos particulares sino cuerpos que representan o aspiran representar al Estado.

En la tradición peronista, el traje sastre cruzado de Eva, diseñado por Paco Jaumandreu, se convirtió en el emblema del Estado de bienestar a la criolla fundado por Perón. Eva, como lo dice un periodista crítico de la revista *Life*,[4] compraba todos los años en cinco o seis *maisons* parisinas la ropa de los más famosos diseñadores de la época. Pero sólo la usaba excepcionalmente cuando, en una velada de gala o un viaje, representaba la grandeza del Estado peronista. Poseyó joyas, pieles y trajes a montones (que se exhibieron en la vengativa exposición realizada a la caída del régimen), pero sus fotos no son un carrusel de modelos. Alguien, Eva o Perón, tenía en claro el juego de representación visual y político; sobre todo, alguien intuía que el cuerpo ceremonial del Estado no le pertenece a la persona privada que lo presta a su función pública.

La espectacularización banal de un cuerpo no puede dejar de ser juzgada cuando ocupa la escena política. A nadie se le ocurre discutir la ropa de una millonaria (excepto a las revistas de *celebrities*), pero la ropa de un político puede ser discutida, planificada, diseñada, criticada en la sección política; no se trata de un rasgo de inquina superficial porque muestra un temperamento. Esa ropa no debe ser necesariamente gris e intrascendente; tiene que ser pensada para su función. La ropa pública no es una acción privada.

Cristina Kirchner no ha entendido esto bien. Explica: yo siempre fui así, como si la persistencia de un rasgo fuera suficiente. Quizá por este lado se acerque a la zona de popularidad que, en algún tiempo, le resultó más esquiva. En los festejos del Bicentenario, las veces que ella ocupó algún palco, a mi alrededor las mujeres se identificaban con ella tanto como con las estrellas de la televisión: "está divina", escuché muchas veces. Y lo estaba, si la norma es la establecida por la pantalla. El resultado es parecido al que ha buscado espontáneamente: en vez de una burguesa bien vestida parece una estrella en un almuerzo de Celebrityland.

Avatares de los cuerpos en las pantallas. Elisa Carrió, dotada de talento mediático y alta capacidad dramática, presenta una imagen chamánica. No podría decirse con seguridad, pero tampoco negarse, que se trata de una estrategia deliberada, resultante de un cálculo político. Como sucede con el carisma, nadie puede decidir tenerlo ni representarlo. Nadie puede combinar por capricho una máscara con fuerte presencia de la cultura letrada, liberalismo republicano, invocaciones religiosas de una espiritualidad fantástica, inteligencia, arbitrariedad, ironía, repentismo, autocentramiento, suficiencia y sinceridad. Eso no se combina: sucede.

El poder del chamán (del curador o hechicero) no es algo que posee, sino algo que se le reconoce dentro de la relación que establece con el creyente. El discurso del chamán produce el espacio de sanación donde él mismo se convierte en curador. Su "canto convierte el caos en un orden".[5] El chamán crea comunidad entre el creyente y un mundo mágico, de donde le llegan palabras, gestos y rituales. Representa una seguridad frente a la duda, no porque el chamán sepa, sino porque es ocupado por un Saber. No hay, por un lado, alguien que piensa en soledad sus pensamientos y, por el otro, un cuerpo (individual o colectivo) que padece, sino una relación de contacto donde se probaría lo que Lévi-Strauss denominó la eficacia de lo simbólico. El chamán invoca para que lleguen a él esas palabras que llenarán el espacio de la cura; no son palabras que él pueda delegar en otros, sino que él mismo es un delegado que no debe (ni puede) transferir su delegación. Si lo hiciera, la eficacia chamánica y su poder curativo se disolverían.

Carrió no empezó su carrera política bajo este signo. Su primera intervención de proyección nacional fue en la Constituyente de 1994, asamblea en la que formaba parte de la bancada radical, llevada por Raúl Alfonsín; en el primer discurso que pronunció entonces tomó distancia del Pacto de Olivos, es decir, de los acuerdos que Alfonsín había establecido con Menem. De gran impacto para quienes seguíamos ese debate, Carrió no volvió a la oscuridad política de la que había salido. Su eficacia en los medios de comunicación audiovisuales se sostuvo, en un principio, en su capacidad para presentar argumentos complejos de manera relativamente sencilla, pero nunca banal. No parece, como le sucede a Cristina Kirchner, alguien que recita un texto universitario, sino alguien que no necesita recordar el vocabulario convencional de las ciencias sociales. Habla naturalmente bien, no sólo correctamente sino con una variedad de tonos e imágenes. Lejos de la lengua de madera de la academia, de todos modos, da por sentada una formación académica sostenida por una impertérrita y altiva seguridad. Éstas fueron sus virtudes desde los primeros años.

A ellas se agregaba una intensa presentación pública de la subjetividad: Carrió habla, como corresponde a la época y a los medios, en primera persona del singular. No se creyó atada al partido que la había llevado a la política, sino que repitió las cualidades, anteriores a la política, que habían hecho que Raúl Alfonsín se fijara en ella. Como no había realizado todo el *cursus honorum* lleno de ceremonias y dilaciones que caracteriza a la Unión Cívica Radical, no se sentía en deuda con ningún compañero de ese largo camino. Su seguridad provenía precisamente de lo contrario: entre tantos radicales, la habían elegido a ella. A esas cualidades no iba a renunciar, por supuesto.

Después del 2001, mientras la Unión Cívica Radical quedaba hundida en la crisis que no había provocado pero a la que había contribuido grandemente, Carrió percibió, entre los primeros, que la situación no debía encararse con los instrumentos acostumbrados, en los que nadie creía ya y que habían perdido potencial. Por otra parte, ya antes de la caída de la Alianza, comenzó como diputada sus investigaciones sobre lavado de dinero y otras formas del delito enlazadas con la política. De allí en más, el discurso de Carrió tiene dos vertientes, ambas de gran impacto mediático: las denuncias por asociaciones mafiosas y corrupción política, por una parte; por la otra, la idea de que el país está tocando un límite y que el futuro de las próximas generaciones quedará irremediablemente comprometido.

Este segundo aspecto, que se apoya en el primero, captura lo más visible (lo más criticado también) del discurso de Carrió. Reconvertida al catolicismo místico, en el 2001 ya muestra un rosario alrededor de la muñeca y una cruz colgando del cuello. Estas imágenes confirman visualmente el tono advocatorio e invocatorio de sus discursos. También tiene un impacto afín a las estéticas intensamente subjetivas de los medios audiovisuales.

Por el lado del discurso, Carrió reintroduce en la política un elemento de confrontación que no siempre ni invariablemente es negativo. La política no es sólo consenso ni es consenso entre quienes no tienen nada para consensuar excepto reglas formales de convivencia. Reintroducir el dramatismo en la política implica reconocer en ella un elemento agonal que podría restituirle significado. Desde el 2006 Carrió presenta la necesidad de un "contrato moral" que deberían suscribir quienes piensan que la cuestión argentina no tiene una solución simplemente política sino también ética e institucional, un pacto previo a la competencia electoral y un marco de conducta para la acción pública. El "contrato moral" no era sólo una propuesta sino, en primer lugar, un diagnóstico del estado de la república. Quiere decir: de este modo no se puede ni gobernar ni ser oposición. Pero no quiere decir que los que ella considera mafiosos y corruptos puedan firmarlo, porque esa firma invalidaría el contrato. En este doble aspecto de separación en el interior de la clase política y de acuerdo posible con algunos sectores, Carrió se agita (a veces hasta la incongruencia). La evolución de esta propuesta ha mostrado que el elemento confrontativo ha prevalecido sobre el contractual. No sería justo atribuir este curso de los acontecimientos sólo a Carrió.

Como sea, Carrió renueva el aspecto chamánico del carisma. No está en el lugar de una Casandra, porque eso bloquearía enteramente su voz. Casandra, maldecida por Apolo, nunca logró que se escucharan sus profecías. Carrió, naturalmente, no se instala en ese presupuesto, sino el de quien tiene un Saber recibido (todo gran político tiene ese saber recibido, algo que le llega de los lugares que debe interpretar y dar voz, o recoger el eco, los murmullos). No está simplemente para escuchar (versión populista posmoderna: hay que escuchar a "la gente"), sino para producir un espacio donde algo sea escuchado, algo que no vive simplemente en lo inmediato, sino que se vincula con lo inmediato a través de lo que parece más lejano: un futuro, un camino que todavía no se vislumbra.

La investidura chamánica de Carrió es inseparable de sus excesos. Al hechicero no puede exigírsele moderación. La desmesura melodramática (acentuada en el caso del chamán por los ropajes y las máscaras, los adornos que toma de la naturaleza como plumas, cortezas, dientes de animales) es indispensable a la función, es su estilo y el del lugar que ocupa. La intensa autoconcentración es también indispensable.

Podrá decirse que estos rasgos no están bien en la política. Funcionan perfectamente, en cambio, en la televisión. El carisma mediático de Carrió se justifica en la investidura que ella lleva como naturaleza; garantiza sus dichos a través de la exposición desmesurada de su subjetividad, el autocentramiento para el que no busca ninguna atenuación y la *performance* dramática que pone en escena un relato de gran nitidez y muy afín a la estructura del folletín (que trasmite algunas de las promesas y de las amenazas de la profecía). Toma para sí los rasgos del melodrama que marcó una época de la estética televisiva. Pero, al representar ella misma su guión, le da esa cualidad contemporánea de la televisión-verdad: lo que se ve es lo que existe, no una representación sino un Ser. La técnica pertenece al oficio de la cura que cualquiera puede ejercer si lo aprende; las palabras del chamán pertenecen al Saber recibido de la sanación.

La figura del chamán, considerada con cautela, ayuda a pensar cierto tipo de intervención política. Como bien se sabe, Raúl Alfonsín terminaba todos los discursos de su campaña presidencial recitando el Preámbulo de la Constitución. Con el paso de las semanas, quienes asistían a esos actos comenzaron a acompañar esas frases como si fueran una oración. Esos momentos restablecían una dimensión mítica: algo que estuvo en la fundación de la Patria y que fue perdido, un tesoro hundido en el pasado que debía encontrarse, en el caso del Preámbulo; una perspectiva de tiempo que, por el buen o por el mal presagio (Carrió alterna entre ambos), asegura que hay un futuro en continuidad con el presente. Se sabe que, tanto como el territorio, la idea de un tiempo común a todos funda el sentimiento de pertenecer a una nación.

Fernando Solanas expresó en sus films estas dos ideas de territorio y tiempo nacionales. No las abandonó al pasar a la política o, mejor dicho, en este último capítulo de su vida política que ha tenido varios anteriores. Ha insistido en esta unidad producida por una geografía y una historia, frustrada por intervenciones coloniales, por dictaduras y por los compromisos espurios de todos los gobiernos. La noción de patria como territorio donde conspiran intereses que lo esquilman, empobrecen y deforman, y la noción de tiempo como línea de acción que debe reparar en el presente las injusticias y las tropelías que vienen del pasado, son un marco poco habitual al presentismo absoluto de las discusiones políticas cotidianas. Sin embargo, estos contenidos (que enlazan con viejos relatos histórico-políticos desde FORJA y el primer revisionismo histórico, renovados, ahora, por la ecología que enriquece la idea de suelo con una geografía histórica asentada sobre una naturaleza amenazada) no son la única razón por la que Solanas tiene una audiencia en los escenarios políticos de la televisión y se lo considera como un personaje que mantiene valencias y capital adquiridos en los límites de Celebrityland.

Enunciaría la siguiente hipótesis: la televisión y la política coinciden en el juvenilismo; los políticos maduros son admitidos porque, de no hacerlo, no habría personajes para contar una trama de cierta duración temporal, pero, en términos generales, así como existe un populismo de "la gente" (ese conglomerado de individuos encuestables), existe un populismo juvenilista. La estética televisiva es hostil a la madurez y admite la vejez sólo en calidad de personaje "característico" (como se lo llamaba en el teatro del siglo XX) o de gran estrella cuya importancia supera el tiempo. En esto se sigue la línea hegemónica de las estéticas de mercado contemporáneas.

El juvenilismo admite, sin embargo, algunas figuras típicas, entre ellas, en primer lugar, la del Gran Viejo, demasiado viejo para ser un viejo ridículo, demasiado sentenciosos para ser un viejo que no entiende nada, demasiado respetable en su vejez no disimulada, para ser un viejo de porquería. Celebrityland adora a sus Grandes Viejos. Hace quince años, ese Gran Viejo fue Ernesto Sabato, que le hablaba directamente a la juventud sobre los peligros de una revolución tecnocrática y de una destructiva teodicea técnica; pasaba por sobre las cabezas de generaciones que eran las de sus propios hijos. El Gran Viejo confía en el futuro; necesita de los más jóvenes como auditorio. No es un resentido porque el mundo lo ha puesto a él en ese lugar y estando él allí el futuro debe de ser necesariamente mejor que el pasado.

Solanas, sin proponérselo, ha venido a caer justamente en ese casillero que tiene fuertes componentes míticos. El Gran Viejo no es el Padre, sino el Abuelo: frente a él no hay agresividad transgresora ni asesinato ritual, sino una continuidad que salta por encima de una generación. Si lo peor es ser simplemente viejo, la compensación es la promesa de llegar a Gran Viejo. El hombre (porque Gran Viejo es siempre masculino) que guarda los recuerdos de la tribu e intuye el secreto de su futuro.[6]

Naturalmente, no sólo existen estos personajes intensos y conmovedores. Otros políticos cultivan las cualidades de proximidad, intimidad y subjetividad que son de rigor, sin lograr imágenes interesantes.[7] La suma de cualidades telegénicas no sigue reglas muy claras, pero algunos rasgos repetidos podrían señalarse como casi inevitables. Carrió, se dijo antes, muestra cualidades extrañas a la política (que, sin embargo, representa). Por dinámica de poderes que son propios pero que, por su excepcionalidad, parecen llegarle desde otra parte, se ofrece como mediadora entre un tiempo presente en desorden y un futuro que puede atravesar períodos dolorosos pero llegará a un desenlace. Sanadora en todos los sentidos: es la que cuida y la que cura; su imagen se hunde en mitos de muchas culturas y también pinta hoy como particularmente afín a la New Age. Emisora de buenas y malas ondas, es criticada por llevar esta dimensión cultural a la política. Quienes la critican saben también, o deberían saber, que el carisma se funde con esta profundidad mítica de donde el dirigente llega investido con poderes que no se obtienen deliberadamente.[8]

Las culturas populares, que hoy son casi enteramente producidas en el mercado, se alimentan de esa dimensión mítica. La celebridad misma podría definirse como la traducción de un mito en términos de mercado, como antes fue traducido en términos de religión. La eficacia mediática del Gran Viejo no depende en exclusiva de sus palabras ni de sus obras, porque quienes identificaban en Borges a un Gran Viejo probablemente no habían leído mucho más que sus reportajes e incluso en esos reportajes (tan anómalos, tan irónicos, tan deceptivos) era imposible rastrear al Gran Viejo, desplazado en el momento menos pensado por el pensador paradójico; y quienes identificaban en Sabato al Gran Viejo lo hacían más por sus discursos condenatorios de la técnica que por sus novelas.

El Gran Viejo se coloca más allá de sus dichos; si es preciso examinar los argumentos de un anciano, será muy improbable que se lo considere, acto seguido, un Gran Viejo, porque pasaría a integrar el pelotón de los que enuncian y cuyos enunciados pueden discutirse. La palabra del Gran Viejo se recibe como se recibe un talismán: se lo percibe, se lo palpa, se lo guarda.

La política televisiva no sostiene su eficacia en la activación permanente de estos mitos, porque es muy difícil activarlos a voluntad. Pero tampoco los desecha cuando aparecen sin ser convocados. Por el contrario, los restos míticos que se transparentan detrás de las imágenes públicas pueden hacer sistema con los nuevos mitos (infinitamente más banales) que circulan y se agotan.

Roland Barthes señalaba que una figura mítica convierte a la "contingencia en eternidad" y, en consecuencia, despolitiza: "El mito no niega las cosas, su función, por el contrario es hablar de ellas; pero las purifica, las vuelve inocentes, las fundamenta en naturaleza y en eternidad, les da una claridad que no es la de la explicación".[9] En un momento que fue a la vez crítico y optimista, a mediados del siglo XX, Barthes creyó posible una operación desmitificadora que mostrara esos discursos congelados como eternidad y naturaleza, por lo tanto, como ideología. Cincuenta años después se vio que la voluntad de desmitificación puede impulsar el análisis y la teoría, pero no convertirse en un programa que tenga como objetivo el mundo. Los mitos persisten bajo sus figuraciones imaginarias. Se hace política *con* los mitos, no a pesar de ellos. La trama de la fantasía contemporánea es inseparable de la acción pública. Nadie escucha hablar de otro modo. Es cierto que en algunos momentos, la política puede cortar racional y argumentativamente el *continuum* y definir un conflicto que no puede ni olvidarse ni dejarse abierto. Pero son pocos esos momentos.

Los neopolíticos intuyen esto, y refutan el viejo programa desmitificador. No despolitizan sin saberlo, sino que tratan a la política como un resto inevitable que debe ser neutralizado. Los que no vienen de la política, que no se han formado allí, que no han realizado el *cursus honorum* de partidos como el radical o el socialista, o atravesado el campo minado de las distintas líneas del peronismo, llegan con la promesa engañosa de que no son "tradicionales", adjetivo que, en un momento de baja creencia en la política, mejora cualquier cosa. En efecto, no son "tradicionales" ni "innovadores". No son. Pero, justamente, en este no ser se apoyan nuevas creencias sostenidas por viejos mitos.

Al explotar la celebridad de Palito Ortega y de Reutemann, dos nativos de Celebrityland, Menem intuyó qué le agregarían al peronismo: una popularidad conseguida en otra parte pero que, en un momento de baja intensidad política, podía transferirse como capital. Aunque no siempre ese capital es transferible. Tienen que darse algunas circunstancias: el descrédito de figuras políticas "normales", la audacia innovadora de un dirigente (Berlusconi también fue un audaz cuando hizo esas transferencias), el cansancio de los votantes que se disponen a experimentar no con ideas sino con imágenes. Así, el electorado porteño votó a Mauricio Macri, haciendo una transferencia tan sencilla como equivocada. Justamente esto último es fundamental: los neopolíticos tienen imágenes que no se han visto antes o que, de existir, nunca habían pasado a un primer plano porque permanecían subordinadas a las que se pensaba adecuadas a la escena pública. Sin embargo, en algún momento de las últimas décadas el logo místico de un club de fútbol se convirtió en valor.

La escena cambia e imágenes como ésas hacen un aporte de capital con poco riesgo. Si a estos neopolíticos les va mal, nadie pierde demasiado, excepto ellos mismos o ni siquiera ellos mismos. Si les va bien, es pura ganancia, para ellos y para sus auspiciantes. Pero algo hay que tener para convertirse en un neopolítico. La celebridad, se dijo antes. Y también una combinación de celebridad con rasgos de linaje mítico. Palito Ortega, alguien consecuentemente reaccionario desde los años setenta, gestor de *entertainment* radicado en Miami, conservaba todavía, cuando lo convocó Menem, el aura del changuito tucumano, cafetero de canal 7, a quien un golpe de fortuna lo llevó a la fama primero en *El Club del Clan* y luego en todas partes. Hombre de origen humilde, un espigado morocho argentino impecablemente vestido con grandes marcas, prudente porque ese rasgo innato lo ayudó en ámbitos difíciles, alguien cuya música estaba al alcance de todos y no podía ser más elemental, un artista pop sin cualidades que, sin embargo, había triunfado. Algo debía tener, no en términos musicales ciertamente, para haber alcanzado la celebridad y, sobre todo, conservarla. Sin duda, Palito activa la historia (propia del teleteatro de aquellas épocas) de quien comienza muy abajo y triunfa: la virtud, el silencio y la humildad recompensados. Su historia podía ser la de *cualquiera*: esta promesa de celebridad democrática, excepcional pero necesaria, le da al mito una fortaleza persuasiva porque es una promesa para todos: changuito cañero o pibe de Fiorito.

Como Reutemann, Ortega fue un político de pocas palabras. Pura *performance*, nadie lo votaba para escucharlo disertar; sus electores tucumanos reconocían otras cualidades: una proximidad simbólica, la de quien es un famoso en Celebrityland pero no ha dejado de ser quien fue en 1965, conservando milagrosamente una esencia que persiste como garantía de autenticidad.

Reutemann hizo de una insuficiencia, una virtud. No sabe hablar y esa incapacidad que, en el comienzo de la transición democrática, habría sido grave, en los noventa ya no parecía un déficit sino que estaba a punto de convertirse en una virtud, si se combinaba con otras cualidades. Desacreditado e inaudible el discurso que pone en escena cuestiones de cierta complejidad, la identidad pública de los políticos ha sido corroída por cambios culturales. Se busca, por lo tanto, desplazar las tipologías que ya no interesan; se simplifican los problemas, se asegura que la política es cruda gestión de las cosas (desestimando el momento de resolución de conflictos y de asignación de recursos). Todo esto lo hizo Reutemann perfectamente no tanto porque lo hubieran asesorado desde alguna oficina de imagen, sino porque no tiene las condiciones para hacer algo distinto. Lo que necesita es precisamente lo que tiene.

Los neopolíticos no hacen esfuerzos para convencerse de que deben actuar así. No están obligados a descartar convicciones ni costumbres previas, simplemente tienen que comportarse acatando los límites de su naturaleza. A "la gente" no le gusta la política y a ellos tampoco, aunque tengan ambiciones de prestigio y poder. Para realizarlas no tienen que convertirse en políticos, sino volver políticas algunas cualidades que traen de otra parte, producto de otras circunstancias. La neopolítica, aunque sea practicada en general por gente muy rica o que maneja recursos públicos, da la impresión de que es algo que puede hacer cualquiera. El desconocimiento de la esfera política crea esta ilusión (como el primer contacto con el rock en la infancia crea la ilusión de que se puede ser baterista).

Entre las cualidades que reemplazan las que se aprenden o se adquieren en los partidos y movimientos son útiles las que conectan con la recepción común de relatos míticos y maravillosos que, por otra parte, funcionan perfectamente en Celebrityland, lugar especialmente ambientado para las ensoñaciones y el sentimentalismo. No es necesario que los portadores de estas cualidades se dediquen a su explotación intensiva. Esa astucia táctica haría más incierto el resultado. Por el contrario, son portadores de estas cualidades excepcionales como si fueran comunes, cosa de nada. Al transmitir esa especie de olvido de las cualidades, los neopolíticos tienen un camino abierto por métodos nuevos, aunque, puestos a hacer política, se comporten como los tradicionales. Quiero decir que hay un complejo tejido de rasgos nuevos y viejos: los neopolíticos de Celebrityland llegan a ser candidatos porque así lo quiso un paleopolítico que les simplificó una lucha partidaria interna y les puso, por lo menos al principio, una estructura; el paleopolítico los eligió por ser nuevos; sin embargo, en el gobierno provincial que asumieron debieron enfrentar o adoptar las formas de la política de poder más tradicionales. Ortega terminó fuera de la política. Reutemann vacila entre cortar el pasto en su quinta de la laguna Guadalupe o competir por la presidencia de la República. Pero ambos, cada uno en su momento de ingreso a la política, fueron el símbolo de cualidades deseables, la fama en primer lugar, pero también la libertad que da el dinero, potenciadas porque "la gente" percibió en ellos la sombra benéfica de un fragmento mítico.

Otras trayectorias también tienen huellas de una mitología. Daniel Scioli y Gabriela Michetti volvieron de la muerte venciendo una fatalidad. Hay que ser un desalmado o un cínico para no simpatizar con alguien que se sobrepuso a las adversidades del destino. Se acercaron al territorio sombrío de la muerte y regresaron. En un mundo de donde se han ausentado las cualidades heroicas de la entrega y la solidaridad que posterga los intereses propios (virtudes que persisten en muchos militantes sociales o religiosos), Michetti y Scioli ofrecen el testimonio de que es posible, por lo menos, superar la mala suerte. A diferencia de quienes nunca pisaron el umbral, ellos saben lo que es haber estado allí y volver con el cuerpo herido de modo irreversible. Ambos pertenecen al tipo privado de héroe de nuestro tiempo.

Claude Lévi-Strauss sostuvo en *Antropología estructural* que "cada mito es el conjunto de todas sus versiones". No existe una versión primera, matriz de las demás y de la que las siguientes y lejanas serían inconsistencias y deformaciones. En el mismo sentido, no existen versiones que puedan descalificarse por fragmentarismo o incompletitud; un relato entrecortado y primario sobre un mortal que supera pruebas sobrehumanas y adquiere, en su transcurso, la dimensión de héroe; un relato primario, una noticia de periódico, que narra cómo alguien revivió después de un terrible accidente, tiene derecho a pedir su parte en las narraciones del regreso desde el más allá que atravesaron muchos de los héroes clásicos. Las versiones contemporáneas son las que circulan por lugares tan ajenos a la literatura como Celebrityland. Se sabe que la literatura es una de las prácticas más dinámicas y más tradicionales en la difusión y adaptación de mitos. Pero hoy poca gente lee literatura y la ficción crece en otros escenarios. Celebrityland recoge los fragmentos que quedan de esas versiones, porque son historias que, de algún modo, resultan conocidas para todos, aunque muy pocos puedan poner los nombres de sus protagonistas anteriores a la era de la celebridad.

Scioli y Michetti, probablemente sin buscarlo o buscándolo de manera secreta incluso para ellos mismos, se han convertido en héroes de una versión menor en una época de relatos menores. Después del desastre de un accidente deportivo y un accidente automovilístico, han vuelto a la vida, sin un brazo uno, semiparalítica la otra, con una fortaleza desconocida por los mortales que nunca nos vimos exigidos a probar nuestro temple ante esas circunstancias excepcionales. La trama de estos "milagros" contemporáneos toma el lugar de los mitos, porque presenta un valor privado e íntimo, hecho a la medida de la época. Y responde a una ética de la superación personal, una especie de moral de gimnasio y de dieta saludable donde está en juego el destino del individuo libre de las molestas ataduras de lo social.

Y, además, los hombres o mujeres que llegan a la política después de haber superado la adversidad ofrecen sus méritos no como inaccesibles virtudes públicas (cuya función no es muy evidente en la esfera privada) sino como modelos de vida que son valiosos fuera de la política. Se los admira por una fortaleza o una constancia que sirven para todo, no simplemente para la función pública con la que, en verdad, muy pocos se identifican. La versión del mito que transportan funciona convenientemente en una cultura individualista: Scioli y Michetti pueden ayudar porque primero se ayudaron a sí mismos (lo que también se aplica a un candidato que ascendió social o económicamente antes de entrar en la política: un ejemplo de ciudadano privado al que no se le examinan las declaraciones de impuestos). Es el triunfo de una voluntad sin otros contenidos que la superación de dificultades que atosigarían a cualquiera. Son ejemplares en ese sentido reducido; a diferencia de una ejemplaridad imposible, a la que sólo se puede admirar como a un santo o pasar por alto porque carece de interés, esta ejemplaridad es una cualidad al alcance de todos: no se necesita ser ni particularmente inteligente, ni particularmente culto, ni particularmente agudo, ni bello ni original. Se puede ser como todo el mundo. Los que pasan por alto las dificultades de la forma en que lo han hecho Scioli y Michetti traen el mensaje de una superioridad tolerable, no basada en diferencias inalcanzables. No son como todo el mundo pero también son un poco como todos. Se dice que el asesor de imagen Durán Barba le recomendó a Michetti que, aunque estuviera en condiciones de hacerlo, no abandonara la silla de ruedas: signo de fatalidad y de triunfo, de equilibrio psicológico y de temple moral, no es un objeto que convenga arrumbar en el desván.

En Celebrityland son muy apreciadas estas historias de éxito, sobre todo si las protagoniza gente que puede estar en los horarios centrales, tanto por su simpatía como por su aspecto. Reemplazan a las viejas historias del "hombre que se hizo a sí mismo", que eran demasiado duras en su glorificación del trabajo y el sacrificio. En verdad, cualquier historia resulta más interesante que la política; y, además, sus protagonistas se ofrecen como prueba de que personas tan sencillas como los que están del otro lado de la pantalla pueden tener éxito. Después de pasar todas las pruebas con las que los enfrentó el destino, Scioli o Michetti ponen lo propio y lo adquirido al servicio de todos. No llegan con un programa ni con ideas, sino con la fórmula que define ese nuevo argos de mil ojos reflejados en las encuestas: llegan para hacer lo que "la gente" le dice a los encuestadores que necesita. Escuchan, dicen que escuchan. Vienen también a evitar enfrentamientos y conflictos, definidos siempre como inútiles. Llegan para el acuerdo. Dicen que acuerdan. Todo esto no se repite en la esfera real de la política. Es más bien la fantasmagoría de una política imaginada como momento despolitizador.

1 Véase, por ejemplo, el libro de Ernesto Tenembaum, *Qué les pasó*, Buenos Aires, Sudamericana, 2010; lo que allí se cuenta sobre la súbita aparición de Kirchner en el hospitalario despacho de Alberto Fernández es casi la misma anécdota que Pepe Eliaschev relató en una de sus columnas de *Perfil*. Y aunque nadie lo hubiera contado, era muy fácil suponerlo por el demasiado abundante uso del discurso indirecto libre que aparecía en las crónicas y columnas de esos primeros años del kirchnerismo.

2 Acto lanzamiento de la campaña de Lavagna, http://www.youtube.com/watch?v=TlJMTEmKTDM.

3 "Un acto con alta tecnología y figuras del pasado", *La Nación*, 21 de diciembre de 2010.

4 Robert Neville, "How Evita Helps Run Argentina", nota que acompaña el reportaje fotográfico de Gisele Freund, *Life*, 11 de diciembre de 1950.

5 Michael Taussig, *Shamanism, Colonialism, and the Wild Man; A Study in Terror and Healing*, Chicago, The University of Chicago Press, 1987, pp. 460 y ss.

6 Esto sucede con los viejos ferroviarios que Solanas muestra en su película *El último tren*: son viejos que no saben computación ni tienen internet (cosa que dice el *sermo vulgaris* acerca de cualquier viejo), pero saben la verdad y pueden trasmitir su experiencia.

7 Digo esto de modo independiente a los votantes conseguidos, lo digo como caracterización de la imagen y no como evaluación de su efecto, ya que en Celebrityland las peores cosas pueden llevar a resultados cuantitativamente sobresalientes.

8 Silvia Sigal y Eliseo Verón caracterizaron los discursos de Perón por un rasgo carismático y mítico (aunque los adjetivos son míos): discursos de llegada, Perón como el Líder que viene de lejos (típico de los héroes culturales). *Perón o Muerte; Los fundamentos discursivos del fenómeno peronista*, Buenos Aires, EUDEBA, tercera edición (primera ed. 1988).

9 "Le mythe, aujourd'hui", en *Mythologies*, París, Seuil, 1957, pp. 251 y 254.

III. El animal político en la web

"Carrió es Biblita, una gorda psicótica,
enferma de envidia y desesperación."

Facebook, *Ramble Tamble (Club de Artemio)*

Tardes enteras en Twitter y Facebook. Nunca he encontrado alguna información significativa que no hubiera encontrado antes en los diarios, en los blogs de periodistas o por intervención de periodistas en la red.[1] Links, a montones, seguramente útiles para quienes no revisan las fuentes originales. Sé que esta afirmación es irritante y probablemente injusta para algún caso que todavía no he descubierto. Encontré, sí, toneladas de opinión bien y mal argumentada, insultante o sobradora, chicanera o irónica, siempre intensamente subjetiva. Una explosión de romanticismo posmoderno.

Políticos que no saben nada de "eso", excepto que tienen que estar allí a través de jóvenes *ghost-writers*; políticos que cultivan el estilo chico de sacristía, buen pibe, transparencia total; políticas que enumeran amorosamente los regalos que recibieron el día de su cumpleaños; políticos que comunican dónde están en ese preciso instante, desmintiendo el carácter no localizable de los mensajes en la red y dan el presente desde el barrio, la autopista o la sociedad de fomento que visitan. Ministros y funcionarios que insultan a quien los contradice en Twitter. Gente que sabe todo de la 2.0 pero muy poco de política. Periodistas que alcanzan una segunda notoriedad presentando en Twitter un perfil de militante arrastrado por la fiebre de los últimos meses, muy distinto del de las notas que firman sobre papel (perfil que, en muchos casos, podría perjudicar la credibilidad de esas notas, porque sus intervenciones en la red son más enconadas y más arbitrarias que lo que se estila en el formato periodístico clásico). Intelectuales fanáticos que promocionan sus ideas y sus conferencias, sus viajes y sus clases, en el huracán de un populismo juvenilista donde los alumnos aprenden de las nuevas tecnologías y los profesores celebran su propia conversión en armatostes inútiles; *dandies* de entre treinta y cuarenta que ensayan sus ironías; animadores de radio y televisión que intervienen como si estuvieran en el café; empresarios fortuitos de ese teatro sospechosamente participativo; mujeres que a los giles les enseñan la posta. Prosa de batalla, un ronroneo de locuacidad hipercoloquial, breve como un dístico o como el chiste de una sola línea del *stand up*.

Todo es gratis, en varios sentidos: económico y de responsabilidad intelectual y moral, si se elige el anonimato. Por supuesto, hay que tener un celular, una netbook o una simple pc con conexión, pero estos objetos son casi universales en las capas medias.[2] Superado un umbral tecnológico que tiene su precio, Facebook y Twitter son gratis como la red, donde todo pago es combatido como una censura a las libertades culturales. En la red se practica el anarquismo económico.

Encadenados

El *encadenado* es el principio constructivo de una sintaxis que vincula plataformas. Sin esfuerzo, todo lo que aparece en Facebook puede ir a Twitter y viceversa; todo lo que se publica en un blog puede ser incorporado por link a cualquiera de los dos entornos; toda página web y todo artículo publicado en la web de los diarios y revistas pueden ser citados. El carácter encadenado de la navegación en internet potencia la repetición de los mensajes; es un sueño ininterrumpido y sobresaturado. Los *retweets* son un honor: el banderín del éxito.

En cuanto se conoce un poco Twitter, se entra en la lógica del encadenado. Como si los *tweets* tuvieran valencias afines, hay bloques temporales, temáticos y bloques de archivo. No importan los reenvíos y las reiteraciones, porque ningún navegante visita todos los puntos encadenados. Lo que el encadenado asegura es que algunos de esos puntos tienen más posibilidades de ser visitados precisamente porque están conectados en red. Este efecto de proliferación estructural ahora se llama sinergia. La calidad de los puntos conectados no es idéntica: una firma real en Twitter puede remitir a una página llena de noticias truchas que los diarios sobre papel se abstendrían de publicar, no solamente porque esas noticias contradigan sus líneas editoriales sino porque no han sido verificadas, provienen del rumor, del capricho o de las operaciones de prensa.

El principio del encadenado establece una especie de equivalencia: la firma de alguien real certifica el blog desde donde se linkea a una noticia falsa, a una habladuría o al Facebook de propaganda de un funcionario. La presencia en la web no responde a las leyes de producción de la información ni de difusión de la opinión acostumbradas hasta hace diez años. Es otra lógica, más parecida a la dinámica del rumor. Un periodista, un funcionario, un político, un particular que ha logrado que su nombre sea reconocido dice algo. Lo toma de la radio, de lo escuchado a medias en un pasillo, de lo que le contó un amigo, de lo que le conviene que se sepa, y lo convierte en hecho. A partir de ese momento deja de discutirse su carácter fáctico, las intenciones que están detrás del dato comunicado o las consecuencias que se quieren provocar con aquello supuestamente sucedido. Las cosas se dan por ciertas, como sucede con el rumor, que es expansivo y no tiene en cuenta el valor de verdad de aquello que se difunde. El encadenado potencia esta lógica del rumor al multiplicar lo mismo en varios lugares que parecen ser diferentes. Produce un circuito que es más autorizado y creíble que cualquier otro porque convalida la idea de que los medios establecidos (los anteriores a la web) invariablemente ocultan algo. El rumor desenmascara esos ocultamientos y se ajusta bien a las teorías conspirativas que son un modelo interpretativo predilecto.

Finalmente las contradicciones no importan. Internet las plancha. Mañana puede ser falso lo que se dijo hoy, pero ese "hoy" ya no existirá mañana. A la aceleración que domina la prensa audiovisual, internet le ha impuesto un ritmo de olvido verdaderamente alucinante: es una gran memoria colectiva que padece Alzheimer.

Y lo celebra como cualidad. A nadie se le ocurre continuar con la serie de diez *tweets* que ayer absorbieron la atención durante veinte minutos. Si alguien tuviera esa ocurrencia se colocaría fuera de la temporalidad del medio. Internet penaliza con verdadera saña el estatuto de *outsider*. Precisamente porque se trata de una tecnología de punta que valoriza el juvenilismo prestigioso en las sociedades contemporáneas, el *outsider* es estigmatizado como un tradicionalista arcaico que no entiende el presente. Como la red se conoce intuitivamente (en verdad, es intuitiva por completo), la ignorancia de sus lógicas pone en evidencia una sensibilidad inservible para las culturas contemporáneas. Por eso, los políticos creen necesario adoptar las nuevas tecnologías, aunque jamás hayan manejado personalmente una tradicional casilla de correo electrónico. Estar fuera de internet suena tan pernicioso como estar ausente de la televisión.

La lógica del rumor, por otra parte, se adapta perfectamente al imaginario del encadenado: una sociedad de próximos enlazados por la familiaridad virtual. Internet es un mundo de amigos o enemigos (las agresiones son fortísimas), pero siempre de supuestos pares. Se encadenan no sólo espacios y plataformas virtuales, sino personas que allí se sienten liberadas de las jerarquías que las diferencian cruelmente en otros escenarios. Esta igualación ilusoria, ya que Cristina Kirchner sigue siendo presidenta y Héctor Timerman, canciller, alimenta la fantasía democrática y basista de que todos dicen con el mismo nivel y garantía de ser escuchados. Esto no es cierto, pero las fantasías pueden ser casi tan consoladoras como la realización efectiva de los deseos que expresan.

Internet es red y las redes no tienen vertical. El encadenado enlaza a todos, aunque la fuerza de esos enlaces sea diferente y dependa, en Facebook, de la cantidad de amigos y, en Twitter, de la cantidad de seguidores. Esos datos cuantitativos establecen un orden de nuevo tipo que promete (aunque no cumpla siempre, ni siquiera con frecuencia, basta ver los miles de seguidores de Susana Giménez) una reforma o, más bien, un derrocamiento de las jerarquías duras que estratifican los espacios reales. En ese sentido, el encadenado responde también a la ilusión de que todos los que deciden participar, en efecto, participan.

Todo el mundo cree en la eficacia de la participación virtual, desde que los simpatizantes de Obama usaron Twitter durante la campaña presidencial norteamericana de 2008. Después de esa campaña, los políticos consideraron de rigor afirmar que Twitter es indispensable, sin plantearse una comparación entre los hábitos tecnológicos en Estados Unidos y otros países, ni tampoco entre estilos de movilización presencial, mediática y virtual. Así como se habló de los mensajes de texto por celular como los grandes organizadores de la movilización madrileña después del atentado en la estación de Atocha, y ese método al parecer ha vuelto a ser utilizado para convocar a la calle en Egipto, del mismo modo estamos hoy bajo el signo de Twitter-Obama. "Scioli se lanza en Twitter con miras a las elecciones", título que no puede causar ninguna sorpresa.[3] ¿Qué otra cosa sería esperable?

La irrelevancia de los mensajes de algunos políticos en Twitter (Gabriela Michetti confunde el género con "postalitas a mi prima") o el carácter burocrático y duro de aquellos que son ingresados por los equipos de prensa que todavía no han afinado sus estrategias web, no desalienta a nadie porque, como ya se dijo hace más de medio siglo: "El medio es el mensaje". Hay que estar allí donde la estética comunicacional asegura las cualidades de la mayor dispersión, no importa con qué vigencia fechada a cortísimo plazo. Durante el mundial de fútbol, muchos políticos usaron Twitter como si no tuvieran otra cosa que hacer: estampaban sus emociones y sus opiniones (en general muy similares a sus deseos). Se comportaban como cualquiera y, probablemente, acertaban, porque la imagen del político que no se parece a su votante ha sido sometida a la crítica filosófica de los asesores de imagen y de los encuestadores.

El peligro del encadenado de plataformas virtuales sería el cansancio de los visitantes. Pero como nadie se ajusta a un mapa de recorrido obligatorio, la sintaxis arborescente impide la fuga de consumidores potenciales (ya que en algún punto van a tropezar con los mensajes). Se teje una red que incluye, pero no impulsa a visitar, todos los rincones. Si esto es así, también se debilita la amenaza del cansancio ante los mismos mensajes porque se leen una sola vez y, además, se olvidan rápidamente. El encadenado es virtual también en el sentido de que no es obligatorio, no funciona como una serie de notas a pie de página que pesa leer y también pesa pasar por alto. Funciona, más bien, como hipertextualidad libre, muy afín al régimen general de internet. Tiende a que todo el mundo encuentre un punto de no escape, pero no asfixia a nadie, corroborando la idea de que la red es el espacio más poroso que la humanidad ha inventado hasta hoy.

Se participa en Twitter porque se cree que no permite la manipulación, rasgo atribuido característicamente al discurso político y periodístico (sobre todo después de la campaña de Kirchner contra la prensa), que siempre tendría un doble fondo especialmente preparado para que allí se cocine el engaño de la opinión pública. Por el contrario, Twitter y Facebook dan la impresión de ser espacios autogestionados por sus usuarios, una especie de milagro del capitalismo digital donde se suspenderían las leyes que dirigen la opinión en función de intereses ocultos, inconfesables y espurios: afuera todo es conspiración, en la red se impone la transparencia. La horizontalidad formal de Twitter es su plusvalor ideológico y alimenta su imaginario. Los usuarios son soberanos: hacia adentro de la plataforma a través del *retwiteo* que prueba la popularidad de los más exitosos; hacia fuera de la plataforma, por el vínculo múltiple con otras redes sociales.

La horizontalidad formal produce también el efecto de un espacio donde vale menos el capital simbólico adquirido en otra parte y casi no vale nada el capital académico. No todos pueden estar en la radio y la televisión, no todos pueden ser periodistas de los medios tradicionales, no todos pueden ser ministros, embajadores o presidentes, para mencionar sólo algunas de las profesiones locuaces en Twitter, pero, por ese raro efecto de horizontalidad del que la red extrae su credencial más fuerte, se tiene la impresión de que allí somos iguales: todos deben ajustarse a la norma de los 140 caracteres, por ejemplo. Si se quiere monopolizar el espacio se deberá trabajar a gran velocidad, conseguir que las propias intervenciones sean *retwiteadas* por otros, obtener respuestas, objeciones y *follows*. Tognetti sigue siendo Tognetti, pero el Volquetero le hace competencia.

En este sentido, Twitter da la impresión, a la vez verdadera y engañosa, de funcionar de espaldas al ordenamiento de otros espacios. El periodista muy conocido de un diario importante fracasa si reclama la misma lectura que obtiene en el soporte papel e incluso en la página web del medio donde trabaja. Una figura de la televisión, aunque intervenga con la misma suficiencia que ante las cámaras, probablemente no encontrará la misma respuesta de sus compañeros de red social. Las cosas parecen transcurrir *como si* todos fueran iguales en una sociedad comunicativa donde la ilusión de equivalencia es indispensable para marcar una diferencia virtuosa respecto de los otros mundos donde rige la desigualdad. Finalmente lo que digan sobre fútbol Felipe Solá, Macri, Tognetti, el Chavo Fucks y un completo desconocido es formalmente idéntico, de manera que esa equiparación establecida por las reglas tiene algo de reparador. El político que aspira a la presidencia de la República y la empleada de treinta años que nunca leyó un libro son iguales en la web, con una igualdad de la que difícilmente disfruten afuera, salvo considerados en la abstracción de su ciudadanía. Por supuesto, cuando se mira el número de seguidores, las cosas revelan otra verdad: los famosos siguen a muy pocos y son seguidos por miles; los desconocidos siguen a cientos y son seguidos por decenas. Aunque hay estrellas que brillan sólo en Twitter, con varios miles de seguidores y una constante gestión de mensajes.

Esta horizontalidad es defendida por todos porque les sirve a todos. A los intelectuales o a los periodistas que participan en las redes sociales por razones que son diferentes de las de aquellos cuyos nombres no son conocidos. Los primeros obtienen en Twitter un espacio en el que pueden marcar una diferencia respecto de lo que dicen o escriben en los grandes medios que los emplean; se convierten de este modo no en enunciadores diferentes sino en enunciadores más completos y más próximos; aumentan su credibilidad en un período de credibilidad escasa y amenazada por el escepticismo. Los desconocidos cumplen el destino de época: están en red, lo cual, en sí mismo y desde un punto de vista formal y comunicacional, no es poco, ya que, además, se les asegura que allí transcurre el futuro y que ellos pueden influir sobre ese transcurso; que allí están las nuevas formas de aprendizaje, de escritura, de ocio y de aburrimiento, en fin, todo.

Salvo excepciones como la de Aníbal Fernández o Héctor Timerman, que son animales de Twitter, eficaces bestias de emisiones, los políticos no entienden la lógica de Twitter porque su propia lógica se opone a la de la red. Sin embargo, todos comparten la idea de que la plataforma tiene una importancia fundamental y que "hay que estar allí", por oportunismo tecnológico, superstición obamista y la convicción más tradicional de que no puede quedar casillero sin marca. Los políticos menos ideológicos se mueven mejor que los más ideológicos; los más jóvenes, por supuesto, están mejor que los más viejos.

No se trata de un misterio insondable: las redes sociales fueron creadas por la generación digital para sus cogeneracionales, aunque las pueda usar exitosamente cualquiera que cumpla con una alfabetización básica, porque son elementales, fáciles e intuitivas. Su sintaxis es sencilla, el léxico necesario es reducido aunque no excluye la creatividad, la extensión del argumento está prohibida por las regulaciones que fijan la extensión de los mensajes (incluso allí donde esa extensión no está regulada, los mensajes son cortos, en el límite, trisilábicos: "Me gusta"). En consecuencia, los políticos entrenados en las formas largas del discurso, ya sea en la invectiva o en la argumentación, deben cambiar o contratar un asistente que sea su *web-ghostwriter* (que es lo que sucede, por suerte, porque sería inquietante que las personas cuyo trabajo es gobernar o legislar invirtieran una parte de su tiempo en divertidos dialoguitos de esquina virtual). Sin embargo, algunos políticos twitean personalmente. No es necesaria información reservada para darse cuenta de quiénes son, porque el más somero análisis de estilo permite decidir: Aníbal Fernández, Gabriela Michetti, gran parte de las planas intervenciones de Macri y de Narváez, el filibusterismo incesante de Héctor Timerman. Más ineficaces, los políticos que no conocen la lógica ni el estilo de las redes sociales se equivocan al pensar que ellas pueden ser un lugar apto para pegar gacetillas partidarias o avisos de intervenciones televisivas. Cuando esto se convierte en una llamada sin fin a que todos se enteren de lo que se está haciendo, como en el caso de Jorge Coscia, el efecto es irritante.

Muchos políticos no entienden la red porque la red no está hecha para el discurso político en términos modernos. Las redes sociales necesitan de la subjetividad como de una atmósfera en la que flotan todos los demás sentidos. La subjetividad y la intimidad no son simplemente un agregado al mensaje, para volverlo más simpático o más personal, sino que lo configuran desde adentro. En las redes sociales, no hay público ni privado en un sentido clásico: esas categorías se han reconfigurado, para muchos usuarios en términos reales; para otros, en términos formales: deben fingir que no hay público ni privado. Se acostumbra a informar desde qué lugar se está emitiendo el mensaje (en el aeropuerto, mientras me aburro porque el avión está demorado; desde el puente de Brooklyn donde tengo que decidir adónde voy a almorzar; en la autopista mientras voy a visitar un barrio carenciado: son todos ejemplos reales de políticos o de periodistas políticos). La precisión en el lugar desde donde se enuncia, que le da verosimilitud y credibilidad al mensaje, se duplica en el informe sobre el estado de ánimo: muy contento después de la visita al comedor en tal asentamiento; buena comunicación con los vecinos de tal barrio; satisfecho y emocionado con la inauguración de una salita de primeros auxilios en la villa tal.

Hasta aquí estaríamos todavía del lado de los contenidos y del tono. La subjetividad necesaria a las redes se anuda intrincadamente con las condiciones mismas de recepción del mensaje: sin giro subjetivo no hay eficacia. Esto suena como una tautología porque las redes son el lugar de la exasperación subjetiva, pero toda tautología que deviene una forma pide ser analizada. Los tipos de subjetividad manifiestos varían, pero todos (o casi todos) son aceptados como la marca de que los mensajes pertenecen a la familia de enunciados que se consideran pertinentes en las redes.

Estamos en el mundo de la opinión soberana. En 140 caracteres es difícil superar el apotegma. Los links atenúan el carácter apodíctico (a veces muy agresivo) de los enunciados al remitirlos a páginas web o a los blogs donde supuestamente quedaría demostrada la verdad de lo que se ha afirmado de modo sumario. Pero, en términos generales, la opinión subjetiva no está sometida a lo que se conoce como la retórica de la argumentación.

Desde este punto de vista, lo que sucede en Twitter se diferencia del modelo de las instituciones políticas clásicas, como el parlamento o los mitines, donde un dirigente exponía las razones de la posición partidaria. Ambos escenarios presenciales e institucionales son mirados hoy desde una distancia escéptica. A esta obsolescencia, Twitter responde con un género discursivo cuyo entrenamiento está en los mensajes de texto, en los *sound bites* o los *media-clips*. No se trata de enunciados sólo más cortos, sino de enunciados diferentes. No tienen como objetivo la demostración, sino la producción de una imagen lingüística o visual. Por eso, la subjetividad de quien enuncia es importante: al prescindir de la argumentación, la política de *clips* depende casi por completo del poder de persuasión del sujeto y no del discurso.

Sin embargo, no cualquiera enuncia en Twitter, aunque todos estén en condiciones de twitear. En este punto se reinscriben algunas de las valencias que organizaban y todavía organizan otras esferas. A un animador de televisión o de radio le resulta infinitamente más sencillo conseguir seguidores que a un participante anónimo. El nombre propio todavía garantiza un piso de seguidores y, en la lógica del encadenado, los seguidores tienden a traer seguidores. Los prestigios exteriores a la web tienen un peso, aunque la web puede consagrar a completos desconocidos que sean particularmente astutos en manejar sus normas: el *success story* digital. Existen anónimos fuera de las redes sociales que, dentro de ellas, tienen cinco mil seguidores, es decir, que alcanzan el piso del que parten los conocidos en el mundo exterior para seguir creciendo.

No todo tiene que ver con la inteligencia, tal como se la entiende fuera de las redes sociales. Una mezcla de distancia, ironía, autoexposición, buena y mala onda, ingenio y banalidad, originalidad y lugar común consagra a un desconocido. Debe parecerse tanto como sea posible a los otros, pero siendo también un poco distinto. La dosis de diferencia respecto de los demás es esencial, pero también lo es que no se la exagere.

Por supuesto, estas cualidades se encuentran más fácilmente en los neopolíticos que llegan desde otra parte (como Macri, Michetti, Scioli y De Narváez) que en los formados en la cultura de los partidos. Hay quien puede adaptarse a ambos mundos, pero en general resultan adaptaciones en las que es evidente la extranjería. Ni Macri podrá sentirse jamás a gusto en una sesión parlamentaria ni Ricardo Alfonsín podrá disimular que su horizonte cultural de formación le fue dado por el escenario partidario.

Las redes sociales privilegian aquello que se practica sin esfuerzo, como si fuera innato. Entre el esfuerzo y ese innatismo imaginario, el tono subjetivo de la red subraya las cualidades menos vinculadas con el trabajo intelectual, que serían cualidades "careta". Como en una especie de gigantesco colegio secundario de capas medias, las redes sociales valorizan la facilidad, que permite trabajar velozmente, lo cual es indispensable al sobrepique de Twitter; y que es también una cualidad *cool* (no originada en el trabajo sino en la espontaneidad del sujeto). Sin duda, muchos periodistas (Pablo Sirvén, por ejemplo) y algunos encuestadores muy activos, como Artemio López, han entendido perfectamente el proceso de multiplicación de efectos del encadenado, y operan en ellos adaptándose al estilo. Quienes los lean en medios convencionales se extrañarán de las diferencias. A gente entrenada en la escritura, Twitter le ofrece máscaras diversas, que no siempre serían aceptadas fuera de las redes sociales. Los periodistas muestran una versatilidad que podría ser capitalizada por los medios donde trabajan, que están preocupados por la competencia de la red y sus materiales de acceso gratuito, pero que, muchas veces, no realizan un monitoreo constante de lo que allí sucede.[4]

Ya se ha dicho que la red permite un juego de máscaras, para empezar por la existencia de *nicks* (seudónimos) incomprobables. De todos modos, los políticos no obtendrían ninguna ventaja si intervinieran solamente a través de un *nick*. El político va a la red porque sabe que debe estar allí, porque lo convencieron que allí estuvo Obama y ganó la presidencia de Estados Unidos, porque razones culturales previas lo han sensibilizado frente a esas formas nuevas de la discusión pública, porque completa de ese modo todos los casilleros comunicacionales. Es evidente que las razones son muy diversas.

Quien está en Facebook y Twitter porque eso forma parte de su campaña, como los afiches callejeros o el cotillón en los actos, probablemente no pueda gestionar su presencia en las redes sociales por sí mismo sosteniendo el estilo subjetivo y aprovechando las ventajas del encadenado. Si, como en el caso de la UCR, se escribe con los estilos del pasado y se fuerza dentro de ellos a las formas del presente, las intervenciones son peores que un arcaísmo en televisión. El error de trasladar un estilo de uno a otro medio es típico de partidos muy institucionalizados, que generalmente ilustran sus cuentas de Twitter con el escudo o la insignia tradicional que, precisamente porque lo es, evoca instantáneamente lo viejo de la política. Quienes participan de las redes bajo esta modalidad no terminan de entenderla: Obama utilizó Twitter de modo perfecto porque tuvo un equipo de prensa especializado en la web, tan indispensable como su equipo para el periodismo gráfico. Es una ingenua fantasía artesanal creer la leyenda de que Obama twiteaba durante la campaña. Tenía cosas más importantes que hacer y que no podía delegar, mientras que sí podía delegar las incursiones en Twitter.[5] Twitter es asunto del equipo de prensa, un grupito de gente que puede hacerlo mejor que el político. Sería bueno que Macri, Michetti o De Narváez, que suelen confeccionar sus *tweets* por sí mismos, tomaran nota. Un equipo lo haría mejor y con más gracia.

Si se conoce bien la lógica de las redes sociales no se confiará en ellas más de lo que debe confiarse; se sabrá que participa allí un sector restringido (y joven) de las capas medias; que los sectores más bajos que acceden a internet en los locutorios utilizan más el chat que Facebook y más Facebook que Twitter. Por lo tanto, se puede estimular el optimismo de los profesores de comunicación y nuevas tecnologías, se puede lograr el entusiasmo de profesionales jóvenes de capas medias que migran de las ONG a la política, se puede conseguir la bendición de un gurú de las TIC, pero todavía son complementos virtuales de otras modalidades reales y territoriales. Lo dicho no se refiere al futuro, sino al presente.

Política 2.0

> "Como hoy el principal artículo de *La Nación* usó sólo fuentes anónimas violando las reglas del periodismo mañana la fuente será el pulpo Paul."
>
> *Tweet* de Héctor Timerman, 8 de julio 2010

Los instrumentos virtuales de las redes producen dos series de reacciones. Por un lado, el seguidismo tecnocrático que salta sobre la novedad y pasa por alto la comprobación histórica de que los medios de comunicación más que desplazarse uno a otro se han venido superponiendo. Esa superposición no ha sido pacífica y muchos rasgos del presente anuncian una crisis de los medios sobre papel, que son los que hasta el momento financian la investigación periodística cuantitativamente más extensa y cualitativamente intensa, pero se ven obligados a subirla gratis a sus respectivos sitios web, que aún no han encontrado la vuelta para financiarse de manera autónoma. El seguidismo tecnocrático piensa tecnocráticamente. En consecuencia, no es posible solicitarle que sostenga una posición optimista sin fisuras y, al mismo tiempo, reflexione sobre las carencias y debilidades de la política que se desenvuelve en la web, especialmente en redes como Twitter; tampoco está en condiciones de reflexionar sobre la calidad de la información que se difunde allí. Fascinado con una rebelión contra las elites que tiene mucho de imaginario y también de viejo tema que se recicla, el populismo tecnocrático se autocelebra.

Por otra parte, reconociendo el proceso inevitable que conducirá de la superposición de diversos tipos de medios a la supremacía de algunos de ellos (es imposible discutir hoy la supremacía de la televisión), la cuestión se complica cuando nos interrogamos no sobre la extensión, sino sobre la calidad de la participación en la esfera política que hacen posible las redes sociales. Allí se enfrentan tensiones de sentido inverso: las cuestiones políticas son crecientemente complejas y multipolares (ordenar el tránsito de una ciudad, para mencionar sólo una que parece accesible) y la política que transcurre en las redes sociales tiende a ser binaria.

El kirchnerismo de Twitter es un ejemplo de este carácter binario. No he encontrado en meses una discusión cuyas articulaciones pudieran compararse con lo que ha producido como opinión el periodismo escrito, ya sea la prensa oficialista u opositora. Frente a configuraciones crecientemente complejas, el encadenado tecnológico no presenta habitualmente los escenarios de ideas que hagan posible procesarlas. Twitter funciona casi siempre con la lógica binaria del plebiscito, pero de un plebiscito que no ha sido preparado en otra escena. Desde este punto de vista, Twitter favorece la confianza o la desconfianza radical.

Éste es un rasgo de la política en las sociedades que Guillermo O'Donnell caracteriza como "democracias delegativas". El uso de las redes sociales no mejora las cosas. No digo que nunca podrá mejorarlas. Simplemente: así como se usan hoy, la opinión política aparece más banalizada que en la prensa escrita (sobre cualquier soporte) y que en los programas periodísticos establecidos de la radio y la televisión. No ha habido un progreso ineluctable conducido por un Espíritu tecnológico. Cuando trabajan la hirsuta materia política, las redes sociales no pueden ser mejores que quienes las escriben, pese a los rebotes. Atravesamos una etapa donde la esfera pública se caracteriza por la alta conflictividad de las posiciones y la baja productividad intelectual de los enfrentamientos. La política, y no las redes sociales, es responsable del escenario general. Las redes sociales, precisamente porque son optimistas en términos tecnocráticos, son siempre autocelebratorias. ¡Qué mal que estuvimos la semana pasada en Twitter! Exclamación imposible. ¡Qué mal que estuvieron la semana pasada todos los políticos! Exclamación tan previsible como reiterada. No es necesario pensar; sólo hay que tipear.

"Scioli planteó la necesidad de 'trabajar unificadamente en la utilización masiva de herramientas de comunicación digital en las distintas áreas de gobierno'. Así el gobernador procura 'entrar en la era de la Web 3.0 para acercar la gestión y las soluciones a los habitantes de la provincia en un ida y vuelta digital'."[6] Scioli dice haber dado directivas para avanzar hacia una fabulosa entidad denominada la "provincia 3.0". Este modelo de político bienpensante establece una relación con las redes sociales tan exterior como manipulatoria: se organiza una conferencia de prensa (para salir en los diarios sobre papel y que nadie registró en la web excepto las páginas de los diarios *online*) a fin de convertir a la red virtual en un espacio político real durante algunos minutos. Los ministros bonaerenses corrieron a abrirse cuentas en Twitter.

Cristina Kirchner llegó a Twitter a principios de septiembre de 2010. Hasta entonces la Presidenta no había mostrado afinidad con la república 2.0. Todo lo que se sabía era que una noche, a los gritos, mandó desconectar la computadora de su hija, que en aquel momento, con todo derecho, era *flogger*. Pero un buen día, los diarios sobre papel y sus páginas web anunciaron que la Presidenta comenzaría a usar Twitter. El 6 de septiembre de 2010 hizo su primera incursión: "Agradezco a todos y todas, los saludos y el interés en sumarse tanto desde Argentina como de Latinoamérica toda. Muchas gracias de verdad".[7] Obligarse al uso del masculino y el femenino, como es la norma para Cristina Kirchner, no ayuda en el formato de los 140 caracteres. Pero la Presidenta ha ido aprendiendo: nombra en segunda persona (que no tiene género), usa más verbos que adjetivos. Divide en 140 caracteres los bloques de texto que requieren de mayor espacio, un subterfugio usado en Twitter pero que no respeta sus reglas formales. En las primeras horas, ocupadas por *retwiteos*, la Presidenta alcanzó 40.000 seguidores,[8] a los que, el 5 de noviembre de 2010, les expresa su voluntad: "No quiero que hagan cosas por Cristina, quiero que hagan cosas por la Argentina". A fin de ese año llegó a los 264.000 seguidores para quienes expidió 480 *tweets* (más de cien por mes).

El nexo se ha establecido. Los diarios la siguen en Twitter, multiplicando, como es la mecánica del medio, las intervenciones: "La presidenta Cristina Kirchner llegó ayer a Alemania, donde hoy comenzará su actividad oficial e inaugurará el pabellón argentino en la Feria del Libro de Frankfurt, en la que el país es invitado de honor debido al Bicentenario. Sin agenda, la Presidenta permaneció en el Hotel Steigenberger donde, ya entrada la noche alemana, escribió varios *tweets* con críticas a la Justicia, a la oposición y comentarios sobre Papel Prensa. '¿Viste cómo los monopolios afectan tu vida? Competencia, seguridad jurídica, precios y siempre, siempre perjudican a usuarios y consumidores', disparó". Y sigue la noticia: "Ya en el hotel, Cristina Kirchner no salió de su habitación. Sólo dio señales de vida a través de Twitter, una costumbre que inauguró la semana pasada durante su viaje a Nueva York. Volvió a utilizar un tono irónico y coloquial, o "irónico y genial", según lo definiera el ex presidente Néstor Kirchner en Estados Unidos".[9]

Hace muchos años Umberto Eco definió lo propio de la televisión como la toma directa en directo. Fue visionario en una definición que, de la televisión, pasa intacta a internet. Los *tweets* de Cristina Kirchner tienen esa vibración de la política en directo. En este sentido son únicos. Durante la crisis en Ecuador escribió ininterrumpidamente: "'Estoy en Casa Rosada. Tengo a Rafael Correa en el teléfono', anunció pasadas las 21, y pasó a relatar: 'Me cuenta que está viviendo uno de los momentos más tristes de su vida y de su gobierno. Cuatro muertos y más de cuarenta heridos, algunos de ellos muy graves: un policía que con su cuerpo protegía su persona mientras lo sacaban del hospital; otro, un estudiante de 24 años, militante de su partido; un capitán que ha quedado parapléjico para el resto de sus días', enumeró".[10] A las siete de la tarde del día siguiente, publicó la siguiente secuencia (transcripta *sic)*: "Ayer fue un día difícil, 19:45 hs. me comuniqué con Rafael Correa. El contacto fue su Canciller. Lo tenían secuestrado en el hospital"; "A una cuadra había muchísima gente que se había movilizado en su apoyo y también tropas de asalto para rescatarlo. No quería hacerlo"; "Le informé q a las 22 habría reunión de Presidentes de UNASUR en BsAs. Lo agradeció. Nos despedimos afectuosamente y lo sentí sereno y firme"; "Rafael me habló d conspiración: 'La oposicion esta atrás d todo, pero no estoy dispuesto a ceder, del hospital me sacan Presidente o cadáver'"; "Los otros nunca dudaron en arrasar con las instituciones, vidas y libertades, derechos y garantías p defender los privilegios de unos pocos"; "Rafael quería evitar derramamiento de sangre, heridos o muertos y sostenía que en poco tiempo más, desistirían de semejante locura"; "Instintivamente me salió preguntarle... ¿y si no lo hacen? Cristina, me dijo Rafael, esperaré una hora..."; "Pensé, que constante histórica. Un Presidente constitucional de un Gobierno Nacional y Popular que, aun secuestrado se niega a reprimir".

La cualidad que la Presidenta lleva a Twitter proviene del cargo que le permite la vibración de la "toma" directa o del comentario casi inmediato. Ocupa el lugar envidiado por cualquier periodista. La comunicación directa, en directo, produce un efecto de transparencia que es difícil lograr por otros medios. El usuario de Twitter sabe, por experiencia propia, que él y todos escriben allí lo que están pensando o viendo precisamente en ese momento. Que lo haga la Presidenta le da al instante una intensidad que no puede compararse con ninguna otra, excepto la de quienes intervienen desde un lugar análogo, como Hugo Chávez. Los *tweets* cristinistas son una representación imaginaria de política directa. Pese a que Cristina Kirchner no renuncia a la ironía con los opositores, a la denuncia o a la explicación, también se permite el rasgo coloquial indispensable en un medio *cool*. Al llegar a la Feria de Frankfurt, a comienzos de octubre, escribió con coloquialismo de proximidad: "No te olvides que estoy en Germany" (como si Angela Merkel hubiera escrito: "No te olvides que estoy en la Argentine Republic").

Es cierto: Twitter es *cool*, pero también es agresivo y despectivo. Centenares de miles de personas potencialmente iguales, que pueden hablar e insultarse, con la misma ausencia de autoridad o la misma impertérrita seguridad en lo que saben y lo que no saben. El democratismo de la web 2.0 cumple sus promesas porque allí está permitido insultar y recibir los insultos de cualquiera. Una línea (que tiene décadas de historia) no separa simplemente letrados e iletrados. Transcurre entre tipos de sensibilidad frente a lo que antes se denominaba cultura popular y hoy prefiero llamar culturas del mercado o culturas pop. Hay que entender a fondo estas cualidades que también sirven en Twitter, porque implican que la cultura digital traza nuevamente una redefinición de las capas medias. Twitter es un horno de fusión de estos cruces entre léxicos y se convierte en un instrumento tanto más flexible cuantas más variaciones dialectales se manejen. Twitter es internet pero se localiza instantáneamente en la lengua.

Favorece a una familia de enunciadores, a la que pertenecen Aníbal Fernández y Héctor Timerman y, del lado de la cultura fashion-kirchnerista, Daniel Tognetti, abanderado del estilo CQC traducido a invectiva política. Por eso no hay demasiada argumentación, justamente porque el vaciamiento argumentativo es un rasgo que combina bien tanto con el clip televisivo como con los 140 caracteres. Los temperamentos belicosos se adaptan perfectamente a estas opciones: no hay sólo burla, sino demolición de los contradictores.

En Twitter estas intervenciones no son consideradas ajenas a las normas de etiqueta comunicacional. Se puede ser agresivo hablando de deportes o de vida cotidiana, así como Facebook, además de ser un medio donde activan organizaciones de bien público y miles de gentes con buena onda, es también el lugar de los "grupos de odio" y los "discursos de odio". Por lo tanto, lo que se dijo al comienzo vuelve a demostrarse: la web es un medio. Implica entorno visual, situación de enunciación, reglas de retórica, normas de ingreso temático, normas de expresión de las causas ideológicas, políticas y personales. Sobre todo: brevedad y nitidez.

Como hace décadas lo señaló Tiniánov, la extensión es un rasgo formal y conceptual. A la brevedad pertenecen el haiku, el aforismo, el refrán, el insulto, la maldición, el ruego. La brevedad marca también fuertemente la política bajo sus formas de consigna o de enunciado no argumentado y, por eso, indiscutible. Es posible negarlo, pero no contradecirlo.

La nitidez es de orden compositivo y requiere destrezas de escritura. Las cualidades de un *tweet* dependen de una elección lingüística precisa, que no proscribe la reiteración sucesiva en diferentes mensajes. Los tonos más afines a Twitter, como la ironía, el sarcasmo y la puesta en duda de la veracidad de lo que alguien ha afirmado antes, exigen una enunciación nítida porque están sometidos a la ley de la brevedad. Los mejores en Twitter han construido un repertorio de tonos que no se distancian demasiado de los orales, pero que exigen más precisión y más ingenio. Las "máximas" o los insultos deben ser filosos. Ponen en escena el desprecio hacia sus interlocutores sin las atenuaciones que necesitarían algo más que 140 caracteres.

En el otro extremo, hay una brevedad que cae en el invariable lugar común (todos los *tweets* de Macri, por ejemplo: "Martín (Palermo), me hiciste llorar, te quiero mucho"). Este tipo de mensajes tiene un valor puramente fático, es decir: establecen una presencia comunicativa, pero no comunican nada. La dificultad de pasar buena onda en Twitter queda demostrada en estas intervenciones, donde la menor benevolencia se convierte en un plomizo lugar común que podría haber escrito cualquiera y que, por lo tanto, no trasmite ningún perfil.

El lugar desde donde se escribe (no simplemente el lugar real cuya mención a muchos les parece ineludible por candidez o por narcisismo) es importante en el caso de los ministros o diputados. Las redes sociales hacen de cuenta que ignoran esos lugares de diferente peso político, pero se trata de una simulación. Es cierto que un desconocido puede llegar a tener 5000 seguidores; pero eso no disuelve las diferencias entre su enunciado y el de un ministro. No pesan lo mismo. Podría decirse que Twitter, en su funcionamiento local, hace correr en paralelo, dos sistemas jerárquicos: uno fundado en lo que se ha ganado allí, en esa plataforma; el otro fundado en la mezcla del capital que se trae desde afuera del mundo web con la habilidad innata o adquirida para manejarse adentro. Ambos sistemas deben simular que son el mismo, porque de lo contrario quedaría en entredicho el imaginario igualitarista de las redes sociales. Pero siguen siendo dos sistemas de prestigio distintos que, incluso, hacen sus pactos y tienen sus mutuas desconfianzas.

El entorno se adapta perfectamente al modo "batalla a matar o morir", que le gusta al kirchnerismo. Caracterizado formalmente por el diálogo ininterrumpido, las agresiones de todo tipo no son excepcionales, sino una contradictoria y comprensible atracción fatal. Por lo tanto, el "modo batalla" no causa una automática expulsión ni una condena. La vivacidad de las intervenciones es necesaria para conseguir "seguidores" y retwiteos, pero no sólo para esos dos fines. También es una cualidad intrínseca de las intervenciones consideradas adecuadas, de aquellos que han entendido la mecánica instantaneísta y de alto impacto de Twitter.

La vivacidad, condición para el estrellato, es una cualidad que, incorporada al discurso político, lo arrancaría de esa pequeña república de interesados que lo enuncia y lo escucha: protagonistas, periodistas, intelectuales. La utopía de Twitter es bondadosa porque nivela las diferencias.[11] Sin embargo, salvo casos excepcionales, no es una nueva forma de hacer política, sino una nueva forma de hablar de política. Sería conveniente que se mantuviera la diferencia entre hacer y hablar, entre el acto performativo y el acto de discurso, aunque todos podamos explicar, formando un erudito coro teórico, que el discurso puede ser una performance, etcétera,

etcétera. Digo, simplemente, que es una nueva forma de hablar de política porque se diferencia de otras formas en que la política también habla.

Aníbal, "cybergladiator"

Entre las múltiples funciones del jefe de Gabinete establecidas por la Constitución no figuran la de responsable de la vocería presidencial. Sin embargo, primero con Menem, y ahora con las dos presidencias K, el jefe de Gabinete ocupó siempre ese lugar, aunque la concentración con que Cristina Kirchner utiliza la cadena nacional, los *tweets* y los actos en la casa rosada deja suponer que esas formas digitales, audiovisuales y presenciales la representan como un ícono de sí misma, sin intermediarios.

Es sabido, por supuesto, que Aníbal Fernández no tenía la obligación de preparar un acontecimiento que no sucedió en los dos años de la explosión Twitter. Me refiero a las reuniones de gabinete que jamás necesitaron Néstor Kirchner ni Cristina Fernández. La centralización kirchnerista (lo que se llama la "mesa chica") hasta ahora excluyó de la discusión al jefe de Gabinete, que recibe las órdenes de lo decidido en una instancia superior. Su presencia en el Congreso fue escasa y lograda por el insistente reclamo de la oposición, que no siempre obtuvo una respuesta favorable. Dentro del esquema de poder, el jefe de Gabinete no enlaza al Congreso con el Ejecutivo.

Cumple otras funciones comunicacionales. Como Corach (pero con un estilo tan distinto que casi invalida la comparación), Fernández explica el gobierno en los medios. En los años menemistas este trabajo se realizaba de mañana, muy temprano, cuando Corach enfrentaba a los movileros de radios y canales, y respondía a las preguntas de la jornada, que luego seguían siendo comentadas o corregidas hasta llegar, si eran importantes, al diario impreso del día siguiente. Aníbal Fernández hace lo mismo en sus multiplicadas intervenciones por radio que se extienden a lo largo de todo el día.

Alberto Fernández era un jefe de Gabinete que preparaba el *off the record* para los comentaristas más cultos del periodismo político; Aníbal Fernández, en cambio, le hablaría directamente a la "gente". No porque pueda prescindir del periodismo, sino porque sus *sound bites* son carne fresca de la noticia, examinada y criticada, pero inexorablemente reproducida. El talento de Aníbal Fernández está naturalmente preparado para Twitter: insulta en 140 caracteres con una eficacia que podría atribuirse a sus raíces en la cultura popular de la cargada y el sarcasmo. *Rolling Stone* da su perfil: "Sus fans, entre los que está el encuestador Artemio López, bautizaron esos exabruptos 'anibaladas'. Es que como cualquier fenómeno mediático, el jefe de Gabinete ya tiene grupos de fans en Facebook, páginas y blogs que recopilan sus frases célebres, una cuenta de Twitter que actualiza casi compulsivamente con alguno de sus hits instantáneos y en mayo estrenó una página web para defender todavía más al gobierno a través de videochats. Y su campo simbólico no se limita sólo a la política. Aníbal se define como 'peronista, ricotero y cervecero'. Si la política es su gran pasión, el rock y el fútbol vienen justo después. A los 15 años, se fue de gira como plomo con Vox Dei, que eran amigos de su familia (ensayaban al lado de una escuela en la que la madre de Aníbal era portera), y siendo intendente tocó con ellos en la costa de Quilmes. También es ultrafanático de los Redondos y los fue a ver varias veces con su hijo, a Córdoba, a Montevideo, donde tocaran".[12]

Lo dicho: "Peronista, ricotero y cervecero", el corazón de la cultura popular barrial, que combina bien con el "aguante", el desafío a pie firme y la horizontalidad: ser uno más, el ministro que no reclama ni ofrece otro trato que el de los que se suponen iguales. Insulta y descalifica como si fuera un par de sus víctimas. Podrá decirse que no es un par, porque trabaja de jefe de gabinete. Pero la forma en que realiza esa tarea es, precisamente, borrando las diferencias, excepto cuando defiende una posición con el argumento de que cualquier crítica proviene de la ignorancia de quienes no son ministros y, en consecuencia, no están al tanto de la complejidad de los problemas sobre los que hablan. Afirmada esta prerrogativa de función, Fernández no reclama ninguna otra ni reconoce ninguna jerarquía cuando encara el ataque.

Artemio López es un viejo peronista que entiende perfectamente este potencial. Por supuesto, le gustan las intervenciones de Aníbal Fernández tanto por sus contenidos políticos como por su retórica. Allí se fortalece, para un nuevo avatar, el alma plebeya del peronismo. Fernández integra estilemas reciclados de las viejas culturas populares. Usa, por ejemplo, el insulto "ganso" que le llega desde hace muchas décadas, así como "bondi" llega también desde lejos y los primeros en readoptarlo fueron los jóvenes que, hace cincuenta años, lo consideraban un arcaísmo. Aníbal Fernández es descollante (también alguien que se le parece mucho: el sociólogo Artemio López) para la invectiva en su traducción barrial y fraseo de internet. Tiene impacto aunque se lo repudie. Se lo repudia porque tiene impacto.

Entendió suficientemente la política en la red. Supongo que esta afirmación no suena bien a quienes escriben y difunden la idea de que todo progreso técnico implica una ampliación democrática y, en consecuencia, un mejor escenario para las discusiones públicas. Esta perspectiva tecnooptimista no es fácil de sostener si se analiza el tema sin supersticiones. El kirchnerismo de Twitter no está mejor argumentado ni es intelectualmente más sólido que el de *Página 12*. Más bien, todo lo contrario. Incluso un pésimo periódico partidario, mal hecho periodísticamente, como *El Argentino*, tiene un discurso más articulado y mejor información. Lo que Twitter proporciona son links que, de seguirse (y acá hay que ver si se siguen y cuántos los siguen), conducen a páginas web donde la información tiene una calidad más ajustada a ciertos estándares. Esos links también conducen a noticias truchas, chismes y falsedades. O a la expansión del espíritu Twitter en blogs. Información y desinformación en paralelo, entrelazadas.

Aníbal Fernández da el tono de un tipo de intervención que podría llamarse suprainstitucional o parainstitucional. Habla desde el lugar del ministro como si no fuera un ministro; desde la casa de gobierno insulta como si estuviera sentado en la plaza de enfrente. Pero cuando se le responde como a alguien sentado en la plaza, recuerda que él sabe lo que está diciendo porque es ministro y, por lo tanto, no dice las pavadas en las que caen sus interlocutores. Lleva dos máscaras sobre ningún rostro; cuando se lo interpela como ministro contesta con el estilo del militante barrial de base y cuando se lo quiere agarrar allí, en ese lugar que él eligió, reclama su saber de ministro. Doblemente autorizado, juega con la tradición populista y con la forma concentrada del poder kirchnerista.

Este juego es, con frecuencia, muy agresivo, porque fusiona dos violencias de diferente origen: la primera, estilística; la segunda, política. Si el enfrentamiento enconado no fuera una cualidad inseparable de la forma kirchnerista de hacer política, la violencia estilística de Aníbal Fernández quedaría sin capacidad de potenciarse. Pero Fernández puede ejercer su violencia estilística porque ella se adapta perfectamente a la violencia verbal del kirchnerismo. Así se cierra un circuito de retroalimentación, donde los *tweets* de Fernández no son disparos enloquecidos, sino intervenciones afines a un estilo.

La escalada polémica es un rasgo nacional. Los mensajes de la "buena onda", como los de Macri y Michetti, suenan bobalicones si se los compara con la faena dura que rinden los de Aníbal Fernández. En realidad, el jefe de Gabinete ha entendido mucho mejor el régimen de nitidez y velocidad de Twitter. Sus "seguidores" no lo son porque esperen frases amables o reconocimientos generosos de la razón ajena; lo que se espera es lo que Fernández ofrece tanto a kirchneristas como a opositores. Sus mandoblazos cumplen la promesa de una política siempre caliente y, por lo tanto, siempre interesante. Fernández alienta las expectativas y, al hacerlo, responde a una de las figuras retóricas más difundida en las redes sociales: la hipérbole, que expresa el gusto o el disgusto, la toma de partido y la distancia.

La hipérbole es indispensable también por la norma de brevedad de los mensajes. Antes de su alunizaje en Twitter, Fernández ya dominaba la técnica del *sound bite* en la radio, por lo tanto, las normas de Twitter no le piden habilidades en las que no se hubiera entrenado perfectamente aplicando a la invectiva política las novedades de la lengua oral juvenil y popular ("se le escapó la tortuga", "le faltan jugadores", "está chapita", "se levantó las medias y la foto era de carné": Carrió fue un buen soporte, durante años, para las ingeniosidades de Fernández). Estas intervenciones que reducen al otro a sus rasgos más ridículos o se les atribuyen, necesitan de la hipérbole para lograr su efecto inmediato. Los pequeños trazos de la ironía requieren un poco más de tiempo y de espacio. Fernández tiene la posibilidad de ser irónico, pero antes que irónico, como busca la comprensión directa, prefiere la sátira y la caricatura: el gran trazo de la hipérbole.

Twitter tiene un régimen de lectura rápida, ya que la mayoría de quienes participan siguen por lo menos a cien personas. Durante algunos períodos del día, cien personas activas producen entre uno y diez *tweets* por minuto. Eso obliga a leer tan velozmente como se escribe. Para gente entrenada en el régimen audiovisual esto no es un problema. Los usuarios de Twitter pertenecen a las capas medias escolarizadas.

Es un mundo, entonces, de burbujeos y hervores, bisbiseos y gritos, acusaciones e infidencias, un *continuum* verbal cuya sucesión hace indispensable el disparo que se distinga por sobre el murmullo. A este entorno se adapta el estilo de Aníbal Fernández. Lo trae de afuera de la web, pero sus rasgos son los necesarios allí. Si la antigua retórica necesitaba de la extensión (comienzo y desarrollo, conclusión y final), la nueva retórica requiere intensidad y fusión de todas las anteriores secciones del discurso. Sobre todo, como la nueva retórica se aplica a una política de confrontación, la intensidad no es una cualidad entre otras. Fernández, que usaba esto perfectamente en la radio, llevó el entrenamiento a Twitter: "Tenembaum es un alcahuete a sueldo del sinvergüenza de Magnetto y el Monopolio Clarín. Por dinero vendió su ideología. ¿Qué esperan de él?"; "Una nota sobre Van der Kooy, editorialista de *Clarín*, y mercenario de la palabra"; "¿Que habré hecho para tener que tolerar a gansos como vos? ¿Que hiciste en tu vida con compromiso? Conformate con agraviar"; "Yo no te provoco ni dejo de provocarte. No tengo ningún interés en debatir nada con vos. Dedicate a otra cosa, por favor" (a la diputada Paula Bertol, a quien le advierte también: "A vos no te voy a contestar más, gansa"). Decenas de intervenciones en una semana de julio tomada al azar. ¿Cuándo trabaja el ministro?

La pregunta no tiene sentido. El ministro trabaja, ya que una de sus funciones es dirigirse a la opinión pública, reemplazando a los voceros y los responsables del área de comunicación.[13] Twitter es uno de sus campos de trabajo.

En enero de 2011 Aníbal Fernández tenía 135.000 seguidores; Mauricio Macri, 130.000; Héctor Timerman, 42.000; el eminente Daniel Tognetti, 75.000, y Susana Giménez, 284.000.[14] Si se considera a Susana Giménez el punto más alto de la pirámide de *celebrities*, si se toma en cuenta que los políticos no ocupan lugares altos en esa pirámide, salvo casos excepcionales, las performances de Fernández y Macri son excelentes. Se lo atribuyo, por una parte, al rasgo "culto" que tiene Twitter, comparado con otras redes sociales como Facebook; y, por la otra, al activismo político. Sintonizando correctamente un cambio comunicacional de época, se encuentra en Twitter un entorno donde se puede "activar" fuera de los lugares que caracterizaron a la modernidad. Especie de militancia imaginaria pero real, construcción oximorónica que todavía no ha terminado de definirse pero que se considera a sí misma como una adelantada de la política futura, a la que los expertos en comunicación le fortalecen la autoestima y, muchas veces, exageran sus posibilidades políticas reales.

En el armado de una red kirchnerista de capas medias, estos entornos virtuales todavía no son decisivos. Pero si se comprende que son muy baratos en términos económicos, y muy ruidosos en términos de rebotes culturales, no existe razón para que el peronismo, que ha sido casi siempre innovador en el uso de tecnologías comunicativas, no multiplique, incluso en formas elementales y experimentales, esa tradición iniciada por el líder. Perón comprendió perfectamente (entre otras razones, por su experiencia europea de la década del treinta, cuando estuvo en Italia) que una política de masas no podía prescindir de los medios. La movilización en la plaza era el espectáculo sonoro que la radio trasmitía a todo el país por la cadena nacional. La rutina cotidiana incluía inauguraciones de edificios o de eventos deportivos que terminaban en las fotografías de los diarios al día siguiente. El dispositivo propagandístico de gobierno trabajó con todas las posibilidades de los medios impresos y de los orales. Los discursos de Perón y de Eva, trasmitidos por radio, eran pilares en la construcción de una escena nacional.

Pocos hoy no escuchan atentamente los discursos en cadena nacional, pese a los esfuerzos del kirchnerismo por ablandarlos con intermedios de partidos de fútbol. Ésa no es la forma en que se tramita la política o por lo menos no es su forma central. En los últimos dos años, el kirchnerismo exploró estos nuevos entornos y modalidades de la política. Hasta el conflicto con el campo, el vocero presidencial siguió siendo Alberto Fernández, que, pese a reivindicarse hoy como la alternativa "joven", no prestó especial atención a los nuevos entornos digitales en donde sucedía una mutación.

Olé olé olé, blogué... blogué...

Esa mutación le tocó a Aníbal Fernández, que comenzó con "un blog sin vueltas", cuya máxima de apertura es: "El asunto está desde ahora y para siempre en tus manos, Nene". El polimorfo destinatario designa al visitante y al propio Fernández. Aunque actualizado de manera constante y linkeado a todas las redes, este blog no alcanza la vibración de Twitter. El discurso no oficial del jefe de Gabinete funciona a pleno en Twitter, donde todo está expuesto permanentemente, recogido por los diarios, y al mismo tiempo coloreado por la idea de que se ocupa un margen comunicativo, aunque de ese margen hable todo el mundo (muchas veces sin saber cómo funciona). Sin embargo, la blogosfera asegura a los textos mayor permanencia; todo puede ser linkeado a Twitter pero, antes, tiene que colgarse en alguna otra dirección del ciberespacio. Los discursos de Cristina y las entrevistas al propio jefe de Gabinete (aparecidas en la prensa) recuerdan a la política en términos más clásicos. Las fotos y videos de la Presidenta repiten la propaganda o la difusión convencional de los actos de un gobierno, que se duplican en el canal presidencial de YouTube. Antes del luto, era cómico verla cambiar de vestido a medida que pasaban las imágenes. Este tipo de blog difícilmente pueda ser otra cosa que un catálogo donde el visitante encuentra lo que no se detuvo a ver en otros medios, precisamente porque le recordaba demasiado a las formas oficiales de la propaganda o a las formas establecidas del periodismo.

La página web de Fernández no puede desplegar todas las triquiñuelas que lo convirtieron, vía Twitter, en detestable para la oposición y peón frontal del oficialismo. Hay destellos de eso, pero no es libre en su blog como lo es Artemio López en su *Ramble Tamble*, al que sigue un destacamento de comentaristas, precisamente porque el estilo zumbón del fornido encuestador funciona bien en textos largos y, además, no lo ata ninguna pleitesía. Por el contrario, sus servicios al gobierno son buenos porque no se manifiesta como un devoto. En el dispositivo web del kirchnerismo conviven y se potencian ambos estilos. El blog de Fernández está obligado a páginas sencillamente oficiales, aunque el gusto personal traiga frases que pertenecen al viejo y al nuevo peronismo popular (la foto de una pintada: "Perón vuelve cuando se le cantan las pelotas", por ejemplo).

Hay centenares de blogs kirchneristas. Las listas nunca pueden ser completas, como también existen miles de blogs personales, temáticos, ideológicos, literarios, académicos (la lista tampoco sería completa).[15] La primera razón es técnica: crear y manejar un blog es más fácil que utilizar un programa de texto. La plantilla del blog es una de las más simples con las que puede encontrarse un usuario de computadora; y también la que le permite mayor flexibilidad en la alternancia y la combinación de bloques escritos, gráficos y de video. A diferencia de una página web que todavía requiere el manejo de un programa relativamente complejo, la plantilla del blog se utiliza intuitivamente. Un blog se crea en no más de cinco minutos y luego su formato puede ir modificándose a medida que se adquieren, en la práctica del mismo blog y en la lectura de otros, nuevas habilidades, todas ellas muy sencillas. Los blogueros peronistas podrían recordar (agradeciéndolo a las plataformas globales) la vieja consigna electoral de 1946: la campaña se hace con tiza y carbón. En los últimos dos años, el kirchnerismo aprovechó a fondo estas posibilidades de una militancia ideológica que no necesariamente se superpone con la militancia considerada tradicional. Es más: el kirchnerismo lo ha aprovechado más que ningún otro espacio político, siguiendo una tradición innovadora característicamente peronista.

A diferencia de las tecnologías caras y distantes, el blog es gratis y próximo. Actúa en cercanía, aunque un blog exitoso pueda expandir sus visitantes más allá de los espacios de una militancia personal. Un blog es algo completamente casero, donde la escena de la privacidad de la escritura alterna con la escena imaginaria o real de la visibilidad en la web. El bloguero puede trabajar desde cualquier parte, ya que el trabajo del blog es rápido (nadie le pide demasiadas precisiones y, ni siquiera, que tenga la prolijidad exigible en los grandes medios).

Por otra parte, el blog se difunde en la misma época en que la lectura de medios sobre papel ha disminuido. Los blogueros son lectores de noticias en la web, visitantes de las páginas de todos los medios, de los portales y de otros blogs. Conocen bien el efecto de encadenado, porque tienen su perfil en Facebook y Twitter y su blog aparece reduplicado por los links que reenvían de una plataforma a otra. Éste es un aparato de multiplicación sin pérdidas, sencillamente porque su eficacia no puede ser medida, sino que es un efecto real e imaginario de su potencial tecnológico. No hay pérdidas porque no es posible ni verosímil ni útil un cálculo tradicional de eficacia (tantos lectores cuestan tanto dinero o tanto trabajo).

Los blogs de activistas no aceptan el control de calidad al que está sometida la prensa profesional. Pueden difundir noticias falsas o verdaderas sin que, al día siguiente, sean invariablemente impugnados. Precisamente porque viven del rumor, que es un estado "natural" de la opinión pública, no deben obedecer las mismas normas que el periodismo profesional. De los diarios es posible decir que deforman o no publican las noticias que podrían impugnar su línea editorial (de esto se acusa a *Clarín*, en su período de conflicto de intereses con Kirchner, y podría acusarse a *Página 12* o *El Argentino*). Es muy difícil hacer ese juicio sobre un blog que se presenta, en primer lugar y abiertamente, como espacio de opinión. Existen, por supuesto, blogs periodísticos que aceptan las normas que, habitualmente, regulan el oficio. Los blogs de periodistas profesionales, por ejemplo, en los que exponen posiciones que no aparecen en las notas que publican en los medios donde trabajan.

El bloguer tiene derechos especiales, en términos lingüísticos y retóricos. Su militancia política legitima su virulencia y declara a la prensa con el mismo estilo que escribe. No está claro todavía si se trata de una ampliación de derechos de expresión, un cambio de reglas de escritura o simplemente de una convención más pegada a la proliferación del insulto en la oralidad:

> Después de la polémica reunión de blogueros kirchneristas ocurrida el sábado —de la que participaron el jefe de Gabinete Aníbal Fernández y el titular del COMFER Gabriel Mariotto—, continúa la discusión por el enfrentamiento entre el gobierno y los "cybermilitantes" y sus eternos enemigos.
> En su programa *Ciudad GotiK*, el periodista Jorge Rial entrevistó a Mauri Kurcbard, autor de *Derek Dice* uno de los sitios más conocidos dentro de la "blogósfera kirchnerista". El bloguer opinó sobre los blogs, el vicepresidente Cobos, el diario *Clarín* y Aníbal Fernández.
> Sobre el desprecio de los bloguers a la figura de Cobos (por ejemplo, con imágenes retocadas que lo califican de "hijo de puta"), Kurcbard sostuvo: "Lo que nosotros le reprochamos es que no haya votado contra sus convicciones y no haya renunciado. Su obligación era votar con el gobierno, incluso contra lo que él piense, y renunciar".

"Nosotros votamos una fórmula Cristina-Cobos y el tipo está haciendo todo lo contrario. Es un tipo que me estafó a mí y a seis millones de personas que votamos a Cristina, es un hijo de puta, ¿cómo se define eso si no?", agregó.
Respecto del Grupo Clarín, el bloguer opinó: "Desde los 80 que odio profundamente a *Clarín* porque es el diario que maneja la mentalidad de la población argentina, inhibiendo sus posibilidades de avanzar". Y agregó que "Lo que viene a demostrar el gobierno de Kirchner, es que lejos de eso que decía de que 'un político no resiste cinco tapas de *Clarín* en contra', nosotros aguantamos 50.000 tapas en contra, todos los días tenemos una tapa en contra".
Consultado sobre por qué el kirchnerismo negoció en los primeros años de gobierno con el multimedio, Kurcbard replicó: "Era necesario transar con ese monstruo para hacer algo".[16]

Desde el fin del conflicto con el campo hasta la muerte de Kirchner, la blogosfera K estuvo dominada por la denuncia del Grupo Clarín y la defensa del gobierno, centralizada en la ley de medios. Las dos líneas temáticas devenían de la obsesión crítica al periodismo, siguiendo en esto a Kirchner al pie de la letra.

Por supuesto, decenas de blogs serían fatalmente aburridos si sólo repitieran el "odio a *Clarín*" del bloguero citado más arriba. Desarrollan otras líneas. No se deja de lado la tradición peronista y su relato "marco". Doy un ejemplo encantador, que prescinde de insultos. El Movimiento Peronista Bloguero ha colgado un video (banda de sonido inicial: la Marcha) donde un obrero de ficción, de 65 años, le escribe una carta a su hijo para explicarle la doble historia de su familia y del Movimiento. Con la crónica "personal" se cruzan los sucesos que trajeron la extensión de la ciudadanía social y política, el golpe del 55, la resistencia, el regreso de Perón (que encuentra a esa familia militando al unísono), el nuevo golpe de Estado, la desilusión de la democracia y el menemismo. Pelearon y sufrieron mucho (sigue el padre redactando su carta) hasta que, en 2003, con Kirchner, finalmente recuperaron el trabajo y la identidad. Al padre le volvieron las ganas de vivir y salió de nuevo a activar por el barrio, mientras en los ratos libres terminaba la piecita del fondo, que había quedado inconclusa durante treinta años; ahora sabe que debe defender esos ladrillos, pero ya no tiene miedo, ya lo vivió, no teme a esos que quieren volver a gobernar y se quieren quedar con la patria; ha vuelto a ser feliz y por eso es tiempo de salir a militar. Debajo de un álbum de fotos de Perón, el obrero le lega a su hijo el "casco de militante". Es un relato didáctico, clásico y sentimental, como si hubiera regresado el peronismo anterior al 55, listo para unas viñetas de libro de lectura.

En el otro extremo de esta historia edificante está el humor sarcástico de *Ramble Tamble*. Recibe muchísimos comentarios tan furibundos como los de los foristas de *La Nación* (donde hay también abundante militancia kirchnerista) o los posteadores más racistas de *Todos Gronchos*: "El kirchnerismo apostaba todo a un triunfo de la selección, para seguir drogando con pan y circo a la gente de menores recursos. El tiro les salió por la culata pero los micros que fletaron a Ezeiza demuestran que aún no se rinden". Los lugares comunes son idénticos, las valencias ideológicas se invierten, pero estamos dentro del mismo mundo maniqueo.

Cuantitativamente, en la blogosfera política domina la propaganda o la polémica a la que sus consumidores le piden que sea lo que es: arbitraria, apasionada, idiosincrásica. Como si lo que el periodismo debe demostrar (una objetividad en la transmisión de la noticia, que incluso puede no ser su práctica habitual) en los blogs quedara en suspenso: se sabe que se leerán rumores (el de Jorge Asís, el de Artemio López, para dar dos ejemplos extremos de un arco político). La blogosfera política es, típicamente, opinión y rumor.

Los opositores reciben torrentes de injuria y sarcasmo. Estos dos tonos han caracterizaron un tipo de discurso político afín al que Kirchner utilizaba. La invectiva es un capítulo de la retórica. Abundan los ejemplos clásicos. La blogosfera adora la invectiva porque evoca la calidez del discurso militante, y la blogosfera es una forma de militancia que ha cambiado su escenario. Los blogueros K han comprendido que la cultura de la web es una sorprendente mezcla de distancia y proximidad imaginaria. Mejor dicho: proximidad imaginaria en el marco de una distancia material.

Los comentaristas en los foros de los diarios son, a su manera, una blogosfera. Hoy los militantes digitales K intervienen en los foros de *La Nación,* porque han reconocido allí una plataforma muy accesible, con algunas ventajas ofrecidas por la notoriedad del diario *online*, entre ellas un número de visitas garantizado por el entorno informativo profesional. Se ha escrito, lo han hecho Valiente Noailles, Fernández Díaz, Horacio González, que esa zona de comentaristas es un verdadero pantano de enconos.[17] Es cierto, pero ese pantano no escupe sus mensajes sólo porque está técnicamente habilitado, sino porque tiene las mismas garantías de anonimato y de militancia imaginaria que caracterizan a la blogosfera (con excepción, por supuesto de blogueros reconocidos como Lucas Carrasco, que no están protegidos por el anonimato, sino por su propio nombre: ellos seguirían existiendo aunque la blogosfera desapareciera).

El anonimato beneficia a quien no tiene un nombre para cotizar en la esfera pública. Es una igualación que reproduce al cuadrado el anonimato anterior a la participación en la web. Pero, ese anonimato genera efectos irresponsables, que corresponden a una práctica virtual que no está preocupada por la exactitud del mensaje. La blogosfera militante no busca convencer a quien no está convencido. Se propone fortalecer un lazo. Las informaciones sobre el gobierno abundan (y no son muy diferentes de las que circulan en la prensa), pero están acentuadas de un modo distinto. Organizan una línea de transformaciones de hecho, donde se ordenan los avances sociales y económicos de un gobierno progresista. Amasan el picadillo de la noticia para edificar la base de una convicción política.

Se sobreentiende que esa convicción política es previa. Pocos se podrían convertir al kirchnerismo leyendo el blog *Derek Dice* o *Encuentro Político*; a nadie que no sea peronista se le puede ocurrir navegar esas páginas; sólo los kirchneristas no se sienten expulsados por las invectivas sangrientas de muchos de los comentaristas de los *posts*, incluso en los blogs de mejor calidad intelectual.

A esa blogosfera se va a buscar lo que se sabe que se encontrará allí. Aunque es un territorio abierto y difuso, su recorrido no es exploratorio. Ese rasgo no puede pedirse a ninguna militancia, en una era en que los partidos han renunciado a buena parte del dispositivo de transmisión ideológico-cultural; y sobre todo, en una era donde muchos rechazan la idea de una formación ideológica con algo de sistematicidad. La exploración de nuevas ideas implica soportes políticos menos efímeros. La blogosfera es el volante y la pintada de la era virtual.

No hay estilos mejores en otras fracciones web del campo político, donde se repiten gestualidades y escrituras desvinculadas de las transformaciones de la última década. El kirchnerismo, en este aspecto, tiene elementos más dinámicos, precisamente porque, de manera visceral, no cree en la objetividad de la información y ha mantenido pésimas relaciones con el periodismo profesional, con la excusa de que éste fue copado por intereses destituyentes o por factores económicos concentrados que sólo se mueven según convenga a sus empresas.

Pero ha aprendido algo más. Es el estilo mismo de la comunicación y la propaganda lo que cambia. Geert Lovink afirma que "sería ridículo denunciar al bloguer colectivamente como cínico. El cinismo, en este contexto, no es un rasgo de carácter sino una condición tecnosocial".[18] Se puede parafrasear a Lovink, cambiando el adjetivo: no tiene sentido calificar al bloguer como unilateral, subjetivo e hiperpartidario. La condición de bloguer político es hiperpartidaria.

La comunicación bloguera K es más plebeya, más horizontal y, en condiciones distintas, más "peronista". No está dirigida a los intelectuales y políticos que leen la prensa escrita tradicional y escriben para ella. Tiene un objetivo social disperso, extendido, como un haz que se amplía en círculo y gira iluminando zonas hasta hace poco inertes o desatendidas.

La imagen del haz evoca una dificultad: no sabemos con ninguna seguridad cómo es la lectura de los blogs kirchneristas. Hay repeticiones en quienes intervienen y, sobre todo, el efecto de encadenado blog-Facebook-Twitter multiplica todo por un factor que es difícil estimar. Los mensajes rebotan y se hacen eco mutuamente, pero ¿leídos y escritos por la misma gente?, ¿encontrados al azar, buscados de modo sistemático?, ¿los lectores regresan a los blogs, los marcan entre sus favoritos?, ¿cuántos navegan la red con esta sistematicidad? Lo que se sabe es cuántos adhieren a una página en Facebook o cuántos siguen a alguien en Twitter o en un blog, pero, incluso en esos casos, ¿nadie se da de baja o simplemente no vuelve más?, ¿la gente es un número cuando se suma, pero no cuando se retira?, ¿quién se borra, salvo que haga de ese acto un gesto político?, ¿cuántos de esos gestos se producen?, ¿cómo es la lógica de la conexión y la desconexión? Los optimistas indicarían que la ausencia de un factor cuantitativo cognoscible, la dificultad para reducirlo a una fórmula, en lugar de disminuir la trascendencia de esos soportes tecnoideológicos la aumenta. Lo que se desconoce, se exagera.[19]

Como sea, lo que interesa no es tanto un impacto cuantitativo que podría discutirse largamente pero que existe, sino el cambio de modalidad: de presencial y cara a cara a mediatizada, de física a tecnológica e imaginaria. Y también interesan los cruces: movilizar hacia la plaza pública real desde la plataforma virtual. Reconocerse en la plaza pública porque se mira el mismo programa de televisión y se lleva la misma remera. Reconocerse como antes se reconocían los fans de un programa de radio porque, en lugar de llamar por teléfono a la radio, se escribe un comentario en un blog o un "me gusta" en el muro de Facebook.

Por definición, los blogs que admiten comentarios son "participativos". El fracaso de un bloguero es no suscitar intervenciones de comentaristas. Sólo los blogs más intelectuales o estéticos (y, en general, no de temas políticos) se reservan el derecho de moderar los comentarios. Por el contrario, la gran mayoría considera que la moderación es una censura sobre las opiniones. El blog es plebeyo porque no rigen allí las jerarquías del mundo letrado, ni de la academia ni del periodismo. La horizontalidad del blog, por un lado, garantiza no la verdad ni la sinceridad (imposible, irreal), sino el efecto de verdad y de sinceridad: todo transcurre como si quienes participan estuvieran vinculados con los que discuten sólo por principios ideales, lejos de los intereses que afectan a los grandes medios, a los periodistas consagrados, a los intelectuales que desean conservar su lugar, a los académicos que resguardan la pirámide del saber institucionalizado. Los blogueros serían algo así como el Pueblo que nada tiene que perder por decir su verdad y, en consecuencia, que puede decirla por encima de toda sospecha.

La ideología en los blogs es un capital positivo: se habla por ideología, en lugar (como sucede con la prensa) de engañar por ideología que, en ese caso, encubre intereses materiales. El discurso del bloguero es libertario, y el sustento tiene que ver con la relativa anarquía que permite la tecnología web. También tiene que ver con el anonimato que puede conservarse, si se desea (aunque existan formas técnicas y policiales de averiguar quién es quién debajo de cada URL).

El bloguero tiene la libertad del grafitero, sin correr sus riesgos ni atravesar la parte más pesada de su trabajo callejero. También escucha la promesa de una notoriedad que puede caerle de un momento a otro, un porvenir de fama digital que, aunque llegue a pocos, puede sucederle a cualquiera de esos pocos tomados casi al azar entre decenas de miles. Tiene también a su disposición el *cut & paste* y el *embed*: dos procedimientos por los cuales discursos e imágenes, sonidos y videos producidos por otros se convierten, en cuestión de segundos, en sonidos y discursos del blog propio. Además, en internet no existe la idea de plagio (sólo utilizada eventualmente para acusar a algún enemigo que ha plagiado sobre papel lo que apareció antes en la red: ése es el único concepto de plagio que funciona). Por lo tanto, decenas de blogueros pueden repetirse, y al hacerlo aumentan la credibilidad de lo repetido sin debilitar la originalidad de lo que repiten (que nunca es puesta en cuestión). La repetición de materiales en distinto estado de degradación o cambio es la experiencia habitual de cualquiera que busca algo en la red. Los blogs políticos hacen de esta repetición un método y una prueba de la llegada que han obtenido. Todo puede ser pasado por alto en su momento televisivo o periodístico sobre papel, pero al subirlo a la red adquiere una permanencia que no tiene en medios sometidos a la lógica de la digestión cotidiana de novedades. La red funciona también como archivo, porque la blogosfera no tiene fecha de vencimiento, aunque los posteos vayan fechados. Al contrario de los medios profesionales, la red no es pura novedad, sino infinidad de cosas viejas que están allí porque siguen siendo nuevas para públicos cada vez menos unificados.

La fragmentación de esos públicos, y también el hecho de que los que consumen diarios sobre papel no consumen tantos blogs como quienes no leen sobre papel, causa ese efecto de novedad constante de lo viejo, porque es un efecto tecnológico-imaginario de la red, que nos ha convencido de que allí siempre está lo último, cuando, en realidad, nuestra experiencia nos enseña que, crecientemente, día a día, se está convirtiendo en un depósito, el desván del presente. Como sea, los blogueros K forman una nube de noticias de toda fecha que al remitirse una a otra crean la cara histórica del presente, necesaria para la construcción de las tradiciones políticas. Sin esos blogs que van acumulando en sus archivos los hitos de las batallas kirchneristas, las alocuciones de sus visitas a los barrios del conurbano, las imágenes de Cristina en las provincias, las universales invectivas de Néstor, el kirchnerismo habría perdido algo de esa vibración de épica del presente con la que aparece en el imaginario de sus militantes reales o virtuales.

Con tiza y con carbón: de nuevo evoco la consigna de 1946. Entonces nadie se fijaba en el diseño de un grafiti, sencillamente porque ese arte, surgido en las calles de Nueva York, todavía no había nacido. Con tiza y carbón se escriben muchos de los blogs K: al retablo de imágenes del gobierno se lo acompaña con el bajo continuo de un órgano ideológico del que no se exige precisión ni certeza objetiva, sino ese otro vasto rumor del convencimiento y la creencia: noticias que no son exactamente noticias sino buenas nuevas, necesarias a toda militancia, no sólo a la kirchnerista; reflexiones que saltean sus aspectos contradictorios como se saltean las contradicciones y las oscuridades en una pedagogía destinada a consolidar el activismo. Cualquier compromiso político rechaza la incertidumbre y exige un cierto nivel de creencia que, por algún tiempo por lo menos, no se somete a examen. Aunque no mejore la cultura política, esto asegura victorias ideológicas y probables mayorías electorales. De algún modo, los blogueros intuyen la complejidad de la política: formada por discursos y prácticas de niveles tanto más diferentes cuanto mayores sean las diferencias entre quienes escuchan y, después de escuchar, siguen.

La blogosfera vive una mística. Frente al poder concentrado de los medios, la explosión de blogs destruye la asimetría informativa y, como Twitter, "nivela las diferencias de acceso".[20] Un ejemplo que probaría que la triunfal y celebratoria autoconciencia bloguera tendría sustento real fue la intervención de *Clarín* ante la justicia. Vale la pena recordarla.

En 2009, el diario obtuvo una resolución judicial que penalizaba el blog *Qué te pasa Clarín*, imponiéndole una multa de 500 pesos diarios por el uso de ese nombre. Se abrió otro blog *Guotpasshornet?* donde hasta hoy pueden verse las reacciones y críticas de 72 blogs frente a lo que no fue un acto de defensa de la propiedad sobre una marca sino de interferencia sostenida en la invocación de los derechos intelectuales.[21] En realidad, quien habría podido reclamar derechos intelectuales sobre el nombre del blog que tuvo que cerrarse es Néstor Kirchner, que inventó la frase interrogativa y la usó durante toda la campaña de 2009. En los barrios del Gran Buenos Aires, allí donde llegaba, el ex Presidente era recibido por puñados de chicos que le gritaban: "¿Qué te pasa, *Clarín*?" para que él respondiera "¿Estás nervioso, *Clarín*?". La escena era tan ritual como divertida.

Todo esto prueba dos cosas. La primera es que un conglomerado de medios como *Clarín* no considera que haya enemigo o competidor pequeño. Esa política empresaria es anterior a la blogosfera. La segunda es que, al pedir la intervención judicial por el uso de una supuesta marca registrada, el diario confirma la autoconciencia bloguera. Desde sus cientos de miles de ejemplares cotidianos prevé un futuro en donde una oscura nube digital ocupa un nuevo horizonte donde cae la certeza del último siglo que sostenía que los grandes jugadores, de modo invariable, le ganaban a los pequeños.

Los blogs son hoy los pequeños insubordinados. Su autoimagen es la de quien corrige el periodismo clásico, le enmienda los errores, hace conocer lo que éste oculta. No importa mucho si estas cualidades identitarias son ciertas; en lo que concierne a separar información de opinión, los blogs no cumplen las reglas mínimas. En esto han coincidido *avant la lettre* con la defensa del "periodismo militante", que debe ser militante antes que periodismo, realizada con desparpajo por Martín García, el director de Télam. Pero la identidad no se sostiene en "verdades" siempre debatibles, sino en un acto de autoasignación. Los blogs, sean o no kirchneristas, pertenecen a quienes habrían entendido la mecánica de los grandes medios. Su acción responde a esta imagen. Por otra parte, lo prueban centenares de blogs de grandes periodistas que trabajan en medios tradicionales, pero que también han elegido el espacio digital.

La cuestión es mucho más complicada cuando se examina un conjunto de blogs en particular, especialmente si se los agrupa por afiliación ideológica y política. Están, por un lado, los blogs oficiales de legisladores de todos los partidos, muy parecidos entre sí, algunos, como los de PRO, son idénticos, como diseñados por la misma agencia. Estos blogs son propaganda política sin filtro y, por eso, no engañan a sus lectores, ya que el rasgo partidario es perceptible de inmediato, desde el logo, los colores y la gráfica. Funcionan como informes de prensa: discursos pronunciados, proyectos presentados, actos a los que se ha concurrido y, ocasionalmente, para el indispensable toque de color costumbrista, una foto personal, en casa, con los chicos, mirando fútbol por televisión.

Por otro lado está la nube K:[22] los blogueros que invocan un periodismo que todavía no ha construido sus formas de validación, aunque sostengan que es el único periodismo "de verdad". También en estos blogs puede aparecer el eventual toque personal: *Ramble Tamble* se abre con la fervorosa reivindicación de Creedence Clearwater Revival, una marca generacional, un gusto que Artemio López razona así, para no descuidar el frente ideológico: "En tributo al *Rock and Roll*, Creedence rompió con el *movimiento psicodélico de San Francisco* donde nació. Un grupo de perspectiva básica y sin alineamientos estéticos, atado sólo a los orígenes de clase media trabajadora de sus integrantes". Desde la música, *Ramble Tamble* introduce a sus visitantes en un hipotético mundo rock nostálgico. A la derecha de esa pasional pastillita de apertura, el blog es un noticiero peronista y, con amplitud magnánima, también de algunos de sus aliados más firmes como Martín Sabatella (cuyo estilo solemne no condice con el estilo bardeador de López). Lo interesante, sin embargo, son los cuadros de costumbres, en la mejor tradición populista, que el encuestador bloguero intercala con insólita frecuencia. La escritura del blog es profesional, en el sentido de que nada indica en ella al recién llegado.

No sucede lo mismo con decenas de blogs kirchneristas, que no ocultan su carácter fervientemente partidario, donde proliferan las afirmaciones infundadas tanto desde el punto de vista fáctico como de las caracterizaciones ideológicas. Para estos blogs, la definición del kirchnerismo como progresismo no presenta problema, como tampoco presentaba problema la definición del peronismo como revolucionario en los años setenta. Son enunciados políticos que salen del corazón y van directo a los convencidos. Es imposible probarlo empíricamente, pero estos blogs no crean condiciones de lectura para quienes no sean kirchneristas. Dejan de lado, salvo que se pertenezca a la propia tropa. Consolidan pertenencia real en el espacio virtual, crean lazos de comunidad política, difunden señales de identidad y reconocimiento, reparten credenciales de activismo.

Ninguno de estos blogs, que se reivindican como alternativa a la tradición periodística clásica, muestra resultados de calidad superiores al diario oficialista *Página 12*. En el proyecto mismo de independizarse de las normas de la prensa, para no masacrarlas como los grandes medios, no encuentran la forma, el oficio ni la capacidad informativa. El amateurismo pasional da el tono y pone los límites.

La intención de criticar a los grandes medios es un proyecto extraordinario, pero difícil. El desprecio por el periodismo profesional se repite como sentimiento estratégico que, a la vez, es síntoma de la batalla ideológica y de una guerra más larga entre propietarios de medios, elite periodística y ciudadanos destituidos de ese poder. *Derek Dice*, que como *Ramble Tamble* tiene humor, afirma que el reportaje de Soledad Silveyra a Cristina Kirchner en 2009 pone de manifiesto que la Presidenta le habla a todas las mujeres de las cosas que le preocupan a las mujeres, lo cual ya es toda una definición sobre "lo femenino", tenida en cuenta la banalidad de las preguntas y respuestas. Y, a propósito de nada, sostiene orgullosamente que la prefiere a la Presidenta como la vio frente a Solita que reporteada por "el muerto de hambre de Morales Solá". *Derek Dice* no recuerda que, desde que asumió, la Presidenta no dio reportajes a periodistas argentinos, con lo cual el muerto de hambre de Morales Solá deberá de estar hoy aún más famélico.

En general, la nube K destrata a los no kirchneristas y no vacila en levantarles calumnias informativas o cascotearlos.[23] Pintoresco es el calificativo a Juan Pablo Varsky, periodista deportivo de *La Nación*, en un comentario bien bloguero: "Varsky que es un liberaloide keynesiano. Yo le desconfío de todo...". En efecto, no hay que creerle nada. Eso se llama argumento *ad hominem*. La retórica rechaza el argumento *ad hominem* que recurre a algo exterior a lo que se discute para demostrar que lo que afirma el interlocutor es inválido, equivocado o mentiroso. Los blogs están repletos de argumentos *ad hominem*, reforzados por el calificativo históricamente negativo de "gorila". Una vez lanzado ese adjetivo, se legitima el ataque a quien está destinado o se invalida toda opinión de quien lo lleva como marca infamante. Ni siquiera es posible demostrar que, según todas las caracterizaciones políticas, el estigmatizado no es "gorila" sino, más sencillamente, un "no kirchnerista". El argumento *ad hominem* equivale a una sanción en la esfera comunicacional. Los liberaloides que se callen.

Lo dicho no concuerda con la visión optimista que los entusiastas de la red tienen sobre el mundo bloguero. Para discutir con ellos, haría algunas precisiones. El bloguismo amplía las posibilidades expresivas de posiciones diferentes, algunas de ellas tardíamente o nunca recogidas en los medios. Pero, como a cualquier otra esfera discursiva nueva, al mundo bloguero le faltan criterios que son muy difíciles de formular precisamente por la originalidad de sus prácticas. No se lo puede condenar sólo por sus torpezas, como tampoco se lo puede adorar sólo por sus promesas vitalistas, libertarias y participativas. Los blogs profesionales se parecen más al periodismo escrito que a los blogs auténticamente improvisados. Los blogs no profesionales tienen los límites de las destrezas y comienzan sólo con el capital simbólico de sus dueños que, como se vio, puede multiplicarse por una lógica que rige en la internet política.

No hay mediaciones entre lo que efectivamente sucede, lo que se cree que sucede y lo que se desea. Tampoco hay criterios fijos sobre el control de las relaciones entre objetividad y subjetividad. Esto es evidente en blogs de todas las tendencias y, por supuesto, en los que se inscriben dentro del kirchnerismo *enragé*, muy afín con el sentido común que invierte la prueba persecutoria: todos nos atacan y nosotros somos los únicos buenos. Los blogueros kirchneristas son la vanguardia que copia la hostilidad, un rasgo de Néstor Kirchner, que caracteriza, con más contención discursiva, también a Cristina Fernández.

Con el estilo de "a mí no me mueven las críticas", los blogueros K postean y comentan en un mundo aparte, donde sólo suceden cosas buenas que la oposición niega. Paradójicamente, pese al optimismo que les despierta el gobierno, el tono es envenenado y resentido. Sólo una muestra de ese tono, en *Derek Dice*, sobre el final del mundial de fútbol:

> Así que nos humillaron... Así que fue un bochorno... Así que el Diego se va... Así que... Qué contentos los dráculas vernáculos. Qué contentos los tilingos con los dráculas, con tal de que la sangre que chupen no sea la de ellos. Tan berretamente contentos como el 28 de junio del año pasado. Y no me digas que el fútbol es otra cosa. Podemos discutir esa frase desangelada de "se juega como se vive" en otro post, si te parece. Pero el fútbol es la misma cosa. Preguntáselo al pasquín de la dictadura. Preguntáselo al Toti. Preguntáselo a los que no le perdonan al Diego haber opinado, haberse jugado por el fútbol para todos, por las abuelas. Preguntáles a ver si opinan que el fútbol es otra cosa. Es una tarde gris. Acá apareció el sol por la ventana, pero es una tarde gris. Y como es una tarde gris lo escuchamos al Gordo y al Polaco, mientras

esperamos para recibirlos a los muchachis como se merecen. Descuartizadores, abstenerse. Es el pueblo el que los cuida.[24]

El final tremebundo, "descuartizadores, abstenerse", es la culminación de un estilo de invectiva, que se usa tanto para el fútbol como para una intrascendente visita de la Presidenta a una fábrica o un pueblo. Todo se defiende como si el bloguero K fuera el último ocupante de la última trinchera. Lucas Carrasco (*República Unida de la Soja*) es quien mejor encarna esa figura. Suplemento retórico, en este blog a los comentaristas se los llama *crispados*, con irónica connotación positiva: son crispados como se dice que es crispado el discurso presidencial; son, por lo tanto, buenos seguidores.

1 Roberto Guareschi subraya la intervención de la entonces periodista de *Clarín* Hinde Pomeraniec en Twitter, que provocó la salida del embajador chileno de Argentina. El caso subraya el poder de una periodista profesional, de primer nivel, que difundió en Twitter las declaraciones que le hizo el embajador en una conversación. O sea que estamos, todavía, en la esfera de los expertos que tienen accesos diferenciados y múltiples a la información. Véase, R. Guareschi, "La consagración de Twitter", *Perfil*, 20 de junio de 2010.

2 La conexión de banda ancha (naturalmente paga) es de un cuarenta por ciento en los hogares; están también los locutorios y todos los lugares físicos públicos *wifi*. Para las capas medias (y especialmente para los jóvenes) el acceso no es un problema mayor. Los "excluidos digitales" pertenecen masivamente a quienes sólo tienen educación primaria (un 83% de excluidos) o tienen más de 50 años (un 75% de excluidos). El 59% de los que se conectan pertenecen a las redes sociales, entre las que Facebook es casi universal (98%) y Twitter francamente minoritaria, con 15%. De ese 15% sólo un 7% sigue a algún político en Twitter. Los porcentajes salen de un estudio de 1000 casos, realizado por Poliarquía y publicado por *La Nación*, 19 de septiembre de 2010. Por supuesto, este mapa está en constante cambio.

3 *La Nación*, 23 de junio de 2010.

4 Una interesante excepción es Roberto Guareschi; véanse sus notas metaperiodísticas publicadas en *Perfil*. Pablo Sirvén tiene una constante participación crítica en Twitter, que se extiende a notas publicadas sobre soporte papel sobre esa red.

5 Con el título "Obama *tweets* for first time", Kim Hart escribe: "El presidente Barack Obama 'apretó el botón' para mandar el primer *tweet* de su vida durante una visita a las oficinas de la Cruz Roja en Washington. Obama usó la cuenta de la organización para twitear: 'El presidente Obama y la primera dama están acá, en este preciso instante, de visita en el centro de operaciones contra desastres'. El siguiente *tweet* decía: 'El presidente Obama envió el último *tweet* y ¡fue el primero de toda su vida!'. Fue la primera vez que usó esta tecnología precisa-

mente quien hizo historia usando las redes sociales durante la campaña de 2008. Aunque tanto la Casa Blanca como las oficinas de la campaña presidencial tienen cuentas en Twitter (con largas listas de seguidores), estas cuentas son manejadas por un conjunto de empleados. Lo mismo sucede con la mayoría de los ministros y representantes que tienen cuentas en Twitter. En esa primera ocasión, según los periodistas presentes, Obama dijo: 'Acabo de twitear por primera vez, subrayando luego que la Cruz Roja había recaudado 21 millones de dólares a través de Twitter, destinados a la ayuda a las víctimas del terremoto en Haiti (http://thehill.com/blogs/hillicon-valley/technology/76655-obama-*tweets*-for-first-time).

6 *La Nación*, art. cit., 24 de junio de 2010.

7 *La Gaceta*, 6 de septiembre de 2010.

8 Gabriela Vivanco Salvador, "Cristina, la presidenta más twitera", *La Nación*, 9 de octubre de 2010.

9 "Sin actividad pero con Twitter", *Página 12*, 5 de octubre de 2010.

10 "Un día difícil contado en Twitter", *Página 12*, 2 de octubre de 2010.

11 "Twitter interviene, de modo crucial y multiforme, en la revigorización de la democracia; hay quien sostiene que así se resuelve, por fin, la asimetría informativa que coloca a algunos en posiciones mejor dotadas en el momento de votar o de tomar decisiones que condicionan la vida en común. Twitter redistribuye fácilmente la información, vuelve la difusión más homogénea, nivela las diferencias de acceso" (Stefano, Diana, "Obama, Twitter, e il futuro della democrazia; parte terza", *CafféEuropa*, 23 de marzo de 2009).

12 http://www.rollingstone.com.ar/nota.asp?nota_id=1282207, 8 de julio de 2010.

13 "Como cualquier fenómeno mediático, el jefe de Gabinete ya tiene grupos de fans en Facebook, páginas y blogs que recopilan sus frases célebres, una cuenta de Twitter que actualiza casi compulsivamente con alguno de sus hits instantáneos y en mayo estrenó una página web para defender todavía más al gobierno a través de videochats" (*Rolling Stone*, cit., julio de 2009).

14 Para que se tenga una idea del crecimiento de Twitter: seis meses antes, en julio de 2010, Aníbal Fernández tenía 23.000 seguidores; Mauricio Macri, 31.000 y Susana Giménez, 86.000. O sea que Fernández creció casi seis veces; Macri, poco más de cuatro. En enero de 2011, Daniel Tognetti tenía 75.000 seguidores.

15 "En el mundo hay 27,4 millones de bitácoras, un número que se dobla cada seis meses. Cada segundo se crea una nueva bitácora, unas 75.000 al día. Son datos ofrecidos por el agregador de blogs Technorati, que rastrea a diario 1,2 millones de anotaciones, unas 50.000 cada hora. El fenómeno de los blogs sigue ganando terreno con el paso de los meses. La 'blogosfera' es 60 veces más grande que hace sólo tres años" (http://www.libertaddigital.com/internet/el-numero-de-blogs-se-duplica-cada-seis-meses-y-ya-superan-los-27-millones-1276271646/).

16 *Perfil*, 13 de abril de 2010.

17 En noviembre de 2010, *La Nación* puso en marcha un sistema de calificación de sus comentaristas en los foros, con una jerarquía de tres medallas: oro, plata y bronce. Los que obtienen las medallas, de acuerdo con la productividad dialógica de sus intervenciones, serán los únicos cuyos comentarios se publican directamente en la página web. Esta restricción responde a las preocupaciones

sugeridas por un desbocado discurso de odio, pero quiebra, en los hechos, la ley de horizontalidad de los foros. De hecho, a las pocas semanas, los comentarios de casi todos, con o sin medalla, volvieron a ser visibles.

18 Geert Lovink, "Alla scoperta della ragion cinica", *CafféEuropa*, 8 de octubre de 2007.

19 Ciertamente, los blogs tienen estadísticas de visitas, pero no son accesibles sino para quienes los escriben. Tampoco se sabe cuán confiables son los números de visitantes que, a veces, figuran en la *home-page*.

20 Ver Stefano, Diana, "Obama, Twitter, e il futuro della democrazia; parte terza", *op. cit.*

21 Dado de baja el sitio por sus autores, se publicó este texto en el diario *Crítica de la Argentina* y en muchos blogs nacionales e internacionales: "A la comunidad de lectores y a la blogosfera en general: Debido a acciones legales iniciadas contra este blog por parte de una de las empresas que conforman el grupo *Clarín*, nos vemos forzados a limitar el acceso a toda la producción de contenidos que venimos realizando desde hace ya más de tres meses. La intención que tuvimos cuando pusimos en marcha este proyecto fue la de generar un espacio más para aportar al debate que se está dando actualmente —a lo largo y lo ancho de nuestro país— en lo que respecta a las intenciones de la sociedad de rever la regulación del espacio radioeléctrico, vigente desde la última dictadura militar. Lo hicimos poniendo el foco sobre la empresa multimediática que más se ha beneficiado con el esquema de concentración económica que permite la legislación actual, produciendo información de puro sesgo periodístico, con opiniones editoriales de los autores comprometidos con el proyecto. Hoy nos toca sentir en carne propia que, efectivamente y como lo venimos diciendo, el ejercicio del derecho a la libertad de expresión es un privilegio reservado sólo a unos pocos. Sin ánimo de dramatizar esta situación, solicitamos a la comunidad bloguera que comunique las causas de la baja de este blog y nos comprometemos a mantener canales abiertos de comunicación a los efectos de continuar informando sobre el desarrollo de los sucesos. Sin más los saluda con mucho cariño, El equipo de QTPC?".

22 Sobre los blogueros de esta nube se ha dicho que perciben sueldos públicos. No he visto pruebas.

23 Un ejemplo que me concierne. Artemio López dice en su blog, contestando a una pregunta, que yo apoyo el cierre de la cuestión de los desaparecidos: ¿dónde leyó eso que jamás dije ni escribí? A nadie le importa. A quien menos le importa es a López.

24 Un ejemplo menos agresivo, más nostálgico, de los sentimientos colectivos en la semana posterior a la eliminación de Argentina del mundial de fútbol: "Gracias muchachos por haber dejado la piel allá en Sudáfrica. / No hay reproches. / Se perdió frente a una máquina infernal. / Después habrá tiempo para analizar errores y aciertos. / No por nada hubo 20.000 personas bancándolos a ustedes. / Y a vos Diego, dejanos decirte que nuestro agradecimiento es infinito, nos volviste a inyectar las ganas de ver el fútbol que nos gusta, y volvés a desnudar lo que se oculta en la 'argentinidad' que impone el Monopolio: te van a cortar siempre las piernas, no perdonan tu origen, ni tu ascenso, ni tus desafíos permanentes, ni que

seas amigo de Fidel, Hugo y Cristina. / Apenas terminando de secar las lágrimas, queremos hacer público nuestro agradecimiento y que a vos y a los muchachos los vamos a bancar hasta la muerte" (Movimiento Peronista Bloguero: http://mpb1945.blogspot.com/2010/07/honenaje-del-mpb-la-seleccion-argentina.html).

IV. Televisión registrada

Salvo en una historia de la televisión, será difícil recordar dentro de algunas temporadas el programa *Duro de domar*, producido por Diego Gvirtz para Canal 9. Desde marzo de 2010 lo condujo el ultraoficialista Daniel Tognetti (nativo de CQC, superflua aclaración para quienes sigan las vidas televisivas). Los panelistas de este *Duro de domar. Versión militante* han entrado y salido (más lo segundo que lo primero) y protagonizado secuencias tan sorprendentes como imprevistas. Una noche, el impetuoso bloguero Lucas Carrasco se desmadró en cámara planteando la única incógnita que, durante meses de emisión, ha quedado en pie: ¿nadie de la producción se dio cuenta de que Carrasco no estaba en condiciones de participar en el bloque? ¿Nadie previó la enunciación pastosa e imprecisa, los insultos exorbitantes que incluyeron al ministro de Economía? ¿Cómo fue que Tognetti no pudo parar esa agresión de fin de fiesta alcoholizado? Después de esa *performance*, casi un *happening*, Carrasco dejó el programa.[1] Tampoco éste, pese al pintoresquismo, es un hecho recordable.

La televisión se sostiene en la repetición de formatos y figuras. *Duro de domar* tiene en su linaje a Roberto Pettinato, pero no alcanzó la eficacia y la convicción de otros productos de la factoría Gvirtz. No es que falte alguien ni algo. Más bien todo sobra, especialmente los comentarios de Tognetti, que cree que el sarcasmo vuelve más inteligentes a las personas en lugar de mostrar sus límites, precisamente por la dificultad de un tono que oscila entre el cinismo y la crítica (demasiado para lo que la televisión permite como despliegue). El kirchnerismo militante no se combina bien con un conductor *fashion*, tipo *beautiful people*, demasiado atildado con traje de diseñador y zapatillas. Al kirchnerismo militante le cae mejor una imagen más barrial, más "chabona". Tognetti fue un *miscast*, que no se repitió en *6 7 8*, el primer producto Gvirtz para el Canal 7.

Si el desenfadado es novedoso para el estilo de un canal público, *Duro de domar* es lo predecible en el menú de la televisión privada, por más oficialista que se haya convertido Canal 9. Lo que en el 7 no estaba previsto, en el 9 es más y peor de lo mismo. Se pasaron por alto la temperatura y el estilo de las respectivas pantallas. *Duro de domar* fue durante 2010 una mediocridad de la que pocos se ocuparon (excepto por el lado escandaloso). Sin embargo, su ideología es la de *6 7 8*, su productor es el mismo, la técnica de manipulación de lo que se critica es idéntica. Pero se intentó que todo eso, que funciona en el canal público, fuera también telegénico en el Canal 9 y se le agregó el plus de Tognetti.

Paradoja: ese plus de televisión no funcionó en el programa que necesitaba también saturarse de política partidaria. No siempre más es más. Por eso, *6 7 8* es el objeto interesante. Feo visualmente, con un panel integrado por desmañados o pedantes, sin obligaciones de ritmo televisivo, sin *beautiful people*, rinde en el canal público. Es propaganda, ideología pura y dura. En cambio, *Duro de domar* era propaganda que se presentaba como si al mismo tiempo pudiera conservar el aire desenvuelto y pasota de la televisión registrada. Una lección de ciencia televisiva para Gvirtz, que las sabe todas.

Hablar de medios

> "Acá nadie miente; y si viene algún candidato opositor que está cansado de mentir, no va a poder; por eso no viene."
>
> Orlando Barone en *6 7 8*

Pueden decirse muchas cosas de *6 7 8*, que comenzó a emitirse el 9 de marzo de 2009.[2] Lo primero es que las expectativas no eran altas o, si lo eran, se mantenían en secreto. El 19 de abril de 2009, *Radar* publicó una larga entrevista a Tristán Bauer, director del Sistema Nacional de Medios Públicos, que incluye Radio Nacional y Canal 7. En una enumeración menciona a *6 7 8* entre otros programas de la nueva grilla.[3] Nada más. Sin embargo, se puede suponer que Bauer conocía las sumas del contrato que había firmado con Diego Gvirtz en su ascenso hacia estrella nova del planetario kirchnerista y que, de ser ciertas las que se mencionan, el canal apostaba mucho a *6 7 8*.[4] Un mes después, *Página 12* entrevistó a María Julia Oliván. El reportaje se extiende sobre su carrera periodística anterior y el "desafío" de conducir en el piso el nuevo programa. Lo que llama la atención es que el nombre de ese programa, mencionado en el copete, no figure ni el título ni en la volanta de la nota: *6 7 8* no era todavía un *hit*. Para el diario, la conductora es más importante que el programa.[5] Meses después, Oliván dejó *6 7 8* y el programa, dirigido por Luciano Galende, se convirtió en la única estrella.[6]

6 7 8 realiza lo que durante varias décadas se ha enseñado en las carreras de comunicación: mirar la prensa escrita y audiovisual con la perspectiva de la crítica ideológica. Hace muchos años Aníbal Ford, un vanguardista en el estudio de medios, repetía que la prensa jamás se toma como objeto. *6 7 8* se dedica a eso precisamente: toma a los otros, sus colegas, como objeto y los critica, excluyendo, con precisión quirúrgica, a la prensa oficialista de la que participan abundantemente sus panelistas e invitados. En una entrevista reciente, Pablo Sirvén señalaba las dificultades de la crítica de medios realizada en los medios: "No es fácil manejar el tema de los medios en los medios. Por los propios intereses y porque es difícil tener distancia de uno mismo, Si yo tengo que hablar de *La Nación*, más allá de que no sería prudente, aunque estuvieran dadas todas las condiciones de libertad, resulta muy difícil porque estoy adentro".[7] En realidad, *6 7 8* no tiene el problema que se le presentaría a Sirvén o a cualquier otro periodista, porque sólo habla de los medios que estigmatiza como falaces y antipopulares, es decir: antikirchneristas. El *corpus* criticado por el programa no incluye jamás una nota que apoye al gobierno, publicada en un medio en el que trabajen sus panelistas o sus invitados. Sobre esa otra cara de la luna es simplemente autocomplaciente, entusiasta o silencioso.

Dividido el mundo de *6 7 8* en medios que se critican y medios sobre los cuales no se ejerce ningún examen, el programa, en verdad, no "habla de los medios", sino de los opositores. Su presupuesto pedagógico es que los consumidores deben entrenarse (y, si no se entrenan solos, hay que entrenarlos) en la decodificación de mensajes que, invariablemente, encubren o disimulan intereses materiales o, más sencillamente, mentiras. Este presupuesto viene con su teoría social adosada, cuyo argumento es la conspiración. En la década del setenta, los estudios de comunicación tuvieron ese modelo desmitificador (para usar una terminología muy de esa época). Los consumidores de medios debían ser alertados por los profesionales de la decodificación sobre el doble mensaje o, directamente, el engaño que encerraba todo enunciado. La tarea de liberar las conciencias de su prisión ideológica consiste en hacer visible el doble fondo, la triquiñuela que nos gobierna pese a nosotros mismos, que reside en el lenguaje y la retórica; explicar también que esa duplicidad es inevitable porque el mensaje proviene de sujetos que representan secretamente (incluso, a veces, sin saberlo) intereses que nunca aparecen de modo explícito. La prensa escrita y audiovisual no tiene ningún momento de verdad; por el contrario, es pura construcción que contrabandea como interés general aquellos intereses particulares que defiende de modo solapado. Los públicos de esta prensa viven hundidos en una falsa conciencia que presenta los intereses materiales particulares como principios universales. Ellos mismos están preparados de este modo para defender intereses que se oponen a los propios. Hundidos en la falsa conciencia, necesitan de la teoría que pone las cosas en su lugar. En los años setenta, esta capacidad de engaño era el efecto inevitable de lo que, siguiendo a Althusser, se denominaba, "aparato ideológico" (del Estado o de las clases dominantes, según el caso).

6 7 8 adhiere a esta teoría setentista, a la que Kirchner le dio una versión menos filosófica con la ya citada fórmula que fue una especie de lema durante el conflicto con el campo y las elecciones del 2009: "¿Qué te pasa, *Clarín*?". La pregunta da a entender, con toda claridad, que el fingimiento es permanente, excepto cuando *Clarín* tuvo los favores del gobierno. "¿Qué te pasa?" interrogaba sobre lo inconfesable: *Clarín* no podía decir abiertamente lo que le pasaba. Kirchner, que probablemente no hubiera leído nunca una revista de teoría de la comunicación de los años setenta, por el camino corto de la batalla con Magnetto concluyó que toda la prensa es un aparato ideológico destinado a sostener el poder económico y político de algunos sectores de privilegio. La fórmula "periodismo independiente" en todos los casos sería una enunciación hipócrita. Lo supo, por otra parte, por experiencia, ya que mientras fue gobernador de Santa Cruz, Kirchner defendió sus intereses con el mismo método que hoy se sigue utilizando: el reparto de la publicidad oficial. Donde hay un misterio, hay que buscar la plata.

Simplificada de este modo la muy complicada trama de intereses económicos, ideologías y lógicas periodísticas (esos tres polos están en tensión continua, a veces se acoplan, a veces se separan, ya que los grandes medios no pueden sobrevivir en el mercado sin respetar algunos aspectos de lógicas independientes de sus intereses), condensada en *Clarín* la esencia de medios muy distintos, se aplica a todo la conclusión desmitificadora: la prensa que no sea oficialista debe ser denunciada porque, bajo una superficie falsamente informativa, hierve un fondo donde se juega una materialidad mezquina e inconfesable. Conocer ese fondo liberaría a los espectadores y lectores de una niebla ideológica. Ellos, simples mortales proclives al engaño, estarían entonces en condiciones de tomar el destino en sus manos, lo que en la década del setenta significaba la revolución; y en el más módico primer decenio del siglo XXI implica apoyar un gobierno que se autoidentifica como popular y progresista y para el que cualquier discusión de esa identidad equivale a un ataque.

La empresa de *6 7 8* sería liberadora de conciencias: denunciar los intereses y las ideologías reaccionarias que se mueven detrás de los mensajes, deformando una realidad que, de no existir esa mediación, podría ser vista "directamente". A diferencia de lo que sostiene Pablo Alabarces, *6 7 8* cree en la posibilidad de reflejar una realidad *verdadera*. Erudito en medios, Alabarces señala que ésta también es una ilusión.[8]

Hay un punto en que la teoría desmitificadora puede fallar. El programa es la más eficaz propaganda televisiva del gobierno. La regla de la duplicidad del discurso debería aplicársele por lo menos en algunos casos (la elección de las noticias que se comentan, la fuerte presencia de ministros y funcionarios, el silencio sobre acusaciones y denuncias). Quienes hacen *6 7 8* responderían que se colocan en un más allá de la ideología porque hacen explícita su militancia oficialista. Ante esa confesión no habría engaño. Existe doble discurso, y por lo tanto operación ideológica, allí donde se escamotean las verdaderas intenciones de quienes enuncian los mensajes; allí donde los enunciadores mismos ignoran que lo que dicen está movido no por ideas sino por intereses. Pero cuando los mensajes responden, sin disimulo ni atenuantes, a los del gobierno que los sostiene económicamente, sólo hay propaganda o información (se vería en cada caso particular).

El programa no oculta su partidismo y en esa franca revelación de kirchnerismo sin matices expulsa el doble discurso, aunque no se proscriba la falsedad ni la tergiversación de las fuentes periodísticas que incorpora como material a criticar. Es, lisa y llanamente, un programa de militantes oficialistas. Su esquema de financiación es parecido al que acusa en *Clarín*: multimedia pagado por los intereses de un grupo económico poderosísimo. Pero a diferencia de *Clarín*, el programa no oculta la lealtad invariable hacia aquellos que financian su puesta en pantalla. Todo el juego de ecos entre política y televisión transcurre sin encubrimientos. Por lo tanto, señalar que el gobierno paga con dineros del Estado su propaganda política no sería develar un secreto, sino hacer una comprobación. Entre otros milagros, Kirchner liquidó el doble discurso de la ideología. En los últimos meses, se ha agregado publicidad comercial privada; las tandas se anuncian con el aire desafiante y sobrador de quien dice: ¿vieron las mentiras que difunden sobre los orígenes de nuestro presupuesto?

El paso siguiente de autolegitimación de *6 7 8* es superponer los intereses de una fracción política (el kirchnerismo) con los de la Nación Progresista y Popular, donde las cuestiones de memoria histórica son un capital simbólico importantísimo, corporizado en el apoyo de las organizaciones de derechos humanos, especialmente de dos figuras antes separadas por motivos de estilo y de política como Carlotto y Bonafini. Nación y gobierno se han encontrado finalmente, después de décadas de conflicto. Los enemigos del gobierno son enemigos de la Nación. Una hegeliana victoria del Espíritu Absoluto.

Pero si *6 7 8* no tiene la arriesgada tarea de autoexaminarse, cumple con el trabajo más agradable de examinar a los "otros", aquellos que encubren sus intereses con enunciados, aquellos que ocultan que no existe periodismo libre porque todo periodismo está sólidamente atado a los dueños de los medios. De esta manera, *6 7 8* es una vanguardia política que el kirchnerismo sólo permite allí donde la necesita: no en las licitaciones ni en la decisión de grandes inversiones, que no discute con nadie y mucho menos con los simpáticos panelistas que dirige Luciano Galende.

Si el programa se financiara con dinero personal de la familia Kirchner, a través de fondos del Frente para la Victoria, de una fundación cultural del Partido Justicialista, de empresarios que de este modo aportaran a un gobierno cuyas políticas los favorecen, verdaderamente no habría nada que objetar. Sólo quedaría por hacer con el discurso de *6 7 8* el análisis crítico que el programa realiza con otros discursos. Pero no es el caso. *6 7 8* se presenta como si fuera un programa dedicado a restaurar la verdad que los medios destruyen. En lugar de esa verdad mancillada por los intereses ocultos detrás de la prensa presentan las Diez Verdades del Kirchnerismo. Algunos de sus mandamientos se parecen a los clásicos del peronismo histórico: "Para un kirchnerista no hay nada mejor que otro kirchnerista". O, a la inversa: "Para un kirchnerista, nada hay peor que un opositor". En una torsión retórica exitosa, encontraron la divisa que toma las acusaciones, las hace propias y las devuelve como virtud: "Somos la mierda oficialista".

Sobre este oficialismo, Pablo Alabarces la interroga una y otra vez a María Julia Oliván: "Vuelvo a insistir, ¿se te ocurre un antecedente de un programa desfachatadamente oficialista, tan excesivamente oficialista?". Oliván le responde con el nombre de Neustadt. Alabarces no queda convencido: "Era distinto porque Menem era 'neustadtista' independientemente de que Neustadt fuese menemista. A tal punto era así que, en el momento en que Neustadt se enferma, quien lo reemplaza al aire es el propio Menem". Aunque luego debe admitir: "Resumiendo, el 'matrimonio' Menem-Neustadt sería lo más cercano en carácter oficialista a *6 7 8*".[9]

La principal estrategia del programa consiste en presentar a los opositores del modo más conveniente para las abrumadoras críticas que siguen a los clips audiovisuales, donde previamente el montaje hizo pedazos cualquier discurso emitido en algún canal o diario enemigos.

La manipulación sonora y visual a través del montaje es un viejo tema de la teoría. La discusión todavía sigue. Pero, sin hacerse cargo del refinamiento de ese debate, queda claro que no se puede presentar el pensamiento de nadie por medio de tres operaciones combinadas: cortar frases en picadillo, descontextualizarlas y repetirlas para que den la impresión de que han sido pronunciadas por un obsesivo grave.[10] Todos los políticos de la oposición se convierten así en Chirolitas de la consola de edición de *6 7 8*. Esta manipulación por montaje es la matriz ideológica y formal del programa, que podría resumirse en una frase pronunciada por Perón que parece especialmente adecuada a Kirchner: "Al enemigo, ni justicia". O sea: a lo que diga el enemigo sometámoslo a cualquier edición visual y sonora.

El montaje es un recurso de producción de significados nuevos a partir de sonidos, palabras o imágenes existentes; lo que se edita no es simplemente lo que quedó registrado en la toma original o en el texto de partida, sino lo que se produce al unir, repetir, acelerar o ralentar esas imágenes con sus sonidos. Después del montaje, lo que queda no es lo que fue registrado, sino lo que fue compuesto por corte, reordenamiento y pegado. La materia prima son sonidos e imágenes que el montaje transforma incluso hasta contradecirlos. La técnica del montaje sonoro y visual de *6 7 8* es un extraordinario procedimiento de atribución, exageración y deformación. La información periodística debería responder a las mismas líneas que prescriben que un documental no está presentando la realidad que dice presentar cuando, a través del montaje, separa el sonido de la imagen; coloca sonidos que no pertenecen a la imagen mostrada; o realiza operaciones de escisión entre el sonido y la imagen registradas.[11] No le pedimos a la tecnología Gvirtz que respete las ortodoxias del documental pero, al menos, señalamos el campo de atribuciones falsas y distorsionadas que se produce al violarlas. *6 7 8* lleva esto a una especie de clip paroxístico.

Este tipo de montaje tiene una lógica televisiva independiente de la lógica política. No es necesario un picadillo de Macri o de Cobos para poder criticarlos. Se los edita como un plus ideológico y estético que rinde tributo a la televisión donde todo debe ser más nítido y menos complicado. Al mismo tiempo, *6 7 8* se rinde a la forma clip que, por supuesto, no inventó este programa sino que Diego Gvirtz tomó de sus propios inventos, esos *magazines* "periodísticos" donde la televisión empeora día a día ocupándose de ella misma y repitiendo sus escenas más abyectas.

Pero a diferencia del *gloss* habitual de la televisión, *6 7 8* elige una estética pobre, feísta: iluminación cruda, colores sin brillo que dan un efecto sepia o verdoso, opacos y sin reflejos; estudio precario, sillas de plástico, una mesa de reunión de mal diseño, panelistas masculinos desprolijos y ajenos a toda onda *fashion*, separadores con fotos de gente "normal", sin pose, barriales, chicos no muy lindos, familias sin *glamour*, adolescentes gorditos. Un estilo de *collage* improvisado con tipografía de periódico, blanca o amarilla, en los títulos que se imprimen sobre los clips de opositores o eventuales disertantes kirchneristas. Todo evoca una especie de apuro propio de la acción política, de las intervenciones que siempre están corridas por la urgencia, sin el temor de hacer una televisión un poco underground, una televisión de garage. Es una estética tan buscada como exitosa. "No somos caretas", podría ser su título.

La audiencia de *6 7 8* es más menos medio millón de personas, según coinciden las fuentes. Autoidentificados como la "mierda oficialista" toman el insulto y lo dan vuelta, en una dinámica de cambio de sentido bien conocida en la historia de las formaciones ideológicas plebeyas o en las capas medias que quieren fundirse con el pueblo: descamisados, cabecitas negras, grasitas, flor de ceibo. La "mierda oficialista", de todos modos, imprime sus remeras como cualquier otro grupo (piquetero, organización social, club de amigos, torneo amistoso, escuela, pub, sindicato, barra). Esa "mierda oficialista" es sin duda lo más interesante.

> Será porque no toco el clarín
> que me parece evidente
> que los hijos de gente noble
> son hijos de otra gente
> que nunca pudo ver TN,
> si no, ¿por qué esquivan el ADN?
> Y ¿por qué ahí no salen letras ni fotos
> de lo que dice Carlotto?
> Lo que me pasa, ya lo sé
> y es que yo soy,
> soy la mierda oficialista.
> Me gustó que bajaran el cuadrito de Videla
> de mi vista.
> Yo soy la mierda oficialista
> porque todavía me acuerdo de los muertos
> que dejó el gobierno delarruista.
> Yo preferí que el jubilado
> tenga la guita en el Estado,
> que los genocidas estén presos
> y que a los pobres les den un ingreso.
> Y pienso que un pájaro en mano

siempre será mejor
que exigir sentado en tu silla
deslumbrantes maravillas,
como esos que en A Dos Voces
hacen la tercera voz.
Y eso porque soy,
soy la mierda oficialista,
Me cae bien que nunca repriman
a los piqueteros
ni a los bravos ruralistas.
Por eso soy la mierda oficialista.
Me convenzo cuando salen de gira
a decir mentiras
los caros economistas.
Soy la mierda oficialista.
¡Que raro el *Clarín* y su periodismo,
es independiente
y todos opinan lo mismo!...
Prefiero a Néstor con su ojo desviado
que el ojo del amo engordando el ganado.
Soy la mierda oficialista,
soy una basura,
y mi mejor defensa
es que puede basurearme toda la prensa.
Yo soy la mierda oficialista,
a mí me pagan por decir que hay democracia
y por hacerme el optimista.
Y es que yo soy
la mierda oficialista.
Lo dice el sobre que me da Cristina
para no repetir lo que escriben los periodistas.
Soy la mierda oficialista.

Transcribo el himno de *6 7 8*, escrito por Carlos Barragán, cuyo corito ha pasado a ser señal de identidad en uno de los lugares donde la identidad se prueba: las calcomanías en las remeras. Si algún mérito tiene la letra de Barragán es el de cantar como balada pop el sentido común del kirchnerismo de capas medias, inesperado conglomerado que se agrupó alrededor de la pantalla televisiva en el *prime time* del canal estatal identificado con un insulto que recibe de otras mierdas (en este caso verdaderas mierdas) no oficialistas.

Como no podía ser de otro modo, *6 7 8* está en Facebook. La página tiene un lema: "Eliminando el intermediario", que esperamos con fervor no sea traducido como una consigna política contra los periodistas ni sea tomado al pie de la letra. En febrero de 2010, eran 38.000 "amigos"; en agosto, 196.000; en enero de 2011, casi 300.000. O sea que se han casi decuplicado en un año. No está mal. El espacio en Facebook fue abierto espontáneamente por un televidente y, combinado con la eficacia del programa, tuvo ese efecto bola de nieve que caracteriza algunos episodios en las redes sociales. Pero ya en febrero de 2010, alguien que firma "Equipo TIC (Tecnologías de la Información y la Comunicación) de La Televisión Pública" se hace cargo, sin que sea evidente que alguien lo haya solicitado, de la moderación, posteando el siguiente mensaje:

> Queridos amigos y amigas de *6 7 8*: Este espacio de Facebook, en el que nos reunimos hasta hoy 38.559 personas, fue iniciado por un seguidor del programa. En él se producen diálogos valiosísimos en torno a los temas que propone el ciclo que incluyen acuerdos y desacuerdos como todo espacio de diálogo democrático implica. A partir de hoy, jueves 18 de febrero de 2010, la Televisión Pública asume la moderación de este Facebook en el que seguiremos participando con creatividad y en un marco de respeto y argumentación de las ideas. No será aceptado cualquier comentario que haga apología del delito —como por ejemplo subir una foto del genocida Jorge Rafael Videla—, contenidos pornográficos, expresiones violentas o amenazantes, etc. Los usuarios que envíen ese tipo de contenidos serán bloqueados. En la firme convicción de que sólo a partir de una maduración del diálogo de la ciudadanía se hará posible la democratización de la comunicación en nuestro país y en toda América Latina, nos sumamos al fortalecimiento de espacios como éste en el que nos podamos escuchar todos.

No es criticable esta intervención de los responsables del programa. Atendiendo a lo que sucede en los foros de los diarios, especialmente de *La Nación,* y en Twitter, se puede imaginar el lenguaje de odio y violencia que pudo haberse ensañado con el Facebook de *6 7 8*, en una especie de torpe ajuste de cuentas simbólico. El dilema entre una página que difunde una línea política y la proliferación enferma del insulto a Kirchner y la Presidenta, no permite colocarse en una posición abstracta. El Canal 7 interviene como intervienen otros moderadores. No es necesario atribuir al autoritarismo del gobierno una estrategia sensata para moderar el diálogo en Facebook, donde todas las estupideces son posibles junto con intervenciones sensatas, neutras, bobaliconas, narcisistas o desafiantes.

Si no hay demasiado debate en *6 7 8*-Facebook es porque se trata de una página partidaria y de autoafirmación de una audiencia que seguramente tampoco tiene demasiado interés en debatir, si se exceptúa a los *trolls* y a quienes militan allí para contradecir a los kirchneristas. No es un espacio de pensamiento político sino de identidad, comprobación que llevaría a definir con cuidado la productividad de la escena pública virtual. Es curioso, pero una redacción correcta despierta inmediatas sospechas; en un foro, un participante advierte a otro, por si no se había dado cuenta:

> Wise (*el que estaba discutiendo contra todos los demás*) no es cualquier persona, tenés que darte cuenta por su forma de escribir, por lo bien informado que está, que él vive de esto, no es un simple opinante. Está acostumbrado a redactar editoriales, notas periodísticas. Yo diría que trabaja para un diario importante y defendiendo sus ideas o sus intereses, se mete en el muro de *678*. Yo me saco el sombrero por su buena redacción, no creo que sea un periodista cualunque, debe ser uno de carrera. A mí no me molesta lo que él escribe aunque algunas de las cosas que dice carescan (*sic*) de ecuanimidad.[12]

Los foros de *6 7 8* en Facebook, por ejemplo, tienen una participación bajísima. En enero de 2010, existían casi mil foros, muchos de ellos con menos de diez entradas (por ejemplo "Xenofobia" y "Comunidad de origen"). El tema que ha sido debatido en la prensa escrita (un tema, por otra parte, clásico), "Dónde está la izquierda actualmente", muestra cien intervenciones básicamente sostenidas por media docena de participantes. Indicaría que mucho de lo que sucede en la prensa no toca el mundo de las audiencias de *6 7 8,* salvo cuando el programa lo presenta en su versión "sintética". Previsiblemente un foro muy activo es el del "Empleado del año", donde en enero de 2011 Carrió, Lanata y Morales Solá disputaban el honor cabeza a cabeza (pintoresca frase: son los peores de la "opo").

Pero lo interesante no pasa por los contenidos de los mensajes. Localizarlo allí implica no entender la naturaleza social y cultural de las redes. Lo nuevo es la vitalidad del Facebook de *6 7 8*, que ha organizado, en el espacio real, a sus seguidores. El viernes 12 de marzo de 2010, *6 7 8* movilizó a Plaza de Mayo varios miles de personas: "La convocatoria había partido del grupo de amigos de Facebook del programa *6 7 8*, de Canal 7. Cuando la idea comenzó a circular por internet, organizaciones sociales decidieron sumarse a la actividad: fue el caso de la Tupac Amaru, que encabeza Milagro Sala, y el Comedor Los Pibes, de Lito Borello. En la Plaza se estacionó un viejo colectivo Mercedes Benz con un equipo de audio; al lado se improvisó un escenario que fue recibiendo a los oradores. Por allí desfilaron Borello, Sala, el sociólogo Carlos Girotti, coordinador de Carta Abierta; también el legislador porteño Tito Nenna. Uno de los ideólogos de la movida bromeó desde el micrófono: 'Hoy no va a haber choripanes'. Los asistentes también respondieron en broma: '¡Eh, que aparezcan los choris!'. La multitud que llegó hasta la Plaza sorprendió a los convocantes. Casi todos portaban calcomanías improvisadas —etiquetas blancas autoadhesivas— en las que se habían dibujado los números 6, 7, 8."[13]

Esta autoconciencia de los convocados[14] se manifestó en un círculo de reconocimiento entre quienes se movilizaron para ocupar la Plaza y los panelistas del programa. Los movilizados se festejaban a sí mismos, cumpliendo una larga y antigua tradición política (Acá están, estos son... Y ya lo ve, y ya lo ve, es la gloriosa... Somos los muchachos del doctor..., etc., etc.). Al mismo tiempo, reconocían a las figuras que están en el programa de televisión y les daban el tratamiento tradicional de la *celebrity*: "Se coreaba, como si fuera una consigna política de años, el nombre del programa que creó la productora de Daniel Gvirtz: '¡Seis, siete, ochooo / seis, siete, ochooo!'. Ante las muestras de afecto, la escritora Sandra Russo, panelista del programa, no pudo evitar las lágrimas. Se había animado a subirse al palco y la gente le dedicaba gestos a la distancia". Le pedían que hablara y ella, sigue la crónica de *Página 12*, habló, pero corriéndose del lugar que le habían otorgado, para cederlo a Milagro Sala, dirigente sobre la que Sandra Russo, en ese momento, estaba escribiendo una biografía hoy ya publicada.

El acto sintetiza de esa manera muchos rituales políticos que parecían mortecinos. Pero no se puede pasar por alto que se necesitan sectores medios para que una movilización tenga lugar de manera más o menos espontánea, sin organizadores que proporcionen la indispensable infraestructura. Las capas medias pueden llegar hasta el centro de la ciudad de manera independiente o financiando algún transporte colectivo. Tienen condiciones laborales y familiares que les permiten ocupar la plaza un viernes a la noche, sin que sea un obstáculo la logística de chicos o ancianos (como es evidente en las marchas diurnas de los piqueteros e, incluso, en sus acampadas nocturnas). Son dueños de los medios materiales y prácticos para la autoorganización.

La movilización del 12 de marzo fue política en el sentido más clásico. No tradujo una reivindicación sectorial en términos políticos, como sucedió con el conflicto agrario, sino que los movilizados fueron a la Plaza no para reclamar algo perfectamente definido, más planes sociales, por ejemplo, sino por razones políticas menos atadas a una reivindicación puntual: fueron a defender lo hecho por un gobierno y por sus máximos dirigentes. En el conflicto con el campo sucedió todo de modo distinto: una medida que afectaba a un sector fue traducida en términos políticos para cuestionar un estilo de gobierno. En el caso de esta movilización no hubo intereses sectoriales directos en el origen del acto. Los que llegaban a la Plaza no se conocían de una práctica militante anterior y por eso puede decirse, con todas las precauciones del caso, que la movilización fue al mismo tiempo espontánea y organizada. En algún punto de la red que encadena el programa de televisión, la página de Facebook, sus repercusiones en Twitter y por cadenas de correo electrónico, salta la chispa, sin que pudiera ser prevista del modo en que se prevé un acto sindical, una marcha piquetera o la visita de Kirchner a un barrio donde es recibido por las masas que, por lo general, le reúne el intendente de la zona. Una vez que saltó la chispa, de la espontaneidad se pasó a la autoorganización.

Esto es novedoso. Hasta ahora, el kirchnerismo había sido festejado en movilizaciones de tipo tradicional: gente que seguramente tiene algo para agradecer o para reclamarle al gobierno llega hasta un local o descampado del GBA o hasta la Plaza de Mayo, en un orden diseñado por dirigentes de distinta procedencia (piqueteros, políticos de base, gremiales), que definen el marco y ofrecen las condiciones materiales de la movilización. Incluso, pueden exigir que se asista a ella, porque ejercen una relación complicada y no unilateral con quienes reciben subsidios, tierras, materiales de construcción o alguna otra asistencia del Estado.

La movilización del 12 de marzo, en cambio, fue de gente que no iba a reclamar ni a agradecer en términos personales, sino en el marco más amplio de un acuerdo con el gobierno. Forman parte de los sectores medios que se han beneficiado en estos años, pero no estaban allí simplemente para dar testimonio de esos progresos. O no estaban allí sólo para eso. La broma con los choripanes muestra también, en su lejano doble fondo, la idea de que los movilizados eran diferentes. Aclaremos: es cruel pensar que mujeres y chicos se van a movilizar desde el GBA sin que alguien les ofrezca un sándwich o una gaseosa. Los que llegaban a la Plaza de Mayo el 12 de marzo no necesitaban de ese suplemento material de la política. Cuando todo terminara, podían irse a comer pizza en el centro o volver a sus casas (más próximas seguramente que las de los que reciben planes sociales) y abrir la heladera o pedir un delivery. La broma sobre los choripanes se origina en una diferente autoconciencia.

Además, está la consigna con el nombre del programa televisivo y nada más, porque, realmente, no podía en ese momento haber nada más. Un saludo, un nexo de orden fático: "Buenas tardes mis kumpas!!!! ¿Cómo anda esta gente tan hermosa?". Los autoconvocados estaban allí porque, previamente, una inteligente operación del kirchnerismo había puesto a *6 7 8* en la pantalla del canal estatal. Me parece improbable que al hacerlo se calculara que, meses después, sus fieles se movilizarían a la Plaza. Más probablemente el programa siguió la primitiva reacción de Kirchner ante lo que consideraba una prensa que lo atacaba sin motivos, algunas veces, y por oscuros motivos económicos y personales siempre. Pero aunque la movilización poco antes no estuviera en la cabeza de nadie, hubo una lógica que actuó más allá de los deseos y los diseños. Sin poder identificarse en una línea política precisa, como sucede cuando diversas vetas de un partido o un movimiento coinciden en la plaza pública; sintiéndose simple y directamente kirchneristas (o, incluso, premonitoriamente cristinistas), los autoconvocados no pertenecían a una estructura con nombres y lugares tal como en los actos aparecen identificadas las personas que llevan los intendentes o los dirigentes de las líneas internas. Sin otro punto de identificación que el del programa que los unía como televidentes kirchneristas, la consigna no podía ser otra que el nombre del programa y las obleas donde aparecía escrito. Hoy, por cierto, las cosas han cambiado, especialmente desde la muerte de Kirchner y la página *6 7 8*-Facebook ofrece varios links a organizaciones de militancia real.

En un acto posterior, como se verá enseguida, aparecen las remeras con la inscripción: "Somos la mierda oficialista". Podrá decirse que esta identidad política tiene un extraña cualidad mediática. Sin embargo, hay que reconocer que el peronismo, desde su etapa clásica hasta la actualidad, ha tenido siempre la intuición o el saber de los medios y ha seguido todas sus transformaciones (hoy, una *cassette* grabada es una pieza de museo; cuando Perón, en los años sesenta, enviaba desde Madrid cintas con sus mensajes estaba usando una tecnología más novedosa, y más realista en términos comparativos, que la del mp3).

La identidad sostenida en una red social es una de las formas de las identidades contemporáneas. La anécdota que sustrae a Sandra Russo de su papel de periodista comprometida con las buenas causas, para colocarla en un lugar equivalente al de la *celebrity* también es una deriva contemporánea inevitable, que la protagonista no estaba advertida para adoptar plenamente: habría podido nacer una estrella kirchnerista de segunda magnitud, reducida a las capas medias. Esto, en un horizonte político como el del kirchnerismo donde, antes de la muerte de Kirchner, no sobraban las anclas simbólicas, puede devenir en un capital considerable. Los movilizados de *6 7 8* cumplieron así todo un círculo de identificaciones: comenzando por la adopción del nombre del programa y terminando con la fijación de una figura reconocible por ellos en la esfera pública: "¡Que hable, que hable!". Ese pedido es un acto de reconocimiento que cae sobre alguien cuya visibilidad era muy baja (*Página 12* circula mucho menos que el número de asistentes y muchísimo menos que la audiencia del programa).

La siguiente participación de *6 7 8* en Plaza de Mayo fue en el acto del 24 de marzo de 2010. Prácticamente todo el espectro del progresismo estuvo para representar la continuidad histórica entre las organizaciones de derechos humanos y decenas de agrupaciones políticas y sociales, a las que se agregó, como novedad de último momento, una Juventud Sindical de la CGT, que no se había visto antes en manifestaciones de este tipo. Sin embargo, para quien ha visto muchas "plazas", lo nuevo era el nucleamiento del grupo *6 7 8*-Facebook.

Se identificaban ruidosamente mientras usaban sus celulares. Había grupos sueltos desde muy temprano, antes de las dos de la tarde. A esa hora serían unos mil, cifra no exigua y, además, unánime en su enfrentamiento con los medios. Abundaron las menciones hostiles hacia *La Nación* y *Clarín*. Poco después avanzó, desde Diagonal Sur, ocupando todo el ancho de la calle Bolívar, una columna de varios miles de militantes, perfectamente organizada y delimitada, como si en los pocos días transcurridos entre el 12 y el 24 de marzo hubieran hecho un aprendizaje acelerado, recordando las formas organizativas de las marchas contra la dictadura (en las que participaron los más viejos). Aunque subsistía un clima amateur y de buena onda (¿dónde te imprimieron la remera con la leyenda "Somos la mierda oficialista"?, pasame tu celu, ¿de dónde son ustedes? De Baradero, de Pergamino, de Escobar), se los veía más afirmados en el lugar que habían alcanzado por sus méritos. El programa los afirmaba a ellos y ellos afirmaban la eficacia del programa. Todos mencionaban las redes sociales, abrumadora mayoría de Facebook, pero también mucha gente dijo que llegaba por cadena de correos electrónicos. No tenían un referente político en la Plaza, que no fueran las organizaciones de derechos humanos (sobre todo, Estela Carlotto) y los dos jefes máximos del kirchnerismo. No eran La Cámpora, no eran Barrios de Pie; todavía no eran una línea interna; todavía conservaban ese estado medio milagroso, en la escena actual, del autoorganizado. Es difícil saber por cuánto tiempo, ya que el magnetismo de las estructuras políticas impone sus polígonos de fuerza. Pero, sin duda, no pensaban en marzo de 2010 en que alguien, desde afuera, los organizara. Como no traían reivindicaciones sectoriales, tampoco necesitaban jefes que estuvieran habilitados para entrar en la casa de gobierno o en los ministerios. Ese trueque aún no se ha planteado para la mayoría del activismo virtual.

Saben incluirse en el encadenado que se teje entre el programa de televisión, la página de Facebook, los mensajes de texto, los correos. Como integrantes de las capas medias forman parte de ese treinta por ciento de argentinos que tiene acceso simultáneo y permanente a las nuevas tecnologías. En general, son propietarios del hardware que utilizan y manejan con soltura los programas, por otra parte muy sencillos, que necesitan.[15] Son consumidores selectivos de televisión y lo que no leen en *Página 12*, porque muchos han dejado de leer diarios sobre papel, lo reciben en *6 7 8* (con el beneficio de la simplificación, ya que el programa es más fácil, más chistoso y más lleno de consignas que una nota del diario). Sobre todo, la página de Facebook ofrece un muro en el que lo que se repite tiene el valor de circuito de auto y mutuo convencimiento, que es necesario a la política. Todo mensaje se multiplica por la sola hipótesis (probablemente verdadera) de que hay muchas personas que están leyéndolo y aprobándolo, aunque no todas clickeen la manito con el pulgar en alto. Se crea un sentido de comunidad, un barrio electrónico de desconocidos que se tratan con entera confianza y que, como no están disputando por nada (por el momento nadie pelea por un cargo ni por un plan social), pueden sentirse unidos por la ideología y singularmente hermanos.

En este marco, nadie le va a reclamar a *6 7 8* que practique algún tipo conocido de objetividad. El programa, como se vio, se origina para criticar a los grandes medios, a los que se acusa de carecer de toda objetividad, de ser mentirosos y de que, cuando no engañan deliberadamente, lo hacen porque son conducidos a la mendacidad por su ideología, que es la máscara con la que encubren sus intereses inconfesables. Para responder a medios de comunicación caracterizados de este modo, sería insensato, desde la perspectiva partidaria de *6 7 8*, practicar un equilibrio informativo que los demás no ejercerían respecto del gobierno. El público del programa comparte este juicio. Las intervenciones en Facebook dan la invariable impresión de que ese público no lee los medios gráficos que el programa critica, sino que mira el programa para escuchar esas críticas cuya verdad se sustenta en una comunidad de pareceres entre los panelistas y los televidentes. Nadie se preocupa por comprobar nada.

La velocidad y la brevedad de la mayoría de los mensajes políticos es afín a la brevedad y la velocidad de las redes sociales y a la fluidez instantaneísta de un panel de televisión donde la presencia vale más que el mensaje y, a la mañana siguiente, se recuerda con más nitidez la actitud que lo que se dijo. Ambos tipos de enunciados son relativamente afines, aunque no puedan ser emitidos por cualquiera. La televisión no puede ser gestionada como si fuera Facebook. Incluso los programas menos intelectuales necesitan de algunas cualidades que no están universalmente distribuidas. Pero la televisión tiene rasgos que la acercan a la lógica y a la forma en que se cree en las redes sociales: la lógica del rumor sin desmentidos es televisiva; la creencia en que siempre existe una conspiración contra aquellos que apreciamos positivamente, sean particulares, astros del medio o gobierno; el maniqueísmo. Eso es la televisión y *6 7 8* lo entiende perfectamente.

La televisión, sólo en un esfuerzo que contradice a los medios realmente existentes, puede sustraerse de esas lógicas para probar otras. En general, son esfuerzos de corto plazo o de baja audiencia, que reafirman la especificidad del medio: sirve para hacer algunas cosas y no otras. Es indiscutible (salvo para una teoría optimista que afirme que se puede hacer cualquier cosa con cualquier cosa) que los medios son formas materiales que ponen límites materiales e intelectuales a lo que transcurre en ellos. Algunas argumentaciones "dan mal" en la televisión: no son telegénicas. Otros discursos, generalmente producidos por gente de la televisión, "dan bien" y son telegénicos. Así es la vida.

En la cópula de un programa de televisión con Facebook se produce un tipo de discurso afín al estilo de intervención que fue característico de Néstor Kirchner: las oposiciones nítidas e inmodificables de un político que consideró que todo diálogo llevaba escondido el veneno de la entrega o de la traición. Kirchner, tanto durante el conflicto con el campo como con el Grupo Clarín, mantuvo la misma estrategia sostenida en un pensamiento binario. El campo no había sido su enemigo hasta la resolución 125. Después de esa resolución, el campo se convirtió en enemigo principal, la soja pasó a ser (en el discurso igualmente maniqueo de la Presidenta), un yuyo y los rurales, dentro de la contradicción principal, fueron considerados unos parásitos, tanto los de la Sociedad Rural como los de la Federación Agraria. Pensar la política en términos de contradicción principal (como se la llamaba en el pensamiento maoísta o de amigo/enemigo como quieren los que siguen a Carl Schmitt) es perfectamente afín no sólo a la espontaneidad y a la experiencia anterior de Kirchner. También es afín a la lógica binaria de los medios (la lógica del "te adoro", "muero por vos", "sos una porquería", "te odio", cuya expresión máxima son los shows de bailes con jurados famosos recogidos al día siguiente por los *magazines* de la tarde, recogidos a la noche por el show de baile, etc.: no tiene mucho sentido decir más de lo que todo el mundo sabe). El maniqueísmo es una *forma mentis*, no un contenido determinado.

Esa lógica kirchnerista es milagrosamente parecida a la que funciona en *6 7 8*. Picadillo de opositores en los *clips* de lo que llaman crítica del periodismo, subrayado (para que nadie se pierda) por los *collages* en letras de molde, como si fueran mensajes anónimos, aunque nadie recuerde que así se redactan los mensajes anónimos en las novelas. Los espectadores de estudio y las risas grabadas acompañan el efecto maniqueo: de esto hay que reírse, porque se trata de obvias mentiras de la oposición o de esa vanguardia de la oposición que son los medios del Grupo Clarín. Los mensajes en Facebook declaran con orgullo que jamás ven un programa de TN. Hacen mal, porque en los nocturnos hay un desfile de políticos kirchneristas indispensables para que un programa no se convierta en una estólida enumeración de las virtudes de los opositores. Pero la lógica que gobierna la red de Facebook no es la de consumidores de medios que comienzan a la mañana con la prensa y siguen a la noche viendo si un diputado del Frente para la Victoria le gana un debate al jefe de la bancada radical. Esos serían ciudadanos ideales, que posiblemente no hayan existido nunca.

La lógica de Facebook es realista. Los ciudadanos se informan sobre política como pueden. Las cuestiones en debate (desde una resolución sobre retenciones hasta la propiedad pública de los medios y las instancias que deben controlarla) son muy complicadas. Tiene mayor impacto e interpela más a la indignación (indispensable sentimiento político) que se haya dicho cien veces que todavía vivíamos bajo la ley de medios de la dictadura y que había que cambiarla para que hubiera medios donde se expresaran todas las diferencias, especialmente las minorías y, entre ellas, los pueblos originarios. Contar la historia de la relación del Grupo Clarín con Kirchner en sus buenos momentos (cuando el gobierno le prolongó las licencias al grupo) es complicado y mucha gente puede experimentar la idea inquietante de que no tiene la posibilidad de comprobar los datos. Se toma posición, entonces, de acuerdo con lo que dice alguien que resulta creíble y la televisión se especializa en volver creíbles a algunos sujetos en determinadas condiciones.

Antes de que la televisión los volviera creíbles, pocos habían reparado en ellos. Sandra Russo era una periodista destacada de *Página 12*, pero invito a que se haga la prueba con otro periodista importante de *Página 12*, aparte de José Pablo Feinmann y Horacio Verbitsky, para ver si es reconocido. Nadie, en la dimensión exclusivamente televisiva, conoce los correos semanales de la Red de Mujeres con Cristina, ni otras redes de distribución de alimento espiritual kirchnerista. Fue *6 7 8* el programa que también sacó de la oscuridad a Orlando Barone, columnista de una revista del kirchnerismo discreto como *Debate* y del diario *La Nación* hasta no hace mucho. De pronto, desde hace dos años, sus opiniones políticas se convirtieron en un lazo de comunicación entre un kirchnerismo vociferante, pero con pocos enunciadores, y los ciudadanos de sectores medios a los que les tocó el lado bueno de la reactivación y de los convenios colectivos, a los que les tocaron los créditos para el consumo y los descuentos.

Ellos no encuentran obstáculos ni pasan penurias materiales que les impidan mirar un programa hiperkirchnerista, armar su página en Facebook, navegar la web buscando blogs amigos y sitios para linkear. Sus condiciones de vida hacen posible un cierto ocio, que es indispensable para la política; no hay ofertas que puedan interpelarlos de modo más eficaz; son los desilusionados de la Alianza; son los engañados de siempre por los mil rostros del peronismo transformista; no han olvidado cierta épica de diciembre del 2001 y de las asambleas barriales donde hicieron una fantasmal experiencia de autonomía; tienen poca memoria para los detalles finos de los años noventa donde no ubican bien a Kirchner ni saben qué hizo en Santa Cruz, y lo que se diga de esos años viene de fuentes de las que desconfían, cuando no denuncian; se informan, pero, como se sabe, la prensa tradicional ha dejado de parecerles confiable. Han salido del pozo que los amenazaba en la vuelta del siglo, pero no se secó un impulso hacia los más pobres y creen que esos más pobres podrán ser salvados por la continuación del gobierno.

Después de la muerte de Kirchner, la juventud de esos sectores, si es cierto lo que dicen, pasó a formas más activas y clásicas del activismo. Pero las redes sociales fueron un puente insustituible y hay que reconocer mucha suerte e inteligencia comunicativa, casualidad y designio en la asociación de *6 7 8* y Facebook.

1 *Perfil* hizo el siguiente informe sobre la inestabilidad del panel y sus padrinazgos políticos: "*Duro de domar* es una máquina de picar carne. En los últimos días, el programa del productor kirchnerista Diego Gvirtz eyectó a tres panelistas y, según pudo saber *Perfil.com*, Jazmín de Grazia, la modelo que en ese programa irritó a Aníbal Fernández, está con un pie afuera. ( ) *Duro de domar* no termina de convencer a su productor que hizo a un lado a dos de sus panelistas históricos. Fernanda Iglesias y Diego 'El Chavo' Fucks dejaron sus lugares y pasaron a ser 'columnistas especializados', sin dejar bien en claro en qué situaciones serán convocados para participar. En reemplazo de Iglesias y Fucks llegó Lucas Carrasco, bloguero K y periodista de *Miradas al Sur*, del empresario oficialista Sergio Szpolski. Pero a pocas horas de su debut en el programa protagonizó un escándalo. El nuevo panelista no es el único bien visto por el Gobierno. El panelista Matías Castañeda también es militante K y su compañera Julia Mengolini admitió en una entrevista que sus jefes políticos son el gerente general de Aerolíneas Argentinas, Mariano Recalde, y el legislador porteño del Frente para la Victoria, Juan Cabandié. (...) Pero Lucas Carrasco duró apenas una semana. En su última aparición se lo vio exaltado y tartamudo. Arrastraba palabras y tenía la conducta de un militante de bar. Mientras discutían sobre el despido de Agustina Kämpfer, la novia del ministro de Economía, por parte de las autoridades de América, el blogger K arremetió contra Boudou: 'Es un liberal payaso que puede decir lo que sea por guita, es un impresentable'. Tognetti tuvo que frenarlo: 'Lucas, tus compañeros también quieren hablar'. Finalmente, el conductor decidió poner paños fríos a la situación y pidió un corte. Pero la tensión continuó. (...) Ayer el Chavo Fucks visitó el piso como columnista. Como panelista invitado fue el periodista Mauro Federico, del diario *Crítica de la Argentina*. (...) Hasta ahora el único histórico que permanece es Guillermo Pardini." (*Perfil*, "Gvirtz, enfrentado con los panelistas *duros de domar*", 8 de junio de 2010).

2 Tomo la fecha de: María Julia Oliván y Pablo Alabarces, *La creación de otra realidad*, Buenos Aires, Paidós, 2010, p. 9. Otras fuentes me informaron que la primera emisión fue el 16 de marzo. No hay registro de ese comienzo en la prensa escrita, ni siquiera en *Página 12*, lo cual señalaría el carácter exploratorio que el programa tuvo en un principio. La mejor descripción breve de *6 7 8* que he leído es la de Esteban Schmidt en *Rolling Stone*. El largo diálogo de Pablo Alabarces y la primera conductora del programa, María Julia Oliván (cit.) ofrece detalladas descripciones y cantidad de datos. La página web de Canal 7 hoy presenta *6 7 8* de este modo: "Magacín de actualidad. Conduce: Luciano Galende. Panelistas: Orlando Barone, Sandra Russo, Carla Czudnowsky, Carlos Barragán y Cabito Massa Alcántara. El programa es un espacio de reflexión sobre el modo en que los medios representan la realidad. Luciano Galende y un panel de periodistas analiza, con inteligencia y humor, las coberturas mediáticas más relevantes. El Magacín de actualidad de la TV Pública presenta informes especiales con material de

archivo, invitados y debates especiales. *6 7 8* ofrece una mirada diferente sobre la política, el espectáculo, el deporte, la sociedad y otros temas de actualidad". En el último trimestre de 2010 Carla Czudnowsky fue reemplazado por Nora Vieiras.

3 Dice Bauer: "Entre las incorporaciones más recientes a la grilla están *Versión Original*, un ciclo de cine del bueno (...) presentado por Inés Estévez; *Cocineros argentinos*, conducido por Martiniano Molina; Eduardo de la Puente en la conducción del ecologista *Recurso natural*; *6-7-8*, una lúcida mirada sobre los medios coordinada por María Julia Oliván, y *Laboratorios Dormevú*, un humorístico de Mex Urtizberea. Entre otros, siguen los programas de Lalo Mir sobre arte, de Marcos Mundstock sobre ópera, de Adrián Paenza sobre ciencia y de Hebe de Bonafini sobre derechos humanos. En los próximos meses llegarán los programas de Enrique Pinti (entrevistas sobre cine) y de Luis María Pescetti, y nuevas temporadas de los ciclos de Diego Capusotto y de Nicolás Pauls" *(Radar, Página 12*, 19 de abril de 2009).

4 El programa costaría una suma juzgada extravagantemente alta por quienes entienden sobre cachets: entre 600.000 y 700.000 pesos mensuales facturados por Diego Gvirtz según contrato firmado por Tristán Bauer (representando a Radio Televisión Argentina). Quien descubrió el contrato fue Luis Ventura y los documentos que serían la prueba fueron difundidos por Jorge Lanata en su programa. Además, y esto suena casi increíble, por las emisiones de los domingos (26 entregas) se habría comprometido un pago de 1.300.000, según compromiso firmado el 28 de abril de 2010 (http://www.youtube.com/watch?v=5YcKBLmfgsI&feature=related). Sobre lo gastado por el Estado en televisión durante el 2010, véanse "Arbitrario reparto en 2010 de la publicidad oficial en televisión" y Pablo Sirvén, "Beneficios de la militancia inmaculada", *La Nación*, 5 de enero de 2011.

5 "No me gusta acostumbrarme" (título) "María Julia Oliván y su debut como conductora" (volanta); reportaje de Emanuel Respighi, *Página 12*, sección Cultura y Espectáculos, 26 de mayo de 2009.

6 Según el semanario *Noticias*, Oliván renunció "luego del escándalo por la cámara oculta contra el periodista Carlos Pagni (se lo acusó de haber cobrado dinero a cambio de publicar una información) que tuvo olor a una operación de servicio de inteligencia. Gvirtz la indujo a difundir la información alegando que la misma estaba judicializada, cuando no era verdad" (D. Seifert y N. Diana, "Cerebro mediático oficialista", *Noticias*, 11 de septiembre de 2010.

7 Entrevista a Pablo Sirvén incorporada como apéndice a Oliván y Alabarces, *op. cit.*, p. 247.

8 Dice Alabarces: "Cuando se trabaja en medios o se hace análisis de los medios, es falaz partir de la idea de que un texto es un espejo. No es que los espejos sean malos, sino que no hay espejos" (Oliván y Alabarces, *op. cit.*, p. 168).

9 Oliván y Alabarces, *op. cit.*, pp. 52-53.

10 Oliván y Alabarces, que exponen largamente sobre las formas, géneros y secciones del programa, no se detienen en los procedimientos formales y semánticos del montaje de imágenes y discursos.

11 André Bazin, teórico que hasta hoy es una perspectiva indispensable en lo referido a la documentalidad de la imagen, afirma: "Cuando lo esencial de un suce-

so depende de dos o más factores de la acción, el montaje está prohibido. Y vuelve a recuperar sus derechos cada vez que la acción no depende de la contigüidad física". Esta ley "es naturalmente válida para todos los films documentales cuyo objeto es hacer un reportaje de hechos que pierden todo su interés si el suceso no ha tenido realmente lugar delante de la cámara; es decir, el documental emparentado con el reportaje. En último término, *también en los noticieros*" (André Bazin, *¿Qué es el cine?*, Madrid, Ediciones Rialp, pp. 77 y 78, subrayado nuestro).

12 Foro "Morales Solá-Reivindicando a un honesto intelectual", 69 participantes; lo que se transcribe fue publicado a comienzos de enero. El supuesto periodista agradece muy halagado y confiesa que es estudiante de ciencias políticas.

13 Habrían sido 10.000, según *Página 12.* Ni *La Nación* ni *Clarín* cubrieron la noticia. Ver *Página 12*, 13 de marzo 2010: "La emoción de estar por lo mismo", nota de Martín Piqué. El blog de Sebastián Lorenzo (http://www.sebalorenzo.com.ar/2010/03/14/el-ejemplo-de-6-7-8-¿puede-un-programa-de-tv-conducir-las-masas/) con el título "¿Puede un programa de tv conducir a las masas digitales?", subió el siguiente comentario: "1. Existe una masa crítica virtual de gente conectada en forma de red distribuida que en algún punto coinciden ideológicamente con alguna alternativa ofrecida por determinado sector político o social (reclamos varios, defensa de intereses comunes, etc). 2. Se forman grupos espontáneos en la red (Facebook, blogs, Twitter, foros, mailing) en los que, en principio, circula información del tema que les preocupa y se comienzan a conocer virtualmente... 3. Un puñado de esos grupos comienzan a proponer primitivas formas de organización, y coordinan pequeñas reuniones presenciales o, en algunos casos, llegan a organizar fiestas para unas cuantas docenas de activistas. 4. Algunos grupos lanzan en forma esporádica iniciativas para reunirse en algún lugar público y manifestarse, muchas de esas consignas no prosperan o suman poca gente. 5. En algún momento un programa de televisión (que normalmente tiene como audiencia a buena parte de ese segmento de ciudadanos) toma la bandera de una de esas convocatorias y replica le mensaje desde su programa. 6. Automáticamente todas las redes de pares se excitan y comienzan a replicar la consigna, la multiplican, le dan valor agregado y multiformatos (fotos, banners, audios, radio IP, Retweets, Reenviando SMS, etc.). 7. En este momento la ola está marchando y el boca en boca es inevitable. Se comienza a sumar gente que no estaba en las redes ni es audiencia del programa de TV, pero que al ver que el asunto toma cuerpo se 'envalentonan' y deciden acompañar. 8. Finalmente ha llegado el día y se manifiestan. El reciente caso de *6 7 8*, a mi criterio, se transforma en la primera gran movilización masiva de Argentina en favor del gobierno que parte desde una lógica moderna, digital y suma a la TV como articuladora de las redes *online*" (destacado en el blog).

14 Otra prueba de la autoconciencia organizativa la tuve poco después de que se difundieran por radio, en enero de 2010, algunas de las conclusiones que estoy exponiendo. Desde Mar del Plata, un universitario y militante, Carlos Aletto, me hizo llegar la siguiente comunicación: "El 9 de abril de 2010, veinte mil televidentes del programa *6 7 8* de la TV Pública autoconvocados por *6 7 8* Facebook y *Cinta verde* a través de los muros y de mensajes se concentraron en

el Obelisco para repudiar la suspensión judicial de la aplicación de la Ley de Servicios de Comunicación Audiovisual, paralizada por decisión de la Cámara de Casación de Mendoza. La ley de medios había sido suspendida por un fallo de la jueza mendocina Olga Pura de Arrabal, que avaló un amparo del diputado del Peronismo Federal, Enrique Thomas, por supuestas irregularidades en la forma en que se sancionó la norma en octubre de 2009.
Participaron invitados (luego de consensuar entre los autoconvocados más partidarios al FpV y los que apoyan el gobierno desde cierta mirada no partidaria) los funcionarios del Gobierno nacional, como el titular de la Autoridad de Aplicación, Gabriel Mariotto, el presidente del Sistema Nacional de Medios, Tristán Bauer, y el presidente del INADI, Claudio Morgado; el legislador Juan Cabandié y el periodista Jorge Dorio. Otros oradores fueron Sandra Russo, Rosana Tortosa por *Cinta verde*, Gabriel van Oostveldt y Natalia Carrizo por *6 7 8* Facebook y Carlos Aletto por *6 7 8* Facebook y *Cinta verde*. Fue transmitido en directo por el programa *6 7 8*, con una pantalla en el obelisco, se repartieron cintas verdes, hubo cánticos y carteles contra el Grupo Clarín. La concentración también tuvo réplicas en Mar del Plata, Bariloche, Mendoza, Córdoba, Resistencia, San Miguel de Tucumán y varias ciudades de la provincia de Buenos Aires. Muchos de los que habíamos sido castigados y ninguneados por apoyar la 125 encontrábamos tanto en los muros de Facebook, con la nueva mirada de *6 7 8* y con la pluralidad de la ley de medios, un lugar para expresarnos. Por este motivo se vio atacado personalmente cada uno de nosotros cuando la jueza suspendió la aplicación de la Ley".

15 Sin embargo, eventualmente aparecen en el muro de *6 7 8*-Facebook varios participantes que ingresan o se retiran dando como motivo no tener una computadora a su disposición.

V. Discursos e ideología

Las cartas del kirchnerismo

6 7 8 va a un público que no es destinatario ideal de los documentos de Carta Abierta. Antes se dijo que los lectores de *Página 12* son un porcentaje pequeño de los televidentes y de los que se agrupan en Facebook.[1] El diseño de la página web de Carta Abierta es indiferente hacia cualquiera de los estilos de intervención caliente en la web. A "Las patas en la fuente", el canal Youtube de Carta Abierta, se accede desde un link en la página. Si se comparan, en enero de 2011, el número de veces que estos videos han sido vistos descubrimos un perfil de público que favorece las reflexiones de Ernesto Laclau (seis videos, el más popular, del 24 de mayo de 2009, con 1560 visitas); los demás videos (incluidos los de intelectuales de primera fila como Horacio González) no pasen nunca las 700 y la mayoría se ubica por debajo de las 100. Ricardo Forster, hoy la figura más televisiva de Carta Abierta, con una docena de videos colgados, obtiene más de 1500 visitas en el comienzo de la campaña de Carlos Heller, en 2009, con la presencia del candidato y de Néstor Kirchner; pero esta cifra no se repite con sus otras intervenciones, de las que sólo un par se acercan a las visitas del video de Étienne Balibar.[2]

Más curioso todavía resulta que el canal "Las patas en la fuente", en el curso de 9 meses, recibió menos de una docena de comentarios. Estos números son bajísimos, si se los compara con los que obtienen otras plataformas kirchneristas en la web. Y no se trata simplemente de que el material ofrecido sea demasiado "difícil", ya que Laclau explica de manera plana y ultrasencilla lo que enuncia con mayores obstáculos y despliegue en sus tratados doctos. Balibar resulta un poco más abstruso que Laclau aunque esas cualidades sean precisamente las opuestas en sus respectivas obras.

Sucede que Carta Abierta sigue un estilo intelectual caracterizado por largas argumentaciones, complejas sintácticamente, con listas de sustantivos ("los mismos lenguajes, las mismas prácticas, las mismas memorias", es un tipo de enumeración característica), cadenas de adjetivos, frases incidentales arborescentes, en fin nada que vaya *to the fucking point* que es la regla de oro de la red. Un bocadillo banal de *6 7 8* es más afín con el paradigma discursivo de los nuevos públicos y las nuevas tecnologías. Esto no es una crítica, sino una explicación de las razones que hacen de Carta Abierta un espacio de intelectuales, profesionales y académicos de mediana edad y también de viejos mayores de sesenta años. Se los reconoce en los videos y en los actos: gente que ha hecho la militancia camporista en 1973, que se exilió o que sufrió persecuciones, mezclada con los discípulos que ellos encontraron en la universidad posterior a 1984.

Un plano de María Pía López y de Horacio González, en uno de los videos colgados en "Las patas en la fuente", es emblemático de Carta Abierta por lo menos antes de que Ricardo Forster alcanzara su actual renombre (se lo vio en la cena de gala en la Casa Rosada el 25 de mayo de 2010, evento en cuya trasmisión televisiva no pude descubrir a Horacio González). En ese plano documental, González está hablando con María Pía López. González, hombre de larga tradición peronista, que pasó su exilio en Brasil y regresó para ocupar un lugar rodeado de excitante prestigio en la universidad, en Buenos Aires y Rosario; miembro del consejo de edición, junto con Chacho Álvarez, Mario Wainfeld y otros, de la revista *Unidos;* enigmático ensayista, oscuro y barroco, arraigado en distintas y contradictorias tradiciones de pensamiento (que trabaja como su marca más personal); director de la Biblioteca Nacional que ha puesto sus instalaciones para que funcione allí Carta Abierta, y que no pudo establecer con otro intelectual de izquierda como Horacio Tarcus una alianza duradera de gobierno en la Biblioteca; amigo de Piglia y de Solanas; lector de Borges, de Sarmiento, de Lugones, de Martínez Estrada y de Viñas tanto como de Scalabrini Ortiz y de Jauretche. María Pía López, ensayista original, que fue discípula de González, pero también David Viñas, imitando para comprender y emanciparse, como se hace en todo buen principio. Dos generaciones peronistas: una que vivió el peronismo real, imaginó un peronismo que fuera más parecido a sus ilusiones y creyó encontrarlo en Kirchner; otra que no conoció el peronismo real, pero sí sus fantasmas y sus fantasías.

Si Horacio González y María Pía López (no son nombres elegidos al azar) están en ese plano del video de la Declaración del Bicentenario, los paneos sobre los participantes en el acto permiten comprobar el rango de edad y el nivel social y cultural que se ha definido hace un momento: pequeña burguesía ilustrada y progresista, el sector al que pertenezco y que sé reconocer como se reconoce una tribu o una aldea. Eso es Carta Abierta, primer frente intelectual del kirchnerismo que se autodefine perfectamente en el "Quiénes somos" de su página web:

> Carta Abierta es un espacio no partidario ni confesional conformado por personas de la cultura, la educación, el periodismo, las ciencias, el cine, las artes, la poesía y la literatura, entre otras disciplinas. Surgió en marzo de 2008, en defensa del gobierno democrático amenazado por el conflicto suscitado por las patronales agropecuarias, y distinguiéndose siempre por la preservación de la libertad de crítica. Se trata, pues, de una iniciativa ciudadana, plural, democrática, horizontal y participativa, que se expresa por medio de su Asamblea y por sus escritos públicos conocidos como Cartas Abiertas. Sus reflexiones, debates y elaboraciones sugieren un novedoso modo de intervención política que también se materializa en Comisiones de Trabajo sobre diversos temas que hacen al interés público.

Las Comisiones que aparecen en una pestaña de la página web de Carta Abierta no dan más información que su nombre, una declaración de intenciones muy breve, algunos videos y un contacto. Todo muy ordenado y extraño a la proliferación de mensajes que caracteriza a las redes. Por el contrario, una sobriedad tan distinguida que merece el calificativo de hierática. La pestaña de Documentos incluye sólo uno, de diciembre de 2009. Esta descripción es formal. Pero interesa para ver de qué modo un dispositivo cultural importante e influyente entre intelectuales, académicos, profesionales y artistas mantiene los rasgos clásicos de esas configuraciones socioprofesionales. O, por lo menos, los mantuvo casi intactos hasta el momento en que se escriben estas líneas. No habría obstáculos para que la página de Carta Abierta adoptara los modales de la web. Pero no los ha adoptado; cuando pregunté, mi interlocutor no se mostró muy interesado por ese tipo de intervención. A sus integrantes más famosos (especialmente a Horacio González y Ricardo Forster) se los ve continuamente en la televisión, y no sólo en los canales estatales. Pero ¿quién no está hoy en la televisión? Carta Abierta, como usina intelectual, descansa sobre sus cabezas visibles. No tiene la horizontalidad plebeya de la web. Sus asambleas (que parcialmente pueden verse y escucharse en el canal "Las patas en la fuente" de Youtube) son un escenario de intercambio horizontal, que evoca más el ámbito universitario o de asociaciones de profesionales que la mezcla y la confusión de los nuevos espacios. Esto se escribió el 7 de enero de 2011 en el Facebook de Carta Abierta: "Una pregunta: ¿Quiénes son los autores o quiénes integran este espacio? Porque en el sitio http://www.cartaabierta.org.ar/ no aparece ni un nombre". Para alguien que viene de afuera del campo intelectual, Carta Abierta es un planeta lejano. En enero de 2011, la página de Facebook, en cuyo muro apareció la pregunta citada, tenía cerca de 4000 miembros, muy pocos comparados con la repercusión ideológica y el prestigio de sus dirigentes conocidos.[3]

No podría ser de otro modo. Ni Horacio González ni Ricardo Forster ni el desaparecido Nicolás Casullo (aunque teorizara sobre las nuevas tecnologías y su impacto cultural) dejaron de ser intelectuales de "viejo tipo". Ninguna acusación puede llegarles por eso de parte de quien esto escribe. Es un señalamiento de la articulación de antiguas y nuevas estrategias simbólicas en el campo del kirchnerismo.

La lectura de una de las ocho Cartas Abiertas sería una inverosímil extravagancia en *6 7 8*. Tan imposible como la lectura de un párrafo de Horacio González. Su estilo es más afín con lo que permite *Página 12* (que, en esos casos, alberga cualquier extensión), o con las revistas del espacio kirchnerista. Esto, naturalmente, no tiene que ver con la importancia de las Cartas como reflexión sobre el kirchnerismo, sus opositores y la Argentina. Carta Abierta hace la teoría y la historia de una práctica política para demostrar que ella sintetiza líneas irredentas y subterráneas del fluyente movimiento de masas que encontró su expresión histórica en el peronismo.

Es la avanzada cultural del kirchnerismo. Sus adherentes, a excepción de Horacio González, de Eduardo Jozami, director del Centro Haroldo Conti en la ESMA, pertenecen con mayor o menor relevancia a instituciones, como la universidad o el CONICET, relativamente alejadas del control del Poder Ejecutivo. No son la rama cultural del kirchnerismo a la que se le puede encomendar tareas por teléfono, como a militantes de La Cámpora. Esa rama proviene de otros viveros: Jorge Coscia, en la Secretaría de Cultura; Tristán Bauer, en la dirección de los medios públicos.[4]

La plataforma en internet y en los medios del kirchnerismo puede, eventualmente, emplear a intelectuales de Carta Abierta, pero queda muy claro que ellos son otra cosa y están en otro mundo. *6 7 8*-Facebook moviliza gente que no se conoce entre sí. Si se quiere multiplicar, salvo que el escenario sea un barrio, e incluso en un barrio, es preciso establecer comunicaciones entre desconocidos: una red de intervención práctica. La política de masas es anónima, como la web, aunque la gente termine conociéndose. Responde a olas de sugerencias o rumores frente a las que los intelectuales son infinitamente más desconfiados y necesitan menos, porque saben quiénes son sus pares. Para esos reconocimientos, en sociedades desconectadas por la distancia y el anonimato, nacieron las redes sociales (por definición, los que ingresan quieren ser lo que allí se llama "amigo" o, eventualmente, "enemigo").

Una movilización de los integrantes de Carta Abierta se organiza más fácilmente que la de ciudadanos que se desconocen. Facebook, entonces, es un puente que Carta Abierta no necesita. Pero, sobre todo, ese puente tiene como única condición que el gobierno kirchnerista siga siendo percibido como representante en el poder de ciertas ideas muy generales; o sea que, mientras mantenga esa imagen, la agrupación de gente a través de redes sociales es potencialmente ilimitada. Sólo depende de una imagen y de los discursos televisivos que la generan sumados a las breves intervenciones autoconfirmatorias de quienes se sienten interpelados. En hipótesis, *6 7 8*-Facebook puede crecer tanto como lo permitan las expectativas: hasta que no sean defraudadas, el territorio de crecimiento abarca una extensión difícil de estimar, abierta y fluida. No hay requisitos sociales ni profesionales para ser "mierda oficialista", aunque para serlo dentro del espacio *6 7 8* haya otros requisitos vinculados con el acceso a internet y la capacidad de producir algo muy, muy sencillo en la red social (siquiera un mensaje mínimo: "Me gusta").

En cambio, Carta Abierta, como organización de intelectuales, artistas y profesionales, impone condiciones. Aunque en los bordes puedan bajar las exigencias, tiene voceros que dan el tono de la organización. *6 7 8*-Facebook no tiene voceros sino participantes mejor o peor calificados para ser eficaces en la red (por ejemplo, con más iniciativas: quienes cuelgan un video o una foto, quienes hacen un pequeño comentario furibundo que exprese a unos cuantos, quienes sean graciosos en unas pocas decenas de caracteres o quien sea capaz de revolear frases que están entre el estilo web y el estilo "viejo letrado habla desde su experiencia"). Convengamos en que, después de diez años de ejercicio en internet, la mayor parte de esas cualidades están más democráticamente distribuidas que la posibilidad de pronunciar un discurso de media hora o componer un texto de diez mil espacios.

Destituyentes

Durante el conflicto con el campo, los intelectuales de Carta Abierta propusieron un adjetivo para calificar a los opositores y a sus acciones: destituyente, clima destituyente. Adoptado de inmediato por el gobierno, tuvo gran éxito. Fue el primer gran aporte de Carta Abierta al discurso kirchnerista y, al señalarlo, no estoy disminuyendo la importancia del grupo, sino, por el contrario, mostrando de qué modo el hecho de caracterizar una situación y un antagonista tiene una importancia política capital. Se usaron muchas otras palabras (oligarquía, clases dominantes, entre las más repetidas), pero "destituyente" alcanzó la máxima capacidad descriptiva y valorativa entre quienes apoyaban al gobierno y obligó a los demás a discutir su exactitud.

No se refería (como oligarquía o clases dominantes) a significantes activos a lo largo de una historia, sino que se hacía cargo de la emergencia de un conglomerado que sólo torpemente, con indigencia intelectual, podía ser acotado con esas referencias al pasado. Destituyente no es un sector social sino una práctica. Participio activo del verbo destituir, marca una acción que está aconteciendo. Destituyente podía ser cualquier sector o fracción que se sumara a las protestas, sin necesidad de probar que formaba parte de los sectores rurales. Los piquetes de campesinos pequeños, medianos y grandes eran destituyentes; pero también lo eran las manifestaciones urbanas, donde la mezcla social era muy visible.

Destituyente, por lo tanto, designaba un espacio transclase y, en ese sentido, era una calificación mucho más ajustada a los hechos que las viejas palabras (oligarquía, por ejemplo). Carta Abierta lo proponía para los "históricamente dominantes", pero los significantes son astutos. Destituyente pasó a designar mucho más. Las caracterizaciones sensatas, que no confundían a la Federación Agraria con la Sociedad Rural, podían adoptar el adjetivo destituyente como descripción de las acciones realizadas en tiempo presente por el conglomerado social agrario y extenderlo sin problemas a los sectores urbanos que lo apoyaban. Destituyente designaba los actores de una coyuntura, no una invariante. Era un nombre más plástico que los que podían salir del baúl de la historia.

Destituyente calificaba también a la coyuntura, en la que, de acuerdo con la visión del gobierno, no sólo se trataba de impedir la Resolución 125 sobre las retenciones a las exportaciones agrarias, sino que se ocultaba una ambición política más grande: desfinanciar el Tesoro, poner los alimentos básicos al nivel de los precios internacionales, y, sobre todo, debilitar o hacer caer al gobierno; *destituirlo*, quizá no en un sentido de acción comenzada y concluida, sino en un sentido de acción durativa; inaugurar su debilitamiento para, en el momento oportuno, castigarlo hasta que se rindiera. La locución "clima destituyente" era explicada en los siguientes términos:

> Dura confrontación entre sectores económicos, políticos e ideológicos históricamente dominantes y un gobierno democrático que intenta determinadas reformas en la distribución de la renta y estrategias de intervención en la economía. La oposición a las retenciones —comprensible objeto de litigio— dio lugar a alianzas que llegaron a enarbolar la amenaza del hambre para el resto de la sociedad y agitaron cuestionamientos hacia el derecho y el poder político constitucional que tiene el gobierno de Cristina Fernández para efectivizar sus programas de acción, a cuatro meses de ser elegido por la mayoría de la sociedad.[5]

El éxito de la caracterización "destituyente" no estuvo sostenido porque se la usara en el campo kirchnerista; tal limitación habría significado que sólo una de las partes en conflicto reconocía su poder descriptivo. El éxito fue también que los opositores a la Resolución 125 discutieron sobre el sentido del adjetivo, y rechazaron que se los identificase con una práctica política que evocaba una agresión debilitante del orden democrático, aunque no significara directamente un golpe. "Destituyente" entró en el lenguaje político. No se trató de una victoria menor para un grupo que, también en esa primera Carta, se proponía:

> Una recuperación de la palabra crítica en todos los planos de las prácticas y en el interior de una escena social dominada por la retórica de los medios de comunicación y la derecha ideológica de mercado. De la recuperación de una palabra crítica que comprenda la dimensión de los conflictos nacionales y latinoamericanos, que señale las contradicciones centrales que están en juego, pero sobre todo que crea imprescindible volver a articular una relación entre mundos intelectuales y sociales con la realidad política.

La primera intervención de Carta Abierta enuncia claramente cuál es su objetivo. Lo que parece más afortunado es que lo cumple precisamente con esa primera Carta. Nunca después la palabra de este grupo traspasó de modo tan directo, rápido y eficaz la línea entre sectores intelectuales y políticos, entre caracterización y propaganda. "Destituyente" entró directamente en el discurso de los Kirchner y les propuso una clave interpretativa de gran peso: los gobiernos "populares" corren siempre el peligro de ser destituidos, ya sea en el sentido clásico del golpe de Estado, ya sea en el de un debilitamiento de fuerzas que los deje inermes frente a sus enemigos.

"Destituyente" era una palabra fuerte que encerraba estas dos valencias pero tenía la ventaja de no confundirse ni semántica ni formalmente con un golpe de Estado, en el que nadie hubiera creído ni el gobierno mismo quería que se creyese en serio porque habría indicado una debilidad extrema. En cambio, formaba parte de la familia semántica de "golpe", sin poner ese significante en primer plano: era una destitución simbólica y una discusión con los poderes fácticos (hoy llamados las "corpo"), pero no un golpe como se conocieron hasta 1976. "Destituyente" tenía fuertes connotaciones políticas, no militares ni cívico-militares. Se trataba, según Carta Abierta, de socavar la legitimidad del gobierno no de expulsarlo. Es cierto que, de modo inevitable, Carta Abierta hace una comparación con el pasado (son los mismos argumentos que se usaron antes, sostiene), pero esa comparación es menos relevante en la arquitectura de la argumentación.

La "recuperación de la palabra crítica" se produce al mismo tiempo en varios escenarios que, en los meses venideros, se sucederán uno al otro: el conflicto con el campo, primero, y los medios de comunicación, después. Carta Abierta toma a su cargo una tarea clásicamente atribuida a los intelectuales: la crítica de las ideologías encubiertas en los discursos que circulan en los medios. ¿Para quién se realiza este trabajo de desmitificación de la duplicidad de los discursos? ¿Quién es el destinatario de esa pedagogía política? Un sujeto que deberá constituirse, un Sujeto ausente en su plenitud pero que el gobierno de los Kirchner comenzó a articular a partir de sus conflictos con enemigos tradicionales y nuevos.

Carta Abierta, todavía hoy, está a la búsqueda de ese Sujeto que nunca será pleno. Pero un populismo sin Sujeto es un oxímoron.

2005, Maradona y Bonasso

Imágenes. Tres años antes del conflicto con el campo, el 1° de abril de 2005, un escritor y periodista peronista de pura cepa, Miguel Bonasso, envuelto en arquetípico poncho rojo, abordó el tren que lo conducía junto a Emir Kusturica, Diego Maradona y Evo Morales a Mar del Plata para el gran acto contra Bush. La mezcla parece más adecuada a Celebrityland que al mundo menos rutilante de la militancia. Kusturica estaba filmando su documental sobre Maradona y la generosidad proverbial latinoamericana le obsequió locaciones y estrellas de primera línea.

Planos de Constitución en una noche festiva, signada por el maradonismo y la política en combinaciones fuertes y un poco bizarras. Maradona, con bandera argentina y camiseta con la foto de Bush criminal de guerra, "asesino sin escrúpulos", define el objetivo de la expedición: repudiar a "esta basura humana que es Bush; vamos por la dignidad". Kusturica nos explica *post factum*: "El tren no sólo iba a Mar del Plata sino a mejores tiempos para Latinoamérica". Esa cumbre fue una bisagra: nunca después Kirchner iba a habilitar un insulto de ese calibre a un visitante oficial extranjero; podía permitirse descortesía, desatenciones, desplantes, pero la cumbre de Mar del Plata fue una culminación. También tuvo notables efectos concretos: el ALCA, estrategia americana que Uruguay parecía dispuesto a seguir o amagaba para obtener mejor diálogo comercial en MERCOSUR si decidía no hacerlo, recibió un golpe de muerte en el Cono Sur, lo cual no es poco.

Ya en Mar del Plata, los pasajeros del tren llegan al estadio. Hugo Chávez, siempre generoso con las imágenes, define: "El tren del alba que lleva de maquinista a Diego Armando Maradona". Enseguida le pasa el micrófono: "Los quiero mucho, gracias por estar, la Argentina es digna, echemos a Bush". Chávez le hace hacer un saludito a Evo. Y sintetiza lo que sucedería: "Cada uno de nosotros trajo una pala, una pala de enterrador porque aquí en Mar del Plata está la tumba del ALCA".

Maradona subido a ese tren rumbo a Mar del Plata es la primera vuelta de manivela de una máquina simbólica que se intentó hacer funcionar de nuevo durante el mundial de fútbol de 2010. La puesta en relación es inevitable, ya que Maradona le da trascendencia internacional a cada uno de sus actos. Ante esa majestad de la historia, Kusturica sucumbe al escuchar las palabras del astro: "En el partido de Inglaterra estábamos representando a los muertos que los mandaron los argentinos a morir (se infiere quc en Malvinas)". "Cuando grité el gol con la mano es como si le hubiera robado la cartera a un inglés." Maradona, un hombre que no se privó de ser oficialista de Menem y de Fidel Castro, interpreta bien un revanchismo contrainstitucional: salgamos a afanar ingleses, por lo menos tantos como los pibes que murieron en el hundimiento del *Belgrano*.

¿Qué hace Bonasso en este baile? ¿Qué hace subido a ese tren que atraviesa la pampa en medio de la noche, despedido poco antes por porristas y fieles de la Iglesia Maradoniana, militantes y dirigentes de organizaciones sociales, que transporta el equipo internacional de un cineasta vitalista y un gordo de rulitos, envuelto en la bandera argentina, que se sube el pantalón deportivo para mostrar su Fidel Castro tatuado en la pierna? ¿Dónde termina Celebrityland y dónde empieza la villa hundida en la noche que el tren atraviesa? ¿Dónde termina la aventura latinoamericana de Chávez, la lucha principista de Evo Morales y comienza el carnaval caprichoso? Acto, representación, puesta en escena, *performance*. El tren es previo a que el kirchnerismo terminara de definir el estilo de discurso que lo significara. Antes del conflicto con el campo y con *Clarín*, antes de que perfeccionara su agresividad retórica.

Cinco años después, Maradona regresó derrotado del mundial de fútbol de Sudáfrica. Refugiado en una quinta de Ezeiza, no contestó el teléfono y quizá ni siquiera vio a la Presidenta gritando frente a las cámaras de televisión un "aguante Diego", que no sonaba con eco propicio en las tortuosas oficinas de la AFA, donde se decidía el pase a retiro del Héroe Nacional. El episodio fue de un patetismo sin medida, especialmente porque todo indicaba que el puente del héroe con "la gente" estaba seriamente averiado por los cuatro cañonazos con que Alemania despidió a Argentina del mundial.

Redoblando la apuesta, el hiperkirchnerista Juan Cabandié, disciplinado jefe de bloque en la Legislatura de Buenos Aires, presentó un proyecto de ley para un monumento a Maradona en Puente La Noria, tan disparatado que ni siquiera fue puesto de relieve por *Página 12*.[6] Sin embargo, ese diario publicó el filosófico homenaje a Maradona de Ricardo Forster, jefe de Carta Abierta, un panegírico con el que incursiona por primera vez como aficionado en la prosa poética popular y populista: "Maradona, como ninguno, representa las alturas más gloriosas de nuestro fútbol-poesía, ha sido el nombre de lo más entrañable que habita la saga de nuestro fútbol porque no sólo él fue el creador de un gol eterno, el pibe de los cebollitas que como un mago salido de un circo universal maravillaba con el jueguito interminable que le permitía hacer cualquier cosa con su máximo objeto de devoción que fue y es una pelota de fútbol".[7] ¿Para qué más?

Sorprendiendo a muchos, ya que, a diferencia de Nicolás Casullo, la devoción por el fútbol era desconocida en su cosmovisión modelada por Benjamin y Adorno, las filosofías de la crisis, Borges, la tradición judía, Forster se alineó rápidamente con lo que parecían ser los planes del gobierno: mantenerlo a Maradona en algún sector visible del ceremonial de la cultura popular de Estado, de la que es eje Fútbol para Todos. La valencia Maradona es múltiple: se une a las más variadas sustancias políticas e ideológicas y el kirchnerismo creyó que podía hacerlo funcionar con eficacia en su química popular. Pasó por alto que Maradona es tan múltiple como impredecible. No es un intelectual disciplinado que, como Forster, descubre a los cincuenta años la cultura de potrero. Es alguien que *viene del potrero* y se ha convertido en ciudadano de Celebrityland. Los conmovedores esfuerzos de la Presidenta, Cabandié y Forster, por otra parte, no contaron con las resoluciones menos conmovedoras pero siempre férreas que se toman en la AFA. En este sentido, se comportaron como aficionados.

La retórica del maradonismo es popular o lumpen, según los casos. Siempre difícil de encuadrar en la política. Pero conviene recordar el arco que une abril del 2005 con los manotazos maradonianos del kirchnerismo en el 2010.

Cuestiones de retórica

En aquel 2005, Cristina era senadora y hablaba como una abogada o como una jefa de trabajos prácticos en ciencias sociales que había preparado bien la clase; y Néstor gruñía, insultaba, repetía oraciones breves. En América Latina, quien tenía el gran discurso, comparado con estas limitaciones locales, era Hugo Chávez. La retórica nació en la misma cuna que la política, en el mundo griego mediterráneo. Debe aprenderse, incluso cuando se tengan cualidades innatas. Enseña a componer, a distinguir géneros según las ocasiones, a usar la ironía, la invectiva, las emociones. La única forma retórica afín a las cualidades espontáneas de Néstor Kirchner fue la *indignatio*, destinada según Cicerón a "concitar gran odio y sentido de la ofensa". La *indignatio* rinde al máximo como discurso de masas (reales o virtuales, cada vez más virtuales y menos reales).

Kirchner no pronunció grandes discursos de vasta perspectiva histórica a los que Hugo Chávez es afecto porque tiene la capacidad de organizarlos. Para Kirchner, la historia es corta, con un origen anclado en la biografía personal que alcanza los años setenta. Es la historia más corta que ha inspirado jamás al peronismo, donde la recapitulación del pasado comenzaba, por supuesto, con el propio Perón, pero habitualmente mucho más atrás, en el siglo XIX (el nombre adoptado por Montoneros es un ejemplo evidente). Chávez, en cambio, instala su discurso en una historia larga y no tiene obstáculos de formación para moverse desde la colonia española hasta la actualidad. En el último medio siglo, sólo Fidel

Castro desarrolló esa alegoría histórica y política en la que Chávez se ha inspirado.

Por supuesto, ninguno de esos contenidos extensos cabe en el estilo de la *indignatio* kirchnerista, que es de frases tan breves como el apotegma o el insulto. Chávez injuria inspiradamente; pero también expone, sintetiza, recapitula y avanza con una antorcha que le llega desde Bolívar, Sandino, la revolución mexicana, Prestes; él se presenta como el portador de esa herencia que se corona con la invención de un socialismo a la venezolana, bolivariano. Kirchner se presentaba como fundador sin muchos antepasados. No citaba demasiado a Perón por la distancia que él, como nuevo fundador, tomaba respecto de todos aquellos que lo antecedieron. Si a partir de 2007 comenzó a citarlo, porque era parte del rito formal de las lealtades bonaerenses, era muy evidente que utilizaba sólo un nombre, no un archivo de dichos ni de recuerdos. Es raro, pero es así. Kirchner no fue el primer presidente peronista que recurrió a la *indignatio*. Pero fue el primero que la puso como género dominante, como si no pudiera tocar otras cuerdas ni otros tonos afectivos.

El género de Cristina Kirchner es el *argumentativo*, cuyo fin es persuadir a una asamblea sobre la conveniencia de adoptar tal acción y evitar tal otra. Presenta cuestiones que tienen un pasado (breve, no sabe ir hacia atrás, se pierde), un desarrollo presente y alternativas futuras. Tiene una relación más exacta con las palabras, que deben demostrar la razonabilidad de la acción propuesta. Los antiguos retóricos señalaron que, por su complejidad, el género argumentativo-deliberativo era comparable con el judicial, en la medida en que más que interpelar la emoción o presentar al orador arrastrado por ella, como sucede con la *indignatio*, debe llevar al auditorio al convencimiento.

La política necesita del modo argumentativo (en las asambleas parlamentarias o en la escena mediática). Pero, correlativamente, la argumentación necesita de políticos de formación intelectual sólida, que sepan escuchar ideas y exponerlas sin volverlas elementales, aunque haciéndolas más rotundas. No se trata ahora de juzgar los intentos de la entonces senadora Kirchner en el Congreso de Filosofía de San Juan, porque no sería justo tomarlos como prueba de sus límites, que provienen de la autosuficiencia y probablemente de la adulación, ni como ilusoria confirmación de que es un "cuadrazo", para usar el término preferido por sus seguidores. Se podría razonar en otro sentido sobre todo porque ya se conocen bien todas sus posibilidades discursivas, incluso la de la invocación fúnebre y las interpelaciones al Más Allá.

Cuando el discurso argumentativo proviene de intelectuales se lo juzga por su capacidad para poner de manifiesto lo complejo, por su captación de los pliegues de la realidad y por los matices. La pobreza de un discurso intelectual se origina en la ausencia de estas cualidades. Un presidente, por más "cuadrazo" que sea, sólo en raros momento puede razonar públicamente como un intelectual (y si lo logra se trata de una mezcla excepcional de formación académica y política: hay dos casos en América Latina, Fernando Henrique Cardoso y Ricardo Lagos). No sólo no está obligado a hacerlo sino que nadie espera que lo haga, ni son evidentes las ventajas de que un discurso político imite un discurso intelectual sin lograrlo (o, como decía Perón, que siempre hablaba como político: los sofá camas no sirven ni para dormir bien ni para sentarse cómodamente). El político se ha formado para otra cosa, a la que ha dedicado la mayor parte de su tiempo. Debe haber aprendido a que los saberes específicos alimenten el suyo (como sucedió con el famoso discurso *La comunidad organizada*, pronunciado por Perón en el Congreso de Filosofía de Mendoza en 1949, o el de Raúl Alfonsín en Parque Norte, al que contribuyeron intelectuales y académicos de primera línea). Según los escenarios, el discurso puede ser más directo o más complejo; por ejemplo, el ámbito super *cool* de un acto de diseño abre la posibilidad de un discurso un poco más reflexivo y de doctrina.

Frente a estas variantes retóricas, el discurso de Hugo Chávez es excepcional. En el acto de Ferro, realizado en el verano de 2007, mientras Bush estaba de visita en Montevideo, Chávez encaró una cancha donde, al parecer, nadie estaba dispuesto a escuchar un discurso largo.

Majestuoso y gigantesco como un póster de sí mismo, Chávez irradia como las estrellas de la cultura popular. Tiene un atractivo a flor de piel. Produce el impacto físico que a veces, pero no siempre, acompaña el carisma. La densidad pastosa de su voz recuerda las voces musicales del Caribe, y el oleaje de las frases enlazadas lo acreditan como un orador popular de los que hay muy pocos en el presente. Sus palabras pertenecen a una familia retórica lejana a la del discurso seco y picoteado de Kirchner; lejanas también a la ironía sin humor de la Presidenta. Chávez confirma todos los clichés sobre la abundancia tropical: el sentido del ritmo, el despliegue suntuoso. Está fuera de medida pero no porque pierda los estribos o se vaya de lengua, sino porque la medida no es una dimensión que pueda aplicársele.

Es el maestro de una pedagogía de masas, que hoy no imparte ningún político desde que Fidel Castro ha dejado de hablar varias horas seguidas. Recurre a la historia de dos siglos: "Bolívar con la mano derecha cortó doscientos años de colonia y con la mano izquierda, otros doscientos". O también: "Un día como hoy Pancho Villa invadió Estados Unidos. Y si aquí hubiera unos mariachis, le cantábamos una ranchera". Es capaz de pararse en una cancha de fútbol y realizar el acto más imprevisto: abrir un libro y leer una carta de Bolívar a Juan Martín de Pueyrredón. En su epopeya anticolonial de la cancha de Ferro, citó más a Perón de lo que lo nombraron los Kirchner en casi cuatro años. Su lista incluye batallas que no se mencionan hace décadas y personajes que sólo se conocían en la saga antiimperialista de los años sesenta. Maneja la invectiva. En ese discurso del 2007 dijo que Bush "exhala el olor de los muertos y se convertirá en polvo cósmico". Recupera como presente la épica pasada: "Somos tus hijos, Hebe; somos los hijos de San Martín, de Bolívar, del Che, de Perón". Sus palabras se expanden como un rizoma, horizontalmente; pero no se pierde; se multiplica, conserva siempre la idea de un todo, la Gran Nación Sudamericana. En una época donde la oratoria política popular es pobre, Chávez reparte riqueza (y no sólo los petrodólares que entran en valijas clandestinas).[8]

Esta oratoria barroca y confiada en sus poderes de encantamiento tiene una vibración estética de la que carecen los discursos típicos del kirchnerismo. La *indignatio* es demasiado tensa; rápidamente puede volverse su propia caricatura, un latiguillo cómico, como sucedió con el "¿Qué te pasa, *Clarín*?" que tuvo tanto éxito en "Gran Cuñado" como con los chicos del tercer cinturón del Gran Buenos Aires. Por su parte, el discurso argumentativo se combina mal con los afectos políticos. Cuando Cristina Kirchner se pone coloquial, se vuelve, inevitablemente, vulgar ("Le hacemos el aguante a Maradona" o "No se hagan los rulos").

Sin embargo, quien gobierna puede emitir discursos de eficacia performativa. No siempre lo logra; el caso más patético de performatividad cero fue Fernando de La Rúa. Pero Kirchner estaba hecho de otra madera. Pudo convencer de que sus actos y sus discursos no se contradecían (por lo tanto, para los que creyeron esto, estaba a salvo del doble discurso). Pudo convencer de su sinceridad y de su sencillez. Pero, sobre todo, hizo que sus discursos tuvieran eficacia en el mundo extradiscursivo: alineó, prometió, amenazó y se le creyó. Se lo escuchó como gobernante, no como a aspirante a gobernar, detalle que lo colocó del lado de la acción y no simplemente del proyecto. Habló como intérprete y representante: dijo que tomaba a su cargo una lucha y, por lo tanto, evitaba que otros se vieran obligados a desgastarse; cuando pidió apoyo, lo hizo solicitando ese plus de voluntad que un gobierno necesita, no como el último recurso de quien no cuenta con otros medios.

Kirchner inauguró performativamente su adhesión a los reclamos de las organizaciones de derechos humanos en el acto de la ESMA en el 2004: ordenó que se descolgaran los cuadros de Videla y devolvió el predio a los organismos. Esto no coronó una larga trayectoria respecto de los derechos humanos (carecía de tales antecedentes)[9], sino que, más sencillamente, puso en escena el compromiso realizando gesto materiales investidos en símbolos. El discurso de Kirchner no fue un gran discurso, como tampoco lo fue el de Cristina Kirchner el 24 de marzo de 2010, también en la ESMA, una intervención singularmente pobre, pese a que el público y el escenario podían adecuarse a exploraciones conceptuales intelectualmente más articuladas. Los Kirchner, en lugar de un discurso, ponen en primer plano su alianza con algunos de los organismos y la subordinación política de algunos dirigentes, comenzando con la antes implacable Bonafini y siguiendo con Carlotto.[10] De todos modos, entre la pura performatividad de la ESMA en el 2004 y el acto del 2010, hay muchas diferencias.

En siete años han proliferado los símbolos. Los Kirchner, que eran nuevos en el tema de la memoria, lo convirtieron con éxito en el centro significativo, moral y político, de su gobierno. También lo usaron en operaciones políticas como la de Papel Prensa. Pero, en los dos últimos años, a las historias de militancia setentista se agregó una de más larga duración. Cristina Kirchner inauguró en la casa de gobierno dos salones: el de la Mujer y el de los Patriotas de América Latina. Percibo una inflexión. Hasta el conflicto con el campo se confió en dos discursos de características opuestas: el picoteo agresivo del Presidente, con mínimas variaciones que van desde la agresión al prepeo; y el discurso argumentativo de su esposa. El conflicto con el campo mostró la insuficiencia de ambos estilos, pero tampoco era posible cambiar sobre la marcha y en situación de conflicto.

La versión inventada para apoyar la ley de medios y sobre todo el Bicentenario condujeron a explorar fórmulas más complejas. Queda claro la necesidad política de esa complejidad: en torno de la ley de medios, los Kirchner agruparon votos que no vienen ni del tronco ni de las ramificaciones de su tribu política. En el caso del Bicentenario, cualquier festejo necesitaba de una línea narrativa sobre la cual, hasta ese momento, los Kirchner no habían tenido idea, salvo intervenciones de ignorante patetismo como cuando la Presidenta dijo que ella no era "muy sarmientina". Después de cinco años en el gobierno, era preciso algo más que esa simpleza del sentido común revisionista.

En esta coyuntura, el nombre "destituyente", analizado al comienzo de este capítulo, pasó a formar parte del vocabulario político. Pero no sólo esta buena invención lexical. También comenzó a implantarse una versión del populismo como organización positiva de las sociedades latinoamericanas. La confrontación del estilo kirchnerista, su carácter intratable frente a la oposición, su desprecio por el diálogo político son leídos como el comienzo de una operación que podría culminar en el trazado de una frontera entre pueblo y antipueblo.

De nuevos y viejos populismos

> El kirchnerismo todavía no ha logrado crear una frontera interna en la sociedad argentina que divida al campo popular del otro campo. El peronismo clásico dividía a la sociedad en esos términos, el chavismo en Venezuela y Evo en Bolivia dividen a la gente en esos términos. El kirchnerismo no ha llegado al punto de cristalización de una identidad popular que divida a la sociedad de esa manera, aunque hay indicios de que el proceso está avanzando en ese sentido. Pero es un proceso que no está cerrado.[11]

> Tradiciones culturales y memorias comunitarias subyacen a la espera de una invocación política que las reavive y contenga. Nadie es dueño de la conciencia de los millones que viven, sueñan y despotrican en estas urbes. La crisis puede ser oportunidad de reabrir esa historia y para considerar los núcleos potentes de las luchas urbanas actuales: la confrontación contra la precarización del trabajo y el desempleo, el enfrentamiento contra las añejas pero actualizadas formas de opresión a las mujeres, para nombrar sólo algunas. No damos por perdida esa apuesta por arrebatar las ciudades de sus cautiverios mediáticos y sus temblores restauradores.[12]

Ernesto Laclau y Carta Abierta coinciden en señalar que el trazado de una "frontera interna", que divida claramente al pueblo de sus enemigos, todavía está inconcluso y a la espera de una "invocación política". Invocar quiere decir llamar y dar nombre: socialismo bolivariano frente al imperio, república indígena en Bolivia. A pesar de lo que diga la oposición, tanto Laclau como los intelectuales de Carta Abierta sostienen que la conflictividad kirchnerista es incompleta. Por un lado, no ha profundizado la frontera con los enemigos de todas las reivindicaciones populares, diferentes pero equivalentes (sostiene Laclau); por el otro, no le ha dado un discurso a esa identidad que, de todos modos, ha contribuido a fundar.

Este kirchnerismo teórico discute de qué modo consolidar un Sujeto político. La discusión no es nueva, ya que atraviesa la historia de los intelectuales populistas desde la caída de Perón; también ha formado parte de las preocupaciones filosóficas de la izquierda marxista y del cristianismo tercermundista. Para los que se mantuvieron peronistas a pesar de los diez años de menemismo, la discusión se había convertido en una preocupación únicamente filosófica. Esa década no era propicia para nuevas interpelaciones políticas dentro del continente peronista. Quienes lo abandonaron, como el grupo de ocho diputados encabezados por Chacho Álvarez, mantuvieron la vitalidad del problema más allá de su interés académico y del discurso oscuro de las filosofías de la crisis. La construcción de una épica que sostuviera la interpelación necesita de relatos que, aunque sólo sea imaginariamente, desborden el orden y las lógicas del mercado. El predominio de la lógica económica y la fetichización de la convertibilidad disminuían lo político a la gestión de un tipo de cambio para la divisa. Hacia el final de la década la Alianza se sumó a esta perspectiva llevando como programa y promesa la garantía de la equivalencia un peso, un dólar. Convengamos que esa promesa podía sonar tranquilizadora, pero era completamente improbable que produjera ninguna vitalidad en la política. Era demasiado pobre, demasiado sin contenidos. No hay una épica de la convertibilidad; ni siquiera un pobre cuentito.

Además estalló una crisis política que estaba anunciada en la incapacidad del presidente De la Rúa y se confirmó en la corrupción a los senadores. Llegó diciembre del 2000. Crisis del gobierno, crisis de la alianza de partidos, crisis de la política. Que se vayan todos es el eco en las calles del desastre en la Casa Rosada y el Senado. Para Juan Carlos Torre hay crisis por debajo (en la ciudadanía) y por arriba (en las elites políticas); son condiciones excelentes para el populismo:

> ... la crisis de la representación política es una condición necesaria pero no una condición suficiente del populismo. Para completar el cuadro de situación es preciso introducir otro factor: una 'crisis en las alturas' a través de la que emerge y gana protagonismo un liderazgo que se postula eficazmente como un liderazgo alternativo y ajeno a la clase política existente. Es él quien, en definitiva, explota las virtualidades de la crisis de representación. Y lo hace articulando las demandas insatisfechas, el resentimiento político, los sentimientos de marginación, con un discurso que los unifica y llama al rescate de la soberanía popular expropiada por el establishment partidario para movilizarla contra un enemigo cuyo perfil concreto si bien varía según el momento histórico —"la oligarquía", "la plutocracia", "los extranjeros"— siempre remite a quienes son construidos como responsables del malestar social y político que experimenta "el pueblo". En su versión más completa, el populismo comporta entonces una operación de sutura de la crisis de representación por medio de un cambio en los términos del discurso, la constitución de nuevas identidades y el reordenamiento del espacio político con la introducción de una escisión extra-institucional.[13]

El kirchnerismo realiza algunas de estas operaciones, sucesivamente, con tiempo. El discurso inaugural de Néstor Kirchner reintroduce una dimensión ideal de la política y, someramente, le da un sentido al pasado. Si no "constituye nuevas identidades", reactualiza las de la generación a la que pertenece, las reincorpora. Por el lado institucional, con el impulso a la derogación parlamentaria de las leyes de Obediencia Debida, Punto Final e indulto; por el lado ideológico, por llevar a un primera plano, en el espacio del Poder Ejecutivo, a las organizaciones de derechos humanos. Con el paso de los meses, vuelven al discurso político algunas oposiciones que fueron del pasado y que son resemantizadas.

Sin embargo, estos actos no serían suficientes para fundar un Sujeto popular, cuyas demandas no se verían representadas sino de manera fragmentaria. Lo que Ernesto Laclau plantea es un paso adelante. Su definición de populismo depende directamente de su definición de lo político: populista es la política que esté en condiciones de trazar una frontera entre sujetos de múltiples demandas y las fuerzas que se les oponen. Las demandas son diferentes y las fuerzas también, pero el populismo puede establecer la equivalencia entre demandas y, en consecuencia, definir dos campos y trazar la frontera que los separa.

Los intelectuales de Carta Abierta tienen una visión más culturalista. En un sentido piensan como Laclau, a quien festejan y entrevistan en sus programas de la televisión publica. Pero, más alejados del léxico schmittiano-lacaniano de Laclau, insisten en la necesidad de producir un nuevo vocabulario y nuevas formas de hablar (nuevas "interpelaciones") que tomen en cuenta la densidad de un pasado popular y lo actualicen: "Ninguna sociedad que reclama niveles más precisos de debate se orienta tan sólo por realizaciones económicas, teniendo en cuenta que lo de Aerolíneas es a la vez un hecho de la economía pública y también de fuerte simbolismo. Así, como lo demuestra el laberinto argentino, se lucha especialmente por símbolos, cualquiera sea la explicación profunda que se le dé a estas evidencias".[14] El ejemplo es perfecto: no se analiza si Aerolíneas debe ser estatizada ni en qué condiciones, no se replican las acusaciones de la oposición sobre el manejo de la compañía, no se mencionan negociados corruptos ni la manera de evitarlos. Simple y derechamente la aerolínea es convertida en símbolo: el debate que había sido torpemente anclado por Menem en el plano económico, ahora es de un solo golpe liquidado como debate económico y restaurado a su magnitud simbólica: el gran relato de la independencia y la soberanía nacional.

Después de la liquidación del discurso peronista clásico que hizo Menem, que fue aceptada con esa plasticidad que ha tenido siempre el justicialismo para seguir a quien se establece como líder, después de la crisis que liquidó todo discurso que no fuera directamente el de las cosas o el de la antipolítica, con Kirchner se reconoce nuevamente que política y discurso son inseparables, que sin discurso no hay política, sólo hay crisis o administración. Los intelectuales de Carta Abierta buscan un discurso para la política del kirchnerismo: "Un lenguaje sensible a una sociedad que se ha transformado y cuyas disidencias internas, sus polémicas públicas, no pueden ser explicadas sólo con la cartilla de las anteriores lecturas nacional-populares. El desafío es apropiarse de aquellas lecturas pero entramadas en una nueva y compleja realidad; de reencontrarse con los afluentes de una memoria de la justicia y la igualdad en el contexto de inéditos saltos al vacío del capitalismo actual".[15]

Ha llegado el momento de simbolizar, indica Carta Abierta. No es que los Kirchner no hubieran simbolizado en los años que van desde el 2003 al 2007. Pero estuvieron más atenidos a lo real que a lo simbólico, a los conflictos que a su representación, a las relaciones de fuerza que a las interpelaciones, a pelearse o aliarse con Magnetto, que a proponer una historia y un futuro para los medios de comunicación.

El primer gobierno de Perón tuvo otra estrategia desde el principio: preocupado por constituir el sujeto Descamisados, la interpelación Peronistas y Compañeros, descubrió también la productividad simbólica de las grandes concentraciones públicas trasmitidas por cadena nacional; propuso la figura de Eva como cuerpo del Estado de bienestar a la criolla, encarnación de los derechos adquiridos y, sobre todo, como promesa de dignidad. El primer gobierno peronista tuvo una eficaz política de interpelación. Nombró a sus seguidores. Los constituyó como peronistas nombrándolos como descamisados. Recogió los insultos y los dio vuelta. Ésa fue su estrategia, basada en la intuición y la imitación, no su teoría. Reconoció, sin mucho firulete, la importancia crucial de los medios de comunicación más actuales (en ese momento, la radio) y explotó al máximo la figura de Eva Perón multiplicándola en una iconografía de Estado reproducida en almanaques, estampillas, libros de lectura, folletos. Las explicaciones vinieron después. Quizás entre las primeras la de Martínez Estrada, que señaló el carácter cinematográfico de la puesta en escena del peronismo (en una curiosa correspondencia con las tesis de Walter Benjamin sobre estetización de la política).

Los Kirchner se comportaron intuitivamente en los primeros años de gobierno. La imagen de una pareja en el poder evocaba la del primer peronismo, pero estaba asociada a nuevas cualidades. Como se vio, en esos primeros años, Cristina llevaba adelante el discurso argumentativo y Néstor el confrontativo. La retórica de la razón y la retórica de la pasión habían cambiado sus lugares tradicionales. La mujer argumentaba, mientras el hombre se enojaba, se ponía nervioso, mostraba sus pasiones.

Como sea, el esquema discursivo era somero. El conflicto con el campo no sólo produjo el agrupamiento de Carta Abierta, sino que puso en primer plano la pobreza de las "razones" del kirchnerismo. Por primera vez, no es el líder quien enuncia y los intelectuales quienes comentan, traducen, expanden, sugieren y preparan los borradores, sino que esos intelectuales, en paralelo con el gobierno, muestran que, con un mix de D'Elía, Moyano, Depetri y Diana Conti, el kirchnerismo no tiene un discurso que interpele, sino simplemente una colección de mandoblazos verbales.

Como los Kirchner cultivaron una singular egolatría de la propia iniciativa, algunos ministros que habrían podido sostener un discurso público estuvieron limitados a comunicarlo en pequeñas reuniones a la prensa. Tal el caso, ya citado, de Alberto Fernández que no "sale a hablar" sino que les cuenta a los periodistas amigos cuál es el "pensamiento vivo" de la pareja presidencial. Con esto se hacen buenos *off the record*, pero no alcanza para una interpelación.

La culminación del conflicto con el campo coincide con el ocaso de Alberto Fernández. Carta Abierta exhorta a no abandonar el *élan* ideológico y elaborar una simbología (o retomarla, porque el historicismo es el medio ambiente natural de estas construcciones). ¿Qué había sucedido? La relación del kirchnerismo con las organizaciones sociales (piqueteros,[16] titulares de planes repartidos por los intendentes) consistió básicamente en cooptar a sus dirigentes con cargos en el Estado y paquetes de planes sociales, y mantener el nivel de conflicto lo más bajo posible, sin represión pero también sin idea de organización de estos sectores (ni mucho menos de autonomía). Los contaba como propios ya que, en los tres cinturones del Gran Buenos Aires, forman el corazón del voto peronista y allí residen los restos de voto identitario.

Sin embargo, durante el conflicto con el campo, la limitación de estas políticas de reparto, manipulación y cooptación fueron evidentes, porque ocuparon el espacio público sectores más difíciles de manipular a causa de su independencia económica e ideológica respecto del gobierno. Vicente Palermo observó: "Fue el campo, lejos de actuar en soledad, el que logró articular muy diversos sectores descontentos por variadas razones y constituirse como punta de lanza de un muy amplio arco opositor. Tuvo lugar entonces, por primera vez en estos años, una polarización de gran alcance e intensidad. Esta polarización no llegó a cristalizar en una identidad populista, pero dio ocasión a que las preferencias de diversos intelectuales se manifestaran. Aquellos cuyas posiciones eran más expresivamente favorables a los Kirchner se pronunciaron sin ambages por avanzar hasta convertir al kirchnerismo en un populismo en pleno derecho."[17]

La lección del conflicto con los rurales sirvió para el armado de un frente que confluyera, desde perspectivas no kirchneristas, con los argumentos del gobierno. En esa ocasión, quedó claro que la política puede ganarle la pulseada a varias tapas de *Clarín*, contradiciendo la fórmula que, por imprecisa, merece ser descartada. La idea de que tres tapas de un diario pueden derribar un gobierno es una autocelebración del poder mediático. Esa idea le sirvió más a Kirchner que al Grupo Clarín. Siempre hay que preguntarse: ¿de qué gobierno se trata?, ¿en qué momento?

Vino luego la derrota electoral del frente kirchnerista en junio de 2009. Todos, desde el periodismo a la política, intentaban responder a una pregunta: ¿cuál había sido el mensaje de las urnas? Y, en especial, ¿cómo moverse hacia adelante? Carta Abierta también tuvo su respuesta: "En cuanto a la actitud que el gobierno de Cristina Fernández debiera tener en esta situación amenazada, algunos prescriben concesiones ante grupos de presión; otros la defensa de las políticas económicas sostenidas. Si solicitamos más, es porque consideramos que esa defensa sólo puede desplegarse sobre la constitución de un horizonte político, sobre el hallazgo colectivo de un proyecto que exceda y desborde la actualidad, sobre el sueño común de reinvención de lo público. Sin esa dimensión utópica, sin esa perspectiva que reinscriba los hechos cotidianos en un relato que los excede y potencia, no hay renovación de las posibilidades gubernamentales pero tampoco de las políticas populares."[18] Lo que Carta Abierta designó como dimensión utópica, el gobierno lo convirtió en la ley de medios, enviada a Diputados en agosto de 2009, con la que mataba dos pájaros de un tiro: afectar el poder económico de su archienemigo (antes amigo) Grupo Clarín e instalar una versión de los hechos que permitiera la identificación por parte de sectores progresistas.

Hasta el enfrentamiento con el Grupo Clarín, cuyo inicio coincide con el conflicto con el campo, el kirchnerismo no había agitado la necesidad de una nueva ley de medios audiovisuales. No era una cuestión de principios ni una cuestión programática. Iniciado el conflicto con *Clarín*, se convirtió en ambas cosas. La necesidad de construir una esfera pública hegemonizada por el gobierno[19] coincide con el cambio de estrategia publicitaria gubernamental en Canal 7, la impertérrita publicidad gubernamental en Fútbol para Todos y la llegada a la pantalla de *6 7 8*.

En los hechos, el kirchnerismo tomó por las astas el toro del que Carta Abierta habla en lenguaje más figurado: se necesita del control de la dimensión simbólica. Ese control no puede ser hoy asegurado, a la manera tradicional del primer peronismo, por un secretario de informaciones del Estado sino que debe articularse con los variados discursos que circulan en el interior del espacio kirchnerista. Construir un sentido común y un *set* de explicaciones. De este espacio Carta Abierta será la última reserva intelectual. Pero aunque algunos de sus miembros más conocidos participen en la televisión oficialista, ésta no puede ser solamente un escenario de intelectuales. Para eso, *6 7 8* y los programas de Canal 9, por ejemplo, el kirchnerismo fashion de Daniel Tognetti.

Carta Abierta estaba en lo cierto. Era necesario hacer más denso y significativo el discurso que el gobierno ofrecía sobre sus enfrentamientos; había que construir esa "frontera" entre el Pueblo y sus enemigos; y reforzar la dimensión utópica. Todo eso se alcanza discursivamente, por el éxito de una interpelación ("somos la mierda oficialista" es invertir el insulto en la ceremonia de un bautismo político).

La brigada simbólica

El ultraoficialista diario *Tiempo Argentino* publicó, después de la muerte de Kirchner, con la firma de su director, Roberto Caballero, una nota intensamente partidaria que, sin embargo, tiene la simplicidad de enumerar las compatibilidades e incompatibilidades que coexistieron bajo su presencia real:

> Mi tesis es que con Kirchner murió y nació el kirchnerismo. Resulta difícil describir qué es, precisamente, eso del kirchnerismo. ¿Es Moyano? ¿Es Hebe? ¿Son los intelectuales de Carta Abierta? ¿Son Pablo Echarri y Florencia Peña? ¿Es la CTA de Yasky y Milagro Sala? ¿Es Sabbatella? ¿Son los invitados de *6 7 8*? ¿Es Heller? ¿Son los intendentes del Conurbano? ¿Es Larroque y La Cámpora? ¿Son D'Elía y el Chino Navarro? ¿Es Moreno? ¿Es Taiana, que renunció hace poquito para volver recargado? ¿Son los setentistas, muchos de ellos víctimas de la represión, la cárcel y el exilio, que ahora caminan por la Rosada sin miedo? ¿Son las multitudes de las barriadas que ayer reventaron la Plaza de Mayo? ¿Los pibes que reciben la Asignación Universal por Hijo? ¿Es Carlotto? ¿Son los viejos desocupados que consiguieron trabajo? ¿Son los millones de hinchas que ahora pueden ver fútbol gratis? ¿Los jubilados que ingresaron en el sistema? ¿Los que trabajan en cooperativas de los municipios? ¿Los gays, lesbianas y trans que ahora se pueden casar con libreta? ¿Es la militancia juvenil sub-20, que asoma entusiasta en el MPR, en el Movimiento Evita y en la Juventud Sindical de Facundo Moyano?
>
> Es, sin duda, todo eso. Pero todo eso es, en sí mismo, un universo plural desarticulado, donde algunos se definen abiertamente como kirchneristas y otros jamás lo harían. Y, sin embargo, toda esa gente reconoce —en mayor o menor medida, con mayor o menor generosidad— que Néstor primero y Cristina después les permitieron soñar con un país que los tenga en cuenta. Todos y cada uno de ellos levantan alguna bandera que se toca con la agenda del gobierno. Moyano dice que es oficialista del modelo nacional y popular, Sabbatella es oficialista del proceso de cambio e inclusión iniciado en 2001, los actores son oficialistas de la nueva ley de medios, las Madres y Abuelas son oficialistas de la política de Derechos Humanos, el peronismo de izquierda es oficialista de

la lucha antimonopólica y anti-*Clarín*, y así podríamos seguir con cada uno de ellos para descubrir con asombro que casi todos dicen cosas parecidas, pero lo único que los aglutina es la independencia que unos demuestran frente a los otros, aunque se muestren juntos en marchas y movilizaciones puntuales.[20]

Es exactamente lo que dice Ernesto Laclau sobre el populismo, al que considera "la vía real para comprender algo relativo a la constitución de lo político" (como los sueños son la vía regia para el conocimiento de lo inconsciente). En el populismo se manifestaría una forma general de existir de lo político.[21] Pero también una forma particular que, acentuando sus propios rasgos, pone de manifiesto las potencialidades identitarias y prácticas, simbólicas e imaginarias de la política en determinadas circunstancias. El populismo es política en estado de permanente creación del escenario y de distribución de los roles.

Cuando una crisis debilita casi hasta extinguir las representaciones partidarias clásicas, cuando el sujeto político está disperso o desmembrado, descreído o inerte, movilizado pero sin rumbo, herido por una hostilidad cuyas causas no alcanza a definir o equivoca, como en la Argentina a comienzos de este siglo, sólo el populismo sería capaz de construir nuevamente una unidad, articulando las demandas diferentes que estallan por todas partes y volviéndolas equivalentes, es decir, aptas para sumarse dentro de un mismo campo. El populismo no es un atributo que un sujeto posea *antes*, sino "una de las formas de constituir la propia unidad del grupo" para reconstruir, como en el caso del 2003, lo que parecía encaminarse a un pantano donde las demandas y las necesidades se anulaban.[22]

Por eso, el populismo no tiene un contenido ideológico definido de antemano (nacionalista, basista, autoritario o democratista), sino que depende de los reclamos que se articulen en la nueva unidad que, siempre, debe dejar algo afuera. Traza una frontera que divide a la sociedad en dos partes; una de ellas, el Pueblo, es un "componente parcial que aspira a ser concebido como la única totalidad legítima". A diferencia del institucionalismo, el populismo se alimenta de la partición; el institucionalismo se ilusiona con no dejar nada afuera: su discurso y su práctica coinciden con los límites de la comunidad. El populismo siempre trabaja en la creación y recreación continua de un "componente parcial" como único "legítimo".[23] Suena históricamente conocido.

Más atenido a los dilemas de una situación política concreta, Roberto Caballero, en el texto citado más arriba, señala los conflictos posibles: "Es fácil gritar 'fuerza Cristina', ¿no? Más difícil resulta, por ejemplo, aceitar los lazos y la mutua comprensión entre Moyano y Yasky. O entre Sabbatella y los intendentes K del Conurbano. O entre Moreno y Carta Abierta". Todos tienen reclamos diferentes e incluso incompatibles. El líder populista que fue Kirchner pudo jugar en el campo de esas incompatibilidades, descartando algunas, y subrayando la equivalencia de las distinciones potencialmente compatibles. La suma de diferencias, vueltas equivalentes por esta operación política, podría desembocar en un nuevo choque de incompatibilidades, si el líder no logra reproducir permanentemente la conversión de diferencias en equivalencias y trazar, cada día de nuevo, la frontera. De volverse institucionalista, ese líder estaría perdido.

La filosofía política de Ernesto Laclau está destinada a los especialistas. Kirchner habría sido una manifestación de filosofía política populista en estado práctico. Supo qué quería decir cuando mencionaba al Pueblo y sabía también que el sentido de esa invocación estaba dado por el mismo acto en que pronunciaba esa palabra, incluyendo a algunos y excluyendo a otros.[24] Su agresividad correspondía al *estilo de corte*, al tajo populista.

Los contenidos de los discursos de los Kirchner, emitidos durante los conflictos ya mencionados, trazaron claramente una frontera interna, deslindaron amigos y enemigos, atacaron sin piedad y sin tregua. Actuaba el populismo, independientemente de que conociera la teoría de Laclau, cuyo apoyo militante aceptó graciosamente. De autoritario espontáneo en Santa Cruz, se convirtió en populista espontáneo, con bendición teórica. Sin embargo, no toda política que traza fronteras internas es populista. Tal cosa sugiere Vicente Palermo:

> La política de medios de comunicación del gobierno ilustra muy bien, a mi entender, la diferencia entre una política democrático-republicana, una política populista, y la política de enemistades limitadas de los Kirchner. Delante de un mercado muy concentrado como es el argentino la primera buscaría desconcentrarlo.

La segunda incorporaría el conflicto a una cadena equivalencial popular que abarcaría todo el campo político. La tercera procura antes que nada construir una red de medios propia. Otro ejemplo está dado por la relación con "organizaciones sociales". En términos generales, y más allá de situaciones puntuales, esta relación se desplegó en términos muy diferentes a los deseados por Laclau: fueron, como es el caso de los piqueteros, más bien cooptadas que movilizadas en una configuración populista.[25]

Palermo indica que la cooptación de piqueteros, antes que su movilización, es un inconveniente para juzgar a los Kirchner como populistas en términos de la teoría de Laclau sobre el populismo. Sin embargo, no sería un inconveniente para decir que son populistas en términos de las manifestaciones históricas de ese estilo político. Los líderes populistas, comenzando por Perón, ejercen la cooptación, la presión, la manipulación como instrumentos decisivos cuando la movilización es insuficiente, incontrolable o imposible. En este aspecto, Kirchner sería un buen populista.

Pero de un populismo incompleto. Laclau también opina algo semejante. Hasta el conflicto con el campo y, como segundo capítulo, la ley de medios, no habían mostrado un relato que se extendiera en el tiempo. Aunque Cristina Kirchner, en vida de su esposo, usaba la palabra relato a troche y moche, lo hacía como si cualquier acontecimiento tuviera la capacidad de convertirse en una narración explicativa o cualquier situación pudiera ser narrada sin que fueran necesarias muchas operaciones inteligentes para lograr, en efecto, un relato.

Los intelectuales de Carta Abierta cuando afirman que ha llegado el momento del discurso, perciben que los discursos han sido, por lo menos hasta el 2008, insuficientes, estallados, parciales. Un Gran Relato no es fragmentario, no es una ficción experimental sino realista. En la primera Carta Abierta dijeron y desde entonces no dejaron de repetirlo de maneras no muy diferentes:

> Se trata de una recuperación de la palabra crítica en todos los planos de las prácticas y en el interior de una escena social dominada por la retórica de los medios de comunicación y la derecha ideológica de mercado. De la recuperación de una palabra crítica que comprenda la dimensión de los conflictos nacionales y latinoa-

mericanos, que señale las contradicciones centrales que están en juego, pero sobre todo que crea imprescindible volver a articular una relación entre mundos intelectuales y sociales con la realidad política.

El discurso que piden tiene varios requisitos: su unidad de lugar es América Latina como continente histórico y no sólo como mercado potencial; su enemigo conceptual es la retórica de los medios y del mercado; su objetivo es vincular tanto a los sectores socialmente movilizados alrededor del kirchnerismo como a sus intelectuales. En palabras de Gramsci: construir un bloque histórico. Los intelectuales de Carta Abierta se han postulado como los articuladores capaces de restaurar un espacio y un Sujeto político que trascienda la categoría vacua de "la gente", a la que se pertenece por *default* y está formada por individuos encuestables. Las Cartas Abiertas están más cerca de la política que la teoría de Laclau.

En el armado de una batería de argumentos, los discursos intelectuales y políticos pertenecen a diferentes niveles de generalidad y de dificultad. Bastante arriba en esa escala están las intervenciones de Laclau y Mouffe, cuyas dificultades de traducción a lenguaje llano ya han sido admitidas, incluso cuando ellos hablan para los diarios o la televisión. El uso de neologismos como "equivalencial" por supuesto que no simplifica las cosas. No se puede pasar de Laclau a la política directamente, como no se pasó directamente de los Ilustrados a los *sans-culottes*.[26] En el otro extremo, el de la simplicidad, estuvo el discurso de Kirchner, que no necesitó complicarse la vida, mucho menos cuando se dirigía a los sectores sociales pobres donde descansa la roca dura de sus votantes. En el medio, Cristina Kirchner argumenta pedagógicamente con intervenciones de este estilo:

> Lo que estamos logrando y tratando de hacer a través de otras políticas activas del Estado que ayuden también a que tu salario, que es la percepción monetaria que tiene el trabajador, también sea aumentado, a partir de tarifas diferenciales, de servicios públicos diferenciales, que también constituyen ingresos, aunque no pueda ser establecido en la nómina salarial; ésa es la parte que la sociedad, que el Estado pone en las políticas públicas activas para completar ese salario que por definición siempre es insuficiente, aunque en

definitiva en algunos gremios —por algunos convenios que he visto últimamente— me parece que esa definición científica de Don Carlos Marx debería revisarse porque creo que han logrado muy buenos acuerdos en algunos gremios y los felicito, además porque quiere decir que sus empleadores también tienen negocios con buena rentabilidad. Nadie paga buenos sueldos si además no tiene buena rentabilidad, es casi una verdad de Perogrullo.[27]

Algo más haría falta, justamente aquello que fue una de las utopías de los años sesenta y setenta: la comunicación de núcleos intelectuales con actores políticos y con masas movilizadas (en la actualidad, los nichos de público de la televisión, de la web, de Facebook, la esfera de la *e-politics*). Ese algo más es lo que peticiona Carta Abierta. Su tono es esperanzado aunque (sostienen) todavía no se ha hecho lo suficiente, no se ha hablado lo necesario, no se ha explicado lo indispensable, y se hayan cometidos errores que se reconocen:

> Dirán algunos, y con razón, que este mismo gobierno (o su predecesor inmediato) es el mismo que durante cinco años ha autorizado y favorecido el aumento de la concentración (por ejemplo, la autorización de la operación conjunta de Cablevisión y Multicanal y su posterior solicitud de fusión) o ha concedido inconcebibles y graciosas suspensiones de cómputo de diez años en los plazos de licencias a los titulares de concesiones televisivas, radiales y de cable, violentando la ley, la sensatez, la lógica del calendario y el criterio democrático; ha ignorado la justa petición de cumplimiento de 21 puntos a favor de la democracia comunicacional, suscripta por un centenar de organizaciones profesionales y de derechos humanos, y ha ofrecido una y otra vez la vista gorda a cambio de apoyos tácticos. Todo ello es cierto. Pero cabe ahora abrir un cuidadoso crédito a la esperanza, y de pleno apoyo.[28]

Quien pueda creer que crea. Este vaivén entre la crítica desde adentro y la esperanza que mantiene a esos intelectuales precisamente en ese lugar interior, es el corazón de la adhesión al kirchnerismo de capas medias de origen progresista o que se reconocen en esa identidad. En la Carta 3, sobre la nueva derecha, la cuestión de la identidad es central. Es un debate por el significado. Una nueva política necesita de una nueva lengua. Los Kirchner son más prácticos: dicen "nuestra política necesita controlar los medios públicos", pero con eso no alcanza para hacer discurso ni constituir al Sujeto popular. Es la dureza del poder, lo innombrable de lo real, no el mundo de los símbolos. Carta Abierta, en cambio, es la brigada simbólica del kirchnerismo.

La Carta 3 retoma un argumento: las palabras han sido usadas por la derecha. Vieja disputa, desde los años sesenta, por lo que entonces se llamaba la "resemantización": ¿quién decía qué era el peronismo, la clase obrera, el pueblo?, ¿quién nombraba? El debate ha vuelto: ¿quién dice qué es el kirchnerismo?, ¿los medios, los intelectuales de la nueva derecha, el sentido común producido por la televisión concentrada? En todo caso, ¿qué es la nueva derecha? Chantal Mouffe, refiriéndose a los populismos de derecha europeos, sostiene:

> Su éxito se debe, en gran medida, al hecho de que articulan, aunque de un modo muy problemático, demandas democráticas reales que no son tomadas en cuenta por los partidos tradicionales. También brindan a la gente cierta forma de esperanza, según la creencia de que las cosas podrían ser diferentes. Por supuesto que se trata de una esperanza ilusoria, fundada en falsas premisas y en mecanismos de exclusión inaceptables, donde la xenofobia generalmente juega un rol central. Pero cuando son los únicos canales para la expresión de las pasiones políticas, su pretensión de representar una alternativa resulta muy seductora. Debido a esto sostengo que el triunfo de los partidos populistas de derecha es consecuencia de la falta de un debate democrático vibrante en nuestras posdemocracias. Nos demuestra que, lejos de beneficiar a la democracia, el desdibujamiento de la frontera izquierda/derecha la está socavando.[29]

Carta Abierta, con la que es posible coincidir en este punto preciso e importante, como si tuviera esta cita de Mouffe como fondo teórico, afirma: nueva derecha quiere decir gestión y no valores. Las elecciones de junio de 2009 vieron en efecto el triunfo de esa nueva derecha en la provincia de Buenos Aires con la lista encabezada por Francisco de Narváez y su (efímera) alianza con Mauricio Macri. Pero también hay que contar a Scioli y Massa que, si se sigue la descripción de Mouffe, son copias idénticas de la "nueva derecha".

Entonces, la cuestión que Carta Abierta no plantea (porque es imposible plantearla dentro del kirchnerismo) es la siguiente: ¿por qué un gobierno que estaría enfrentando a la nueva derecha está poblado, desde las gobernaciones al Gabinete (Boudou, pese a su conversión, es un precioso ejemplar de estilo neoderechista) por actores de la nueva derecha? La respuesta sería sencilla: porque la pertenencia al campo progresista estuvo asegurada por Néstor Kirchner y hoy por Cristina Fernández. Ellos, los líderes, fueron y son la garantía. Al enfrentarse con De Narváez en la provincia de Buenos Aires lo hicieron con la nueva derecha; al llevar a Sergio Massa y a Scioli como candidatos testimoniales y subirse con ellos a todos los palcos neutralizaron los virus neoderechistas de los que Scioli y Massa son portadores. La garantía fueron dos personas. El círculo del populismo se cerró en torno de la pareja presidencial. Ahora queda el espectro de Kirchner y su heredera.

La nueva derecha vacía a los acontecimientos de sentido, los vuelve incomprensibles: "Devastación del mundo de la palabra en nombre de la brutalización massmediática; simplificación de la escena cultural de acuerdo a la continua mutilación de la densidad de los conflictos sociales y políticos". Coincido con la caracterización, pero la coincidencia no coloca ni a mí ni a Carta Abierta en la izquierda a la que, para estos intelectuales, se ingresa solo con el pasaporte kirchnerista: "Entretanto, *la izquierda real,* aunque no tenga generalmente ese nombre, pues actúa en gran medida con sus claves nacional-populares y sus legados humanísticos y sociales de pie, está en los filamentos realmente existentes del movimiento social democrático, expresado en infinidad de variantes de lenguaje y militancia. Fue a las plazas históricas a defender la democracia y con consignas propias, interpretó que el gobierno, aún moviéndose improvisadamente en la tormenta, encarnaba los trazos fundamentales de una voz popular que a su vez le reclamaba más afinación y claridad en los argumentos".[30]

Los Kirchner reabrieron el debate sobre izquierda y derecha, para expropiar a la izquierda en su beneficio. Como el peronismo de los años sesenta y setenta, el adjetivo "real" designa la autenticidad;[31] hay izquierda "real", frente a otros sectores que son "falsa" o "pretendida" o "pseudo" izquierda; o gente que fue de izquierda y se vendió a la derecha. Como siempre, el peronismo reivindica que lo suyo es la "realidad" y todo lo que se haga en su nombre, incluso los errores y las vacilaciones (incluso los atropellos y los actos corruptos, incluso el autoritarismo, el sectarismo y el solipsismo) son atributos de eso "real" que encarnó en su versión Kirchner, y Él traspasó su espíritu a Cristina Fernández. El peronismo es lo verdadero. Ya no se usa decir esa palabra, por eso los de Carta Abierta no han escrito la "izquierda verdadera", pero es eso lo que quieren decir. Y en esa totalidad verdadera se admite a Scioli o a Massa (si es conveniente) porque la verdad se define teológicamente, de arriba hacia abajo. Kirchner fue la verdad y, en su nombre, hoy se establecen las jerarquías de mariscales y ayudantes de campo. El garantizó el carácter progresista del gobierno porque, antes, había definido qué es ser progresista en Argentina. Lo seguirá garantizando desde el más allá, si su viuda es reelecta en 2011.

Ser progresista no es ser institucionalista; ser progresista es evitar el diálogo con los adversarios; ser progresista es violar todas las leyes y normas y necesidades del federalismo: ser progresista es destruir el sistema estadístico enviando matones al INDEC; ser progresista es aceptar y pasar en silencio el clientelismo sobre el que se apoyan los planes sociales en manos de piqueteros kirchneristas e intendentes; ser progresista es ser vindicativo; ser progresista es cultivar la amistad de Magnetto ayer y hacerle la guerra hoy, sin que Magnetto, en todo este tiempo, haya dejado de ser idéntico a sí mismo; ser progresista es ser imprevisor en términos de recursos no renovables; ser progresista es soportar a cara lisa las acusaciones de corrupción; ser progresista es manejar la televisión pública como si perteneciera al gobierno. Se podrá decir que Kirchner fue también muchas otras cosas. Es cierto. No es posible clavarlo en la derecha, como si se tratara de un pospolítico o un neopolítico; ni en las formas más tradicionales de la reacción. Fue nacionalista y desarrollista. Careció de un proyecto económico que no fuera el día a día de los precios internacionales y el desorden de un capitalismo donde los amigos forman en primera fila en la adjudicación de obras y contratos del Estado. Tuvo miedo a los desequilibrios financieros porque conoció la cara del 2001. Quiso ser querido como se quiere a los dirigentes populistas. Distribuyó mal los recursos sociales, pero distribuyó.

No lo conmovían los principios que conmueven a una izquierda del siglo XXI: la dignidad y autonomía de los miserables. Los entregó atados a los caudillos que, a su vez, se le sometían. Todo esto es una mezcla bien argentina. Pero no alcanza para que, en su nombre, se expidan los documentos únicos del progresismo. Sobre todo, porque han pasado ocho años y Carta Abierta se ve en el penoso deber de reconocer con realismo: "Es mucho, es complejo y es arduo lo que queda por hacer cuando las tramas a deshacer están tan arraigadas, y cuando los intereses económicos del bloque de poder y sus efectos contra los intereses populares operan sobre las oportunidades que el propio modelo actual les abre. No es sólo tarea de un gobierno ni puede hacerse si sólo optan por la expectativa quienes respaldan a ese gobierno. Más aun porque subsiste un Estado estructurado para que sobre él pudiera cimentarse el orden neoliberal".[32]

Sobre ese Estado, el kirchnerismo ha engrampado nuevas estructuras que no son de poder popular ni son más democráticas. Si la tarea era grande, Kirchner tampoco creyó necesario establecer alianzas ni aceptar controles. Poseedor exclusivo del pasaporte a la verdad política, no abrió una alternativa para quienes no se le subordinaran por la fuerza fáctica de las asignaciones presupuestarias, el aislamiento político o los cargos públicos.

1 No hay cifras de circulación de *Página 12,* porque no lo audita el Instituto Verificador de Circulaciones (que audita *Clarín, La Nación, El Popular, Miradas al Sur).* En el Blog del Medio, su responsable, Pedro Ylarri, informa: "La última vez que pregunté tiraba 8/9 mil los días de semana y poco más que 20 mil los domingos" (http://blogdelmedio.com/2010/07/06/circulacion-de-medios-de-argentina-mayo-2010/). En efecto, en la página institucional del IVC no está *Página 12.*

2 La lista de los videos vistos más de mil veces hasta agosto de 2010 es corta y permite comprobar que el archivo cumple precisamente esa función, la de resguardar documentos audiovisuales: reunión de Carta Abierta en la esquina de Defensa e Independencia, 22 de agosto de 2009, 4760 visitas; Kirchner con Carta Abierta en el Parque Lezama en julio de 2009, dos partes con 4170 y 1970 visitas, respectivamente; Kirchner con Carta Abierta en la Biblioteca Nacional, 20 de diciembre de 2008; acto de la campaña del 2009 de Encuentro Popular (Carlos Heller), con fragmento de discurso de Ricardo Forster, 1470 visitas; Milagro Sala con Carta Abierta en octubre de 2009, 1321visitas; Ernesto Laclau, video citado, 1290 visitas; Declaración del Bicentenario, Biblioteca Nacional, 23 de mayo 2010, 1160 visitas; y finalmente, Carlos Heller en la campaña electoral del 2009, visto 1050 veces.

3 El diseño es muy institucional; y la página informa sobre la existencia de seis administradores: Ariel Goldstein, Juanchi Della Villa, Leo Vieytes, Ariel Quaglia, Julián Ferryera y Dani Wizenberg.

4 Gustavo Mariotto, secretario de medios, viene de la universidad, pero de la de Lomas de Zamora, un fortín peronista desde su fundación.
5 Carta Abierta, 1.
6 "Diego Maradona, de Sudáfrica a puente La Noria", *La Nación*, 7 de julio de 2010, Véase también: Carlos Reymundo Roberts, "Una estatua para Cabandié", *La Nación*, 9 de julio de 2010.
7 Ricardo Forster, "Maradona y nosotros", *Página 12*, 6 de julio de 2010.
8 Asistí, enviada por el diario *Perfil*, al acto de Chávez en Ferro y la descripción proviene de la nota de esa verdadera experiencia. Los comentarios sobre retórica y política retoman algunas ideas expuestas en *Debate*.
9 Véase la detallada y documentada biografía de Walter Curia: *El último peronista*, Buenos Aires, Sudamericana, 2010 (primera edición, 2006).
10 Horacio Verbitsky, 20 de agosto de 2006, en *Página 12:* "El involucramiento político de Carlotto y Bonafini abre un capítulo nuevo en la compleja historia del movimiento en defensa de los derechos humanos, cuya proximidad con el poder no transcurre sin consecuencias. Kirchner pudo convencer a las dos dirigentes de que lo acompañaran en el palco levantado en la Plaza de Mayo hace tres meses, pero no impedir su confrontación en la política porteña. Hasta ahora sólo el democristiano Augusto Conte y el socialista Alfredo Bravo pasaron del campo de los derechos humanos al de la política electoral y, en ambos casos, había una militancia partidaria anterior. Carlotto ha rechazado candidaturas a cargos electivos y empleos públicos, de lo que se encarga el resto de su familia". Carlotto terminó completamente alineada con Cristina Kirchner. La versión de la historia que Carlotto difundió en marzo de 2010 en Plaza de Mayo, aunque más elemental, se parece mucho a intervenciones de Cristina Kirchner y al guión de FuerzaBruta en los festejos del Bicentenario. Es una especie de síntesis de la historia nacional dominada por las invariantes: los mismos que reprimieron a los pueblos originarios para adueñarse de sus territorios son los que se aliaron con el imperialismo para adueñarse de las riquezas de nuestro suelo, y finalmente confluyeron a todos los golpes militares, para terminar cometiendo los peores crímenes. Esta historia gobernada por un principio invariable (que ha tenido versiones revisionistas de izquierda, de derecha, filomarxistas y filofascistas, cristinas revolucionarias y trotskizantes en los últimos ochenta años) es, de todos modos, una historia, una explicación de los hechos, algo que había pasado al desván de lo prescindible en la década menemista. Trazó un relato de los últimos cuarenta años y lo sometió a una matriz única: la lucha actual sigue siendo la misma que llevaron a cabo los desaparecidos "por la liberación de nuestro pueblo"; se reivindica "su proyecto político de país, su amor y compromiso con los excluidos"; en la otra trinchera de una guerra idéntica hasta la actualidad, están los mismos asesinos y también los mismos "cómplices del hambre", "que hoy pretenden volver a las recetas neoliberales" y defienden idénticos intereses con una represión que ya se prolonga 200 años. La Presidenta no es mucho más articulada cuando habla del pasado.
11 "Vamos a una polarización institucional", reportaje de Javier Lorca a Ernesto Laclau, *Página 12*, 17 de mayo de 2010.
12 Carta Abierta, 5.

13 Juan Carlos Torre, "Populismo y democracia" (mimeo).
14 Carta Abierta, 4.
15 Carta Abierta, 5.
16 En los primeros meses de gobierno, "Emilio Pérsico integró el gobierno provincial de Felipe Solá; Jorge Ceballos participó en el Ministerio de Desarrollo Social de la Nación, Edgardo Depetri fue diputado nacional, Luis D'Elia ocupó la Secretaría de Hábitat y Vivienda de la Nación" (Hugo Quiroga, *La república desolada; los cambios políticos de la Argentina (2001-2009)*, Buenos Aires, Edhasa, 2010, p. 56.)
17 Vicente Palermo, "Consejeros del príncipe. Intelectuales y populismo en la Argentina de hoy" (mimeo).
18 Carta Abierta, 6.
19 En la nueva ley de medios, el control y la administración del sistema de medios está a cargo de diversas instancias que tienen un rasgo en común: el órgano de control de los medios estatales será dirigido por el Poder Ejecutivo por la sencilla razón de que nombrará directamente a su presidente y director; el Parlamento nombrará a tres representantes, uno de ellos por la primera minoría, que es la del Ejecutivo. Sobre siete miembros, y tomando resoluciones sólo sobre la base de una mayoría simple, el Ejecutivo tiene casi todo en sus manos para mandar. Esta composición se repite en todos los organismos que establece la ley.
20 Roberto Caballero, *Tiempo Argentino*, 29 de octubre de 2010.
21 Ernesto Laclau, *La razón populista*, Buenos Aires, FCE, 2005, p. 91.
22 *Ibid.*, p. 92.
23 *Ibid.*, pp. 107-8.
24 Para Laclau el "Pueblo" sería el nombre dado a un "componente parcial que aspira a ser concebido como la única totalidad legítima". Esto necesita, por supuesto, de la "división dicotómica de la sociedad en dos campos" (*La razón populista*, pp. 108-110). Y más adelante: "Afirmar que la oligarquía es responsable de la frustración de demandas sociales no es afirmar algo que puede ser comprendido a partir de las mismas, sino que es provisto desde afuera por un discurso en el que pueden ser inscriptas. Este discurso va a incrementar la eficacia y coherencia de las luchas que se derivan de él" (p. 128). Emilio de Ipola señala que en la articulación de demandas diferentes (pero equivalenciales, es decir, que tienen en común no ser contempladas ni respondidas) "uno de los eslabones desempeña un papel de condensación de todos los otros, la unidad de la formación discursiva se traslada desde el plano conceptual al nominal... De este modo despunta el último y capital componente al incorporarse una pluralidad de elementos heterogéneos cuya unidad equivalencial se sustenta en un nombre que remite a una singularidad. Y la modalidad por antonomasia de la singularidad es una individualidad. La travesía de la lógica equivalencial se completa con la emergencia del *functor* que, en tanto individuo, encarna al Líder" (Libro Homenaje a Portantiero, ed. Claudia Hilb, p. 205). El modelo teórico de Laclau presupone la producción de un límite discursivo; la producción de ese discurso, el acto de nombrar, constituye lo real social y (seguramente Laclau no tendría inconvenientes en admitirlo) tanto la frontera como el Pueblo quedan investidos en un discurso que es el del Líder que

provee el Nombre "desde afuera" de la cadena de reivindicaciones que, sin ese nombre permanecerían dispersas (sin acceder a la autoconciencia, para usar un término que Laclau rechazaría pero que es perfectamente adecuado a su teoría).

25 Palermo, *ibid.*

26 Como lo demostró Robert Darnton en su magnífico *The Literary Underground of the Old Regime*, Cambridge (Mass,), Harvard University Press, 1982.

27 Discurso ante el Consejo Nacional del Salario Mínimo, Vital y Móvil (5 de agosto de 2010), difundido por la Red de Mujeres con Cristina. La celebración de esta intervención hace dudar también de los libros leídos por quienes mantienen esa cadena de correos electrónicos.

28 Carta Abierta, 2, "Por una nueva redistribución del espacio de las comunicaciones".

29 Chantal Mouffe, *En torno a lo político*, Buenos Aires, FCE, 2007, p. 78.

30 Ambas citas de Carta Abierta, 3.

31 Véase: Carlos Altamirano, "El peronismo verdadero", *Punto de Vista*, número 43, agosto de 1992 (republicado en *Peronismo y cultura de izquierda*, Buenos Aires, Temas, 2001).

32 Carta Abierta, 8, 19 de diciembre de 2010.

provee el [illegible] "desde abajo" de la cadena de servidumbre [illegible] un [illegible] para [illegible] que [illegible]

25 Balibar, [illegible]

26 Como lo demostró Robert Darnton en su magnífico *The Great Cat Massacre and Other Episodes* [illegible], Cambridge (Mass.), Harvard University Press, [illegible]

27 Discurso ante el Congreso Nacional del [illegible] (13 de agosto de 2010), difundido [illegible] La celebración de esta intervención [illegible] de los [illegible] que [illegible] en una cadena de correos electrónicos.

28 Carta Abierta 2, [illegible] de la segunda de las [illegible]

29 [illegible], Buenos Aires, FCE, 2002, p. 7[illegible]

30 [illegible]

31 [illegible] Carlos Altamirano, [illegible] "[illegible]", publicado en [illegible], Buenos Aires, [illegible] Tierra, 2001.

32 [illegible], 18 de [illegible] de 2010.

VI. No estaba escrito

Durante los años menemistas, los de la Alianza y la crisis de comienzo de siglo, el debate sobre quién era verdaderamente progresista había perdido relevancia. El reclamo de transparencia en el manejo del Estado, la novedosa temática de las "mafias", que se estrenó para todo público con el caso Yabrán, la compra de voluntades y, luego, la tempestad social y económica, que pareció el capítulo final del radicalismo, todas estas vicisitudes encerraron los debates sobre la izquierda en pequeños escenarios que visitaban casi únicamente los militantes ideológicos. Nadie disputaba ese lugar; se creía que la partición derecha/izquierda ya no servía ni para explicar ni para actuar (algo que discutió Norberto Bobbio muy temprano)[1]; se hablaba preferentemente de la tercera vía en la que Tony Blair había metido al Partido Laborista británico.[2] Todo Occidente participaba del desconcierto en la demarcación del espacio de izquierda o del progresismo.

En los ochenta, Alfonsín había fantaseado una transformación de la UCR en socialdemocracia. Después de 1989, a nadie se le ocurría una cosa semejante. Los políticos se precipitaban en una carrera hacia el centro pisoteando las diferenciaciones entre derecha e izquierda. A fines del siglo XX nada anunciaba que la disputa por ocupar el lugar del progresismo argentino iba a interesar nuevamente, salvo a muy pocos intelectuales y a los militantes de pequeñas organizaciones.[3] Con la excepción de algunos intelectuales, no se citaba a ideólogos como John William Cooke.

Sin haberlo leído (o, por lo menos, sin que jamás se notara que lo leyó) Kirchner introdujo la novedad en la Argentina, así como Hugo Chávez tomó inspiración en una vía antiimperialista con mayores ecos de tradición latinoamericana. Volvió a colocar al peronismo en un punto imaginario donde se separan las aguas de la "verdadera" izquierda nacional, un laberinto recorrido por peronistas y marxistas en los años sesenta y setenta.

Kirchner reactualizó un debate que parecía liquidado, porque el peronismo no tenía interés en abrirlo después de limar todo arresto ideológico durante la década de obediencia neoliberal menemista y pactos con la derecha; porque el FREPASO, que había querido ocupar un espacio de centro izquierda, no fue, primero, capaz de crearlo; luego, dentro de la Alianza, no fue capaz de gestionar y, por fin, algunos de sus dirigentes, como Chacho Álvarez, terminaron proponiendo a Domingo Cavallo como ministro de un gobierno que ya estaba cayendo; porque los intelectuales que habían pertenecido al peronismo revolucionario, como Nicolás Casullo, durante el menemismo hablaban más de la crisis de las ideologías que de una refundación;[4] porque los intelectuales marxistas se habían convertido a una socialdemocracia que en la Argentina no tiene referencias reales. Por todas estas razones y muchas más de orden epocal, que este país comparte con Occidente, la izquierda no era un territorio en disputa, salvo para los paleocastristas o los incipientes chavistas.

Sin embargo, no estaba escrito en ninguna parte que la discusión sobre la izquierda había alcanzado su último capítulo.

La llegada

En 2003, Kirchner llegó[5] al gobierno cautivo de su propia debilidad y de quien había sido su padrino político, Eduardo Duhalde (situación de superioridad que, en cuanto pudo, Kirchner le hizo pagar muy duramente). Su primer gesto, el mismo día de la asunción, estuvo cargado de cualidades populistas: hundido en la masa que lo recibía, estrechando manos, dejándose tocar y abrazar, desbordando a los custodios, Kirchner ocupaba por primera vez un lugar en la Plaza de Mayo y terminaba, junto a su familia, mirándola desde el balcón histórico: una perspectiva que impresiona por lo que se ve de la Plaza y, sobre todo, por el recuerdo inevitable de quienes la miraron antes desde ese mismo punto. El balcón es la perspectiva de los momentos triunfales del peronismo, pero también de Alfonsín: los gobernantes de la democracia saludaron al pueblo desde el balcón y el pueblo les respondió. Kirchner se había entreverado con la multitud y tenía en la frente una pequeña herida, producida por la cámara de un fotógrafo, simbólico bautismo de sangre que no había atravesado en los años setenta.[6] El golpe en la frente simbolizó lo que no podía preverse salvo para quienes integraban el Grupo Calafate y difundían noticias sobre la inteligencia de la senadora Fernández de Kirchner; pero tampoco anunciaban tan claramente que Néstor llegaba para disputar un lugar en la historia de las ideas políticas y para marcar la frontera de quién es de izquierda y quién no es de izquierda en la Argentina.

Imposible subestimar esta escena iniciática. En la calle, frente al Congreso, Luis Bruschtein la describe en *Página 12* (por razones hoy bien evidentes, ese diario era el que estaba más cerca de adivinar la nueva álgebra izquierdo-peronista que Kirchner había comenzado a esbozar en su discurso de asunción).[7] No importa la exactitud de cada una de las menciones de la nota, sino el friso sociopolítico que propone como representación típica de un mundo que vuelve al espacio público: un cincuentón que había estado en la Plaza el 25 de mayo de 1973 con la columna norte de la Juventud Peronista; un cuarentón que antes había votado por Chacho Álvarez y el FREPASO; columnas bonaerenses y sindicales (sin mayores especificaciones: la historia dirá); familias y grupos de espontáneos sin banderas; destacamentos identificados como JP que cantaban "es para Menem que lo mira por tv"; jóvenes cuyas banderas llevan la efigie del Che y banderines rojos y negros. Bruschtein interpreta: "Era un clima raro con todas esas personas que se habían reunido sin convocatoria, sin consignas ni carteles partidarios, muchas ansiosas de ver a los líderes populares latinoamericanos y al mismo tiempo expresando el deseo, entre cauteloso y apremiante, de volver a tener esperanzas". La gente también aplaude a Duhalde y a Chiche cuando llegan al Congreso: todavía no estaba claro por dónde Kirchner iba a trazar su frontera.[8]

Momento donde todo es posible. Kirchner debía decidir el rumbo. No el rumbo económico que, mientras estuvo Roberto Lavagna en el Ministerio de Economía, no se diferenció mucho, sino el rumbo del discurso que, contra toda hipótesis, volvía a ser decisivo. Después de diciembre de 2001 pareció que nadie iba a escuchar nada más. Y, sin embargo, no fue así. El 2001 quedaba en el pasado, y la gente en la calle (mucha de la cual había votado a Menem en los noventa) le ajustaba cuentas al menemismo, como si en el medio no hubiera estado el gobierno de la Alianza. Estos efectos de novedad son los que producen el escenario para que un político hable y sea escuchado.

Además, allí en las calles estaban los restos dispersos de una subjetividad de izquierda que no había encontrado dónde sostenerse. Y, de pronto, Kirchner, un político que había entrado en la carrera presidencial sin muchas expectativas inmediatas, llegaba a Presidente. Descubría que lo que no había manifestado en los escenarios públicos durante casi treinta años, que él había sido un joven militante peronista, algo que había quedado reprimido por el golpe y luego obturado mientras gobernó Santa Cruz como diestro administrador de los dineros públicos y privados, aplicando el rigor con cualquier signo independiente que se le opusiera, obsesivo en la concentración del poder, desconfiado salvo de los ultraleales; un hombre que no despertaba grandes pasiones sino subordinación y temor; un duro, de poca sensibilidad y baja participación en los procesos que cambiaron el peronismo desde los años ochenta; el caudillo que más había acompañado a Menem en la privatización de YPF no sólo sin protestar sino ensalzándolo como el mejor; alguien que había olvidado los setenta durante los veinte años que siguieron, ese hombre encuentra la ocasión para recordar y lo hace al jurar como Presidente.[9]

En *La Nación* del 26 de mayo de 2003, escribió Joaquín Morales Solá:

> El presidente en funciones es un Kirchner más completo que el que se había mostrado hasta ahora. Leal a sí mismo, no obstante, hasta en la estampa desgarbada y en el culto a la informalidad, accedió a los ritos del poder con una mezcla de clasicismo e irreverencia tanto en los fastos como en las ideas. Sabe que es un hombre común, sin los atributos políticos y personales de los presidentes-caudillos que gobernaron desde 1983 hasta 1999. El líder personalista (o "mesiánico", como él los llamó) gobierna con el proyecto de su voluntad y tiene dificultades insalvables para reconocer en el otro a una parte importante de la nación política.
> Tal vez uno de los párrafos más significativos de su discurso de ayer haya sido, precisamente, el que unió convivencia y disidencia, diferencia y tolerancia en el marco de un diálogo cotidiano.

En *Página 12* de la misma fecha, escribió Mario Wainfeld:

> "No he pedido ni solicitaré cheques en blanco" explicó Kirchner. Lo bien que hace porque nadie se los extendería. También ahorró a sus oyentes alusiones a Eva Perón que a esta altura (como el Che Guevara) sirven para un barrido como para un fregado. Y propuso "un sueño, el de volver a tener una Argentina con todos y para todos". Esa mención no describe improbables consensos masivos sino una sociedad integrada, sin millones de ciudadanos excluidos de los códigos mínimos de cualquier comunidad moderna. Desde el 27 de abril Kirchner parece haber crecido. Ganó el centro del ring. Instaló temas de agenda, se acercó en imagen a eso de "un hombre común con responsabilidades importantes" que suele repetir. El clima de ayer, en un exótico día feriado de asunción, tenía algo de frescura en el Congreso, en la Rosada, en las plazas que le dan contexto y sentido. Todas las postales de ayer enriquecerán su álbum de familia, pero lo que quedará en la memoria y la conciencia de los argentinos será lo que haga a partir de hoy, cuando gobierne. Si lo que hace se parece a lo que dijo y transmitió ayer no le irá nada mal.

Durante su primer año de gobierno, Kirchner confirmó estas hipótesis optimistas, escritas el mismo día de su asunción presidencial. No pareció impulsado por el viento que los mesiánicos interpretan como la prueba de que son los elegidos del destino; aseguró que gobernaría con toda la "nación política"; se mostró consciente de que, hasta el día anterior, había sido una incógnita, salvo para un círculo muy chico en su provincia y los amigos del Grupo Calafate. Por eso, planteó la convivencia dentro de los conflictos inevitables que la política debe definir y, en lo posible, resolver. Lejano a los rituales históricos, no mencionó a Eva, quizá porque, como el periodista de *Página 12*, la consideraba en ese momento un símbolo cuya potencialidad, con tanto uso, había expirado. No prometió consensos masivos pero sí la indispensable integración social. No hubo defensa cerrada de quien estaba llegando a la Casa Rosada, ni hostilidad.

Si cumplía sus discretas promesas, no le iría mal. Naturalmente, Morales Solá subrayó, sin pasar por alto el resto, la garantía de diálogo político; Wainfeld, también tomando en cuenta esta garantía, enfatizó la promesa de reparación social. Con diferentes acentos, ambas notas coincidieron en la expectativa. Dos años después, Wainfeld había dejado de lado la cautela para convertirse en un periodista partisano; Morales Solá se convertía en crítico. Lo mismo sucedía con los diarios donde ambos escriben hasta hoy, los dos medios ideológicamente indispensables para leer la Argentina.

Entre ese mes de mayo de 2003 y la muerte de Kirchner siete años después transcurrieron los actos que alejaron definitivamente a *La Nación* del gobierno y convirtieron a *Página 12* en su órgano. En esos siete años Kirchner fundó algo que no sabemos si tendrá futuro después de su muerte: el kirchnerismo, al que, como toda inscripción política, le dio un pasado (la "juventud maravillosa" de los setenta), un presente durante su gobierno y el de su esposa, y un ingenioso sistema de perpetuación en el futuro definido por una alternancia entre cónyuges que sólo la muerte de su inventor volvió imposible (la Constitución no preveía ese subterfugio). La "juventud maravillosa" también quiso refundar el peronismo. También buscó su pasado traduciendo a la lengua del antiimperialismo revolucionario y del populismo radicalizado los actos del Líder y sus a menudo crípticos mensajes enviados desde el exilio. También tuvo una idea de futuro acorde con el horizonte utópico de la época. A lo largo de medio siglo, el peronismo ha sido un territorio donde líneas sucesivas o simultáneas emprendieron una inacabable empresa de redefinición (conflictiva y a veces cruenta), con la idea de que cada una de ellas captaría esa sustancia real que el movimiento estaba llamado a expresar.[10]

Kirchner no pretendió pasar a la historia simplemente como el peronista ortodoxo que había sido (si el adjetivo tiene algún sentido, quiere decir: alineado sin aspavientos con la renovación en los ochenta, con el menemismo en los noventa, con Duhalde en los primeros años de este siglo). Perteneció a una generación de militantes que, convencidos de que iban a modificar el Movimiento en un sentido revolucionario, fracasaron en la década del setenta y fueron reprimidos, asesinados, exiliados. Todo parecía destinarlos a quedar trasmutados por los avatares neoliberales de Menem, gobernando alguna provincia, votando el pacto de Olivos, practicando la *realpolitik* o armando nuevos instrumentos políticos como el Frente Grande después de oponerse al indulto. Pero la crisis del 2001 y el ambicioso voluntarismo de uno de ellos, acompañado por la imprescindible buena suerte, les abrió una nueva oportunidad y grandes expectativas. Kirchner fue un innovador que devino presidente como candidato apoyado por Duhalde, uno de los peronistas más emblemáticos, que no había encontrado alguien sobre el que depositar más confianza. Aunque simples e incluso brutales, lo cual no habla de su inteligencia sino de un estilo pragmático que, como se verá, confía todo a las condiciones de enunciación, sus discursos tomaron temas que no fueron centrales del peronismo renovador en los ochenta y que Menem, a su vez, quiso dejar atrás para siempre.

Pero, cuando llegó al gobierno el 25 de mayo de 2003, como lo escribieron ese mismo día Morales Solá y Mario Wainfeld, todo el tejido político y social argentino había sido atacado por el ácido de la crisis y los objetivos inmediatos eran menos ambiciosos. De las jornadas de diciembre del 2001, los partidos salieron malheridos. Las asambleas barriales y el grito "¡que se vayan todos!" dieron la impresión, no infundada, de que el cuerpo político argentino estaba averiado y que iba a ser muy difícil restaurarlo. Duhalde encaró el camino de salida, armó acuerdos parlamentarios, eligió un ministro de Economía no improvisado, practicó la moderación, hasta que la policía, en un episodio oscuro, asesinó a los militantes Kostecki y Santillán. En ese momento, Duhalde llevó al Congreso su compromiso de cesar el 25 de mayo de 2003 y convocó las elecciones. Lavagna, durante el intervalo reparador del duhaldismo,[11] había asegurado las condiciones de salida del estrangulamiento económico, pero la impresión era la de un barco desarbolado por una tormenta que todavía estaba en el horizonte. El momento donde la necesidad cedió un poco y la "última instancia" dio paso a la política vino después.

El peronismo se presentó con varios candidatos (en una suerte de interna abierta superpuesta con la elección nacional). Para el ballotage quedaron enfrentados Menem y Kirchner. Menem se retiró de la segunda vuelta y Kirchner llegó con poco más del 22 por ciento de los votos a la presidencia.

Llegó con la certidumbre de que era un presidente débil (doblemente: su propia debilidad de origen y la que afectaba a las instituciones). Durante los primeros meses se concentró en repararlo y obtener el apoyo de la opinión pública.[12] Tenía una ventaja que él mismo se había fabricado. Pocos recordarían entonces (porque los pormenores de la política se olvidan muy rápido) que Kirchner ascendió a la cima de la astucia cuando le negó a Duhalde la colaboración como ministro en su gabinete en el 2001. Imposible saber si esto era un cálculo de inversión futura, pero sus resultados coincidían con la figura del que llega de lejos y sin la mancha de haber sido protagonista en el período anterior. En el 2003, Kirchner tenía algo del recién llegado. No se habían ido todos, pero el que entraba en la casa de gobierno no era una figura gastada. Ni siquiera alguien demasiado conocido. Esto último, naturalmente, no valía para quienes lo rodearon desde el principio, un grupo chico, el Calafate, que tenía noticias menos someras sobre el nuevo presidente. Ese grupo había sido fundado como espacio apropiado para una espera más larga: amigos políticos, de origen diferente y edades también distintas (desde Esteban Righi y Julio Bárbaro a Alberto Fernández), dispuestos a trabajar para el futuro.

Frente a la mayoría de los ciudadanos (salvo para los de Santa Cruz), Kirchner era una hoja en blanco. Lejos de ser una debilidad, fue su mejor cualidad, la que le permitió refundarse. Su esposa era una parlamentaria de cierto prestigio, con renombre intelectual. Como dato pintoresco para recordar está el programa de Mariano Grondona en el cual los Kirchner, defensores de los hielos continentales, lo llevaron a Grondona a Santa Cruz para hacer campaña contra el tratado con Chile (en ese emotivo viaje patriótico y turístico, coincidieron los tres en el exaltado nacionalismo territorial, del que Grondona ya había dado pruebas suficientes durante la guerra de Malvinas). O sea que, si alguien los recordaba, podía hacerlo por esta convergencia incómoda, aunque luego tachada de la historia oficial.

Desde el comienzo, Kirchner estuvo obsesionado por salir de esta oscuridad. Había visto la sucesión de cuatro presidentes y no quería pisar el borde de ese despeñadero. En ese momento, lo que era bueno para Kirchner era bueno para la Argentina, porque el país pisaría ese borde si el nuevo presidente no corregía su debilidad electoral. Esta necesidad abrió unos meses espléndidos no tanto en resultados como en expectativas. Así como Kirchner estaba decidido a fortalecer su imagen, los ciudadanos (lo hubieran votado o no) estaban dispuestos a abrirle un crédito. Esta convergencia de necesidades y expectativas, que podía ser muy fugaz, Kirchner pudo aprovecharla.

En aquellos primeros meses, Kirchner no desplegó toda la rusticidad de su trato, excepto en los desaires a Duhalde, que habría que haber tomado seriamente, ya que indicaban que el nuevo presidente no estaba dispuesto a reconocer nada a su antecesor, excepto conservar a Roberto Lavagna hasta conocer de cerca los problemas y la administración de la economía nacional, avanzar un poco más en la consolidación de lo que se había ganado y, entonces, reemplazarlo. Kirchner nunca fue generoso ni dialoguista. Pero en esos primeros meses esa falta de reconocimiento, esa obsesión por mostrarse sólo como producto de sí mismo, quedaba disimulada por una necesidad en la que coincidían él y la mayoría de los argentinos.

Después del "que se vayan todos", después de que las asambleas barriales comprobaron que esa forma de la deliberación no conducía necesariamente a los objetivos que movían a sus participantes, la mayoría quería un presidente "normal", que tomara las resoluciones complejas y se hiciera cargo de evaluar las consecuencias. Quería alguien en quien descansar de una incertidumbre que, para los movilizados, fue una agitación productiva y, para los no movilizados, fue un desconcierto.

Kirchner no pedía otra cosa: que se confiara en él y que se lo apoyara, aunque hubiera llegado como un casi desconocido, lo cual, en última instancia, era también su ventaja. Sólo los muy entendidos estaban enterados sobre sus hábitos autoritarios, de mano dura y puño cerrado en Santa Cruz. Y, aunque esa imagen también hubiera circulado entre los no muy entendidos, no es seguro que habría producido un rechazo frontal. Después del último presidente electo, De la Rúa, que representó la ausencia misma de decisión, la brújula giraba en sentido opuesto. Y después de Duhalde, que gobernó con alianzas en el Congreso y con los gobernadores (un escenario poco atractivo en momentos de falta de confianza en la política), ninguna mayoría estaba pidiendo a gritos que el Presidente compartiera nada con una institución tan desacreditada como el Parlamento, cuyas puertas habían sido incendiadas en las jornadas de ira de diciembre. Ninguna institución deliberativa rivalizaba en ese momento con el Poder Ejecutivo ni tenía la fuerza o el prestigio para proponérselo.

Kirchner entonces dominó el escenario entero de la política. Su debilidad electoral lo preocupaba, pero la situación en la que llegaba ese presidente, minoritario por los votos obtenidos, no era adversa. Los que lo habían votado y muchos de quienes no lo votaron querían, en primer lugar, un presidente y, si Kirchner no cometía muchos errores iban a reconocerlo. Sin duda, su discurso de asunción fue el que se necesitaba para ese estado de la sensibilidad pública. Hacia el final, emocionado y reconcentrado, sin suficiencia ni excesiva autoestima, tocó algunos temas que lo iban a definir en el futuro, pero sin las inflexiones belicosas que luego fue adquiriendo:

> Sabemos que estamos ante un final de época. Atrás quedó el tiempo de los líderes predestinados, los fundamentalistas, los mesiánicos. La Argentina contemporánea se deberá reconocer y refundar en la integración de equipos y grupos orgánicos, con capacidad para la convocatoria transversal, el respeto por la diversidad y el cumplimiento de objetivos comunes.
>
> ...
>
> Formo parte de una generación diezmada. Castigada con dolorosas ausencias. Me sumé a las luchas políticas creyendo en valores y convicciones a los que no pienso dejar en la puerta de entrada de la Casa Rosada. No creo en el axioma de que cuando se gobierna se cambia convicción por pragmatismo. Eso constituye en verdad un ejercicio de hipocresía y cinismo. Soñé toda mi vida que éste, nuestro país, se podía cambiar para bien. Llegamos sin rencores pero con memoria. Memoria no sólo de los errores y horrores del otro. Sino que también es memoria sobre nuestras propias equivocaciones. Memoria sin rencor que es aprendizaje político, balance histórico y desafío actual de gestión.
>
> ...
>
> Mis verdades relativas —en las que creo profundamente— se deben integrar con las de ustedes para producir frutos genuinos, espero la ayuda de vuestro aporte. No he pedido ni solicitaré cheques en blanco.

Las últimas palabras fueron:

> Vengo, en cambio, a proponerles un sueño. Reconstruir nuestra propia identidad como pueblo y como Nación. Vengo a proponerles un sueño, que es la construcción de la verdad y la justicia.

> Vengo a proponerles un sueño, el de volver a tener una Argentina con todos y para todos. Les vengo a proponer que recordemos los sueños de nuestros patriotas fundadores y de nuestros abuelos inmigrantes y pioneros. De nuestra generación, que puso todo y dejó todo, pensando en un país de iguales. Porque yo sé y estoy convencido que en esta simbiosis histórica vamos a encontrar el país que nos merecemos los argentinos. Vengo a proponerles un sueño, quiero una Argentina unida. Quiero una Argentina normal. Quiero que seamos un país serio. Pero además quiero también un país más justo.

Verdades relativas que se integraran con las de otros; distancia del estilo verticalista; convocatoria amplia y plural; suma de tradiciones políticas y socioculturales; fusión de líneas y tendencias; memoria del horror pero también de las equivocaciones cometidas; y, finalmente, el ideal de un país unido, serio y no excepcional. El Presidente débil daba su primer paso con cautela, sabiendo que no podía ejercer una dirección vertical ni sobre el partido justicialista, cuyo gran aparato dominaba Duhalde en la provincia de Buenos Aires y cada caudillo en la suya, ni sobre el país. Comprendía perfectamente que la ampliación de su base de consensos era, por lo menos, el primer capítulo de la construcción de una autoridad presidencial.

Ese 25 de mayo de 2003 el friso de viejos y nuevos antiimperialistas latinoamericanos, un dictador como Castro, un progresista como Lula, un nacionalista autoritario como Chávez, un socialdemócrata como Ricardo Lagos, esa primera línea que había reemplazado la oficina continental del neoliberalismo económico de los años noventa, dejaba prever que Kirchner se iba a poner a tono con lo que empezaba a suceder en América Latina. Y para comenzar, recordó a los militantes asesinados que en Santa Cruz no habían recibido, durante todos los años que fue gobernador, el menor homenaje de su parte.

Llegado a Buenos Aires, Kirchner es otro hombre. Hay que detenerse en esto porque vale la pena subrayar de qué modo los valores, las ideas y los símbolos no se acumulan como objetos, no son ni siquiera recuerdos significativos fuera de una coyuntura que los active. Kirchner no recurrió a algo que ya tenía; por el contrario, en el acto mismo de decir que venía por toda una generación se instituyó a sí mismo como miembro de un linaje del cual no se había declarado hermano, en público, durante treinta años. Un Líder, se dice, constituye al Pueblo en su interpelación (compañeros, descamisados, correligionarios); antes de eso, Kirchner se dio una identidad, no falsa, pero recobrada de una amnesia política que había durado mucho tiempo.

"Concluye en la Argentina una forma de hacer política y un modo de gestionar el Estado", dijo en su discurso de asunción. Duhalde, que acababa de entregarle la banda y el bastón presidenciales tenía la vista baja. Kirchner se presentaba como quien venía a cerrar una etapa y abrir otra. Esa misma tarde, Duhalde partía hacia Brasil en el avión de Lula y dejaba el escenario libre para el que llegaba. En este nítido cambio de dirigentes se anunciaba algo que era, en ese momento, difícil de predecir porque había más interrogantes abiertos que certezas.

Las palabras de Kirchner parecieron justas y así fueron recibidas por los diarios que, más tarde y con típica intolerancia, él mismo caracterizaría como "la oposición". Esas palabras decían mucho más de lo que se escuchó en ese momento. Kirchner repitió en su discurso que gobernaría con "nuevos paradigmas". Al mismo tiempo hizo la convocatoria más amplia: "Pensando el mundo en argentino, desde un modelo propio, este proyecto nacional que expresamos convoca a todos y a cada uno de los ciudadanos argentinos, por encima y por fuera de los alineamientos partidarios, a poner manos a la obra en este trabajo de refundar la Patria. Sabemos que estamos ante un final de época. Atrás quedó el tiempo de los líderes predestinados, los fundamentalistas, los mesiánicos. La Argentina contemporánea se deberá reconocer y refundar en la integración de equipos y grupos orgánicos, con capacidad para la convocatoria transversal, el respeto por la diversidad y el cumplimiento de objetivos comunes".[13]

Convocatoria transversal, indicó Kirchner. La necesitaba por dos razones. La primera es clara hoy y quedó explicada en los meses que siguieron: debía independizarse de Eduardo Duhalde, acto que, en ese momento, significaba arriesgar todo lo que éste manejaba en el Partido Justicialista; el recién llegado no aceptaba padrinos, protectores ni intermediarios. La segunda le era dictada por los resultados electorales: había llegado a ser presidente por el retiro de Menem del *ballotage*. Y nadie, ni él mismo, preveía que Menem ya había sido derrotado por completo en el momento preciso en que desistió de la segunda vuelta. Todavía se hablaba de su capacidad de daño, de su inquina y maldad. Tampoco era previsible que Duhalde pudiese ser llevado a una derrota tan rápida como la que sufrió su Partido Justicialista en las elecciones del 2005, donde Cristina Kirchner fue elegida senadora y obtuvo 22 por ciento más votos que Chiche Duhalde.

En el 2003, ni Kirchner ni su pequeño grupo imaginaban que esto sucedería dos años después. Y cuando sucedió, de todas formas, la construcción de Kirchner todavía estaba sostenida en un heterogéneo conjunto de dirigentes que no habían sido suyos sino que estaban pasándose al kirchnerismo, calculando y midiendo: "La Cámara de Diputados estuvo presidida por Alberto Balestrini, ex dirigente duhaldista, aunque quedó secundado por Patricia Vaca Narvaja de filiación kirchnerista; José Pampuro, ex dirigente duhaldista, fue designado vicepresidente de la Cámara de Senadores; y a Miguel Pichetto, ex menemista, se lo nombró jefe del bloque justicialista-Frente para la Victoria del Senado. En una compleja red de alianzas, indefinida ideológicamente, el presidente Kirchner reunió a ex duhaldistas, ex menemistas, frepasistas, sectores del radicalismo y del socialismo y aliados 'transversales' de fuerzas menores identificados con los años setenta".[14]

La construcción "transversal" había sido la solución encontrada por un hombre que no controlaba el partido al que pertenecía. Esa construcción "transversal" incluyó a muchos, pero tuvo algunos protagonistas ideológicos con respetable poder de movilización: los dirigentes de las organizaciones sociales, por una parte; las organizaciones de derechos humanos, por la otra. Kirchner debió salir a buscar esos apoyos. Comprendió que, en paralelo a una guerra de conquista, traición y robo de territorios dentro del Partido Justicialista; en paralelo también con operaciones dentro de otros partidos, existía un campo a ser ganado en la batalla por la opinión pública. Y que esa batalla, además, podía agregar a su espacio no sólo hombres y mujeres de prestigio, algo que no sucedía con los dirigentes piqueteros, sino también reforzar la identidad que había adquirido, con una sola frase, en su discurso de asunción presidencial. Adscripto a la generación de los setenta, llegaba para reivindicar esos ideales, que nadie había reivindicado durante el menemismo.

Buscó en el pasado una identidad que le sirviera no para ganar a los intendentes del Gran Buenos Aires (que no se fijan en esas cosas), sino para definir quién ocupaba un espacio que estaba vacío o, mejor, para crearlo. El progresismo estaba vacante, ya que los partidos de izquierda han tenido dificultades para ocuparlo de manera duradera, excepto frente a sus seguidores escasos y decididos. Kirchner sabía que nadie, en la historia reciente del justicialismo, había sentido el impulso de estar allí, en la franja progresista. Ni él mismo, por supuesto.

Aunque, en el comienzo, no adoptó la liturgia peronista e invocó al líder histórico sólo ocasionalmente, hizo su interpretación de los años setenta, no simplemente en lo que concierne al terrorismo de Estado, sino en lo que toca a la memoria militante de la juventud peronista radicalizada y guerrillera. Desde su primer discurso como presidente y, sobre todo, desde el acto en la ESMA, Kirchner ofreció un sostén a la lucha de interpretaciones que todavía está lejos de cerrarse. Kirchner no fue un intelectual pero intervino con una versión de la historia.

A partir de allí hay competencia por el discurso y Kirchner la gana.

Enunciación

Los cambios de los dos primeros años kirchneristas suceden en un momento que no los volvía predecibles. Nadie estaba esperándolos. Aun en el caso de presidentes elegidos por mayorías más amplias, después de una crisis de la magnitud de la argentina, es casi inevitable que se plantee el problema de su legitimidad, es decir, de su derecho a decidir y gobernar, incluso después de haber ganado elecciones: "Se ganan las elecciones y después hay que mantener la legitimidad frente a una ciudadanía que no está conformada por las masas en la calle, pero que tiene una capacidad de impugnación que puede llegar al desplazamiento de los gobiernos".[15] La crisis del 2001, con su corolario antipolítico, fue una enseñanza para el Presidente que llegó en 2003. Una vez superado el peor momento, que le tocó a Duhalde, no se podía descartar una escalada que pusiera condiciones al nuevo gobierno, sobre todo si se tiene en cuenta que Kirchner sabía, como todos, que el activismo peronista de la provincia de Buenos Aires podía impulsar movilizaciones e incluso saqueos del mismo estilo de los de comienzos de siglo, que acompañaron la caída de De la Rúa.

Todavía sin una organización propia, sin control sobre el justicialismo ni relación estrecha con los sindicatos, cortadas las avenidas y puentes porteños no por manifestantes que llegaban a apoyarlo sino por los más pobres que venían a reclamar lo mínimo de una inclusión, en ciudades y suburbios donde la noche era del ejército cartonero, Kirchner entendió que debía hablar a "todos" desde el único lugar donde tenía garantizada su enunciación y la difusión de su discurso: le hablaría a "la gente", a través de la televisión, desde la casa de gobierno u otro escenario que ocupara como Presidente.[16] Funcionó. En el primer año tuvo índices de popularidad que alcanzaron el 80 por ciento. Construía de este modo en dos dimensiones. Por la ampliación y el control de los planes sociales, recibía el reconocimiento de quienes más habían sufrido la crisis. Por la emisión de un discurso nítido, de gran poder de corte entre el Bien y el Mal, abría un escenario al costado de lo que había sido la política. Inteligente, Kirchner trabajó de modo diferente en una y otra dimensión, sabiendo que sólo si acumulaba poder simbólico iba a mantenerse vivo durante esa primera etapa de su gobierno.

Allí es donde aparece el "progresismo", no como conjunto de temas clásicos, ni siquiera como nueva oferta de temas innovadores, tampoco como reciclaje de tópicos justicialistas. En realidad, cuando se insinúa el "progresismo" kirchnerista ni siquiera se le dio ese nombre. Kirchner parecía lo único posible, no una versión nueva de esos viejos principios que había reivindicado en su discurso de asunción. Pero de a poco, casi imperceptiblemente, lo que decía en el Salón Blanco de la casa de gobierno fue explorando un territorio que se definía tanto por el contenido de sus intervenciones como por su tono. Era discurso performativo: construía algo no sólo a través de las palabras sino en los actos en que las pronunciaba. Valían más los actos de enunciación que los enunciados.

Esta diferencia es fundamental. Las enunciaciones (un acto, una movilización, con un público real o mediado) son el momento práctico de la política, tanto como los actos de gobierno. Desde el 2001, los políticos no habían podido generar actos de enunciación que no fueran los que les ofrecían las (precarias) condiciones institucionales, tales como discursos de gobierno o declaraciones.

Desde antes de la crisis, nadie quería ser público de una enunciación política. Ese espacio donde el político comunica había perdido todo interés y toda credibilidad. En el Salón Blanco de la casa de gobierno se anunciaron medidas de trascendencia económica, reparaciones a víctimas del terrorismo de Estado, se dieron medallas a los mejores maestros, se escucharon artistas pop y populares; comenzaron, poco más tarde, las advertencias al periodismo. Pero tanto lo que allí se decía como la aparición misma de Kirchner, su acto de decirlo, consolidaban la autoridad presidencial. Las palabras valían por el hecho de ser pronunciadas en un acto que fortalecía una autoridad que pocos meses atrás nadie le atribuía sólidamente al Presidente. No se llevaba gente a la plaza porque las movilizaciones eran difíciles; pero el Presidente, de todos modos, hablaba.

Cuando en marzo de 2004[17] Kirchner anticipó un proyecto de ley de reparación económica a los menores secuestrados por el terrorismo de Estado, la dramatización del anuncio, los asistentes, las emociones liberadas por quienes hablaron y por quienes escuchaban, las lágrimas de muchos, son un ejemplo de lo que quiero argumentar: no se trata sólo de una medida justa, se trata, sobre todo, de la puesta en escena de una alianza entre las organizaciones de derechos humanos y el Presidente, que se reforzó días después en el acto de la ESMA. Lo que se comunica a las organizaciones es importante. Pero la dramatización es fundamental, sobre todo para Kirchner. El enunciado es el proyecto de ley. La enunciación trae, al mismo tiempo, una reparación simbólica (y no sólo material) del daño y también un nuevo lugar para el Presidente. Un lugar que se define en la intersección de la medida anunciada y el público que la recibe. Desde allí, Kirchner seguirá hablando.

Ha conseguido un espacio que no tenía cuando fue electo, un espacio que no estaba garantizado por el cumplimiento de los formalismos institucionales, sino que había que inventar en el sentido en que se inventa una relación con quienes Kirchner no había tenido antes relaciones: las organizaciones de madres, abuelas e hijos de desaparecidos. Ese espacio nuevo implica nuevos interlocutores. A ello me refería cuando mencioné la "enunciación". Literalmente: meter a las organizaciones de derechos humanos en la casa de gobierno. Que esto sea tomado en sentido descriptivo y realista. Kirchner había llegado casi sin discurso a la presidencia.

Su lema de campaña había sido "un país serio", fórmula mediocre, compartida por muchos en un visitado lugar común, a la que se le agregaban acciones o atributos (niños que crecen, escuelas, trabajo). Tan chato como los eslóganes de Macri para Buenos Aires. En eso coincidía con votantes hartos de vivir en una república llena de excepcionalidades. Lo que no había hecho antes en términos simbólicos, debió hacerlo después. Mencionar "un país serio" en el discurso de asunción ya tuvo otro sentido: un país respetable, todo un desafío de reconversión para la Argentina.

Versiones de la historia

Hay un punto en que Kirchner, que no evocó a Perón en los dos primeros años, se le parece: Perón no hizo, mientras fue presidente, una bandera de la versión histórica que luego sostendrían sus partidarios. Cuando tuvo que dar nombre a los ferrocarriles nacionalizados, les puso Roca, Urquiza, Mitre y Sarmiento, precisamente las bestias negras de los nacionalistas y revisionistas. Kirchner tampoco se mostró muy docto en esos debates. Esporádicamente podía escuchársele algún nombre del santoral de intelectuales peronistas (el de Jauretche especialmente), pero no era la remisión a una interpretación del pasado lo que le interesaba. Y su esposa, con más fama de intelectual, tampoco exhibe una preparación especial en esos temas (hace poco ella leía entusiasmada un libro de divulgación histórica sobre Dorrego y twiteaba impertérrita su descubrimiento: le informaba a Chávez que Dorrego fue "el primer bolivariano").

No hubo, en efecto, en los primeros años, un reciclaje que, por otra parte, el gobierno no necesitaba para establecer una legitimidad, porque había elegido otras tácticas. Mi hipótesis es que no podía pasar de otro modo: Kirchner o no había conocido bien esos debates o los había olvidado en su vida de pragmático político santacruceño interesado en los números del presupuesto de la provincia y sus propios negocios.

La interpretación del pasado interesa, en cambio, a viejos intelectuales de la izquierda nacional, como Norberto Galasso; a destacados ensayistas como Horacio González cuyos libros creo que Kirchner no tenía ni la paciencia ni el hábito de leer, ya que son intrincados y complejos para sus propios pares; o al filósofo-historiador y novelista José Pablo Feinmann, que hizo desde *Página 12* una lectura velozmente larga del peronismo. Más que a influir en una visión de Estado kirchnerista, Feinmann va a un público interesado en la divulgación histórica, que compra libros suyos como *Peronismo* tanto como los de Felipe Pigna y Jorge Lanata (eso, por lo menos, queda claro en las listas de *best-sellers*). Otros hombres de la generación de Feinmann también se interesan en el linaje y la tradición peronista. Por ejemplo, Julio Bárbaro que, bajo el título historicista "¿Cuál es el Perón verdadero?", discute, una vez más, sobre la ideología del peronismo histórico y de su líder, retomando los precursores de FORJA, acompañados por Leopoldo Marechal y Hugo del Carril.[18] De manera clásica, Bárbaro ubica a Perón en el mismo meridiano que pisaba en los años sesenta: con De Gaulle, Gandhi, Nasser y Mao. Aunque el Bicentenario haya activado cierto sentido de la historia, es evidente que ella interesa más al responsable de los festejos, Jorge Coscia, que a Kirchner, y por una razón: Coscia la aprendió antes y recuerda mejor la versión marcada por los libros de Jorge Abelardo Ramos.[19] Además, es secretario de Cultura y la necesita como contenido de iniciativas.

Desinteresado por esa historia remota (medio siglo es una eternidad para quien gobierna en el día a día), Kirchner eligió, probablemente a ciegas, la mejor salida: no remitirse al pasado, salvo cuando se lo pone en escena como en los festejos del Bicentenario. Pero algún fundamento tenía que sostener sus intervenciones. Eso fueron los desaparecidos y los militantes.

Los rituales tradicionales del peronismo no eran útiles por varias razones. La primera es que Kirchner no podía reivindicarlos, ya que también tenían derecho a ellos el duhaldismo, todos los intendentes del Gran Buenos Aires (repudiados en esos primeros años por Kirchner, que luego los convertiría en servidores; su esposa, melindrosamente, antes ni les daba la mano), el abigarrado abanico de los gobernadores peronistas y Hugo Moyano, que había apoyado a Rodríguez Saá en las elecciones del 2003 y todavía no se había convertido en amigo del nuevo Presidente. La segunda razón es que Kirchner no estaba entrenado en esos símbolos porque nunca los había considerado útiles cuando gobernó su provincia; en pequeña escala había podido comprobar que se podía ser peronista, llevarse bien con Menem (otro mutante del peronismo) y no cantar la marcha partidaria todas las mañanas. El experimento en Santa Cruz podía significar poco en las dimensiones nacionales, pero de todas maneras había sido su experiencia. La tercera razón, es que nadie en ese momento estaba pidiendo un *revival* de rituales. Los pobres, y se dijo, estaban ocupados con enfrentar la miseria, conseguir planes sociales, movilizarse o responder a las movilizaciones de los dirigentes piqueteros; las capas medias no atravesaban un "momento ideológico" sino que aún prevalecía el talante antipolítico. Se podía tener la fantasía (equivocada) de que toda la ferretería ritual se encaminaba a su liquidación. Las versiones revisionistas de la historia tenían consagración periodística y televisiva, habían triunfado desde hacía tiempo en el sentido común nacionalista y conspirativo que tiende a pensar la historia como una conflagración de letrados (generalmente aliados con potencias extranjeras o poderes locales) dedicados a perjudicar al pueblo. No había ningún rédito que sacar de ese pasado. Lo que queda en pie del revisionismo es más fuerte que nunca porque se aloja en el sentido común. Sólo grandes intervenciones como las del Bicentenario, siete años después del momento inicial, reciclarán con éxito el pasado, en un remix electrónico y tecnoperformativo.

Por eso, porque el pasado ya no conservaba esa vitalidad que lo hace necesario en el presente, un solo acontecimiento ocupó el centro de la escena: el terrorismo de Estado. Allí era posible dar un combate por la historia y quienes lo dieron habían sido protagonistas de algunos de los hechos cuya historia se evocaba.

Esto explica que, siete años después de la llegada de Kirchner, el desfile del Bicentenario comenzara con las Madres de Plaza de Mayo y que fueran las Madres quienes tuvieran el espacio más espectacular en el Paseo del Bicentenario. Se podría haber tomado otro camino y trabajar otras hipótesis que organizaran los cuadros de ese desfile. Pero colocar a las Madres en su inicio quería decir que, en 2010, la batalla revisionista más fuerte y verdadera (aquella donde se juega algo) es respecto de ese pasado reciente, el de la última dictadura militar. El guión fue supervisado, según se dice, por la presidenta Cristina Kirchner sobre una propuesta del secretario de Cultura Jorge Coscia y el historiador Javier Trímboli. La perspectiva es la de una historia de masas y no de protagonistas individuales, una historia desde abajo, donde los sujetos populares colectivos son vitales y creativos, pese a haber sido víctimas.

Abrir un desfile es abrir una cadena de significaciones, organizar una historia por imágenes: los pueblos originarios, los criollos y la Patria, los inmigrantes que llegaron por tierra, en trenes, en barcos, el éxodo jujeño, el cruce de los Andes, la Vuelta de Obligado, la Constitución incendiada por los golpes de Estado, los carnavales populares (incluido entre ellos el regreso de la democracia), las crisis y los especuladores (la de 1890 y la del 2001), los soldados en Malvinas, las Madres de Plaza de Mayo, el futuro simbolizado en los logros presentes del kirchnerismo. En el inevitable efecto carnavalesco de un desfile (que unió la estética del grupo local Fuerzabruta a un elemental guión cuya comprensión no era siquiera necesaria), las Madres y los soldados de Malvinas tuvieron el mayor peso de sentidos legibles. Consideremos el carrusel de las Madres.[20]

En referencia al Holocausto, Alain Badiou escribió: "Al contrario de lo que suele decirse, la prohibición de una repetición proviene del pensamiento y no de la memoria".[21] La representación pop e hiperrealista de las Madres dando vueltas alrededor de la pirámide (en el stand del Paseo del Bicentenario) o girando sobre un carrusel bajo la lluvia (en el desfile de Fuerzabruta), ¿es del orden de la repetición o del pensamiento? Ni lo uno ni lo otro: pertenece al orden de las imágenes mudas en las que se confió para que representaran la continuidad de un significado en el tiempo.

Si se piensa por imágenes, la historia condensada en el Desfile del Bicentenario coincide con el punto crucial elegido por Kirchner para sintetizar el pasado que lo antecede. La versión es redencionista: las Madres cierran la violencia del siglo XX y preparan la reparación de los primeros años del siglo XXI. La escena de los soldados de Malvinas es una imagen de víctimas. Las Madres, en cambio, son sujetos en acción. Si bien ellas constituyen un colectivo, no son sujetos anónimos (como los que representaron a los pueblos originarios, a los inmigrantes o a los soldados de guerras diversas), sino un sujeto coral cuyos integrantes son individualizables. Las Madres actuaron juntas pero dependieron de la voluntad de cada una de ellas. Son esa clase particular de sujeto colectivo que llamamos organización. En eso se diferencian de todos los demás representados en el desfile, que eran colectivos anónimos. Las Madres tienen la unilateralidad que caracteriza a las organizaciones fundadas sobre una reivindicación única (el hoy abandonado "aparición con vida"). Las Madres han repetido su relato. Es evidente que haber sido protagonista de una historia no es una garantía de haberla entendido; la imagen de una acción heroica no es un obstáculo a la comprensión, pero tampoco es invariablemente un lugar privilegiado para entenderlo.

"Es asombroso constatar (escribe también Badiou) que en nuestros días ya no tenemos prácticamente ningún pensamiento del tiempo. Para casi todo el mundo pasado mañana es abstracto y antes de ayer, incomprensible. Hemos entrado en un período atemporal, instantáneo, lo cual muestra hasta qué punto, lejos de ser una experiencia individual compartida, el tiempo es una construcción e incluso, puede decirse, una construcción política."[22] Durante décadas el debate sobre la historia fue más político que historiográfico. Pero, en todo caso, al ser político reforzaba las continuidades o rupturas que el presente realizaba respecto del pasado. El Desfile del Bicentenario fue políticamente correcto (pueblos originarios y música de estilización folklórica en abundancia) y tampoco se salió de un libreto histórico con grandes *highlights* revisionistas, como el combate de Vuelta de Obligado. Pero, en general, fue anodino y previsible. Las imágenes no decían más que lo que se sabía.

Sin embargo, respondieron a una hipótesis articuladora: la centralidad de las Madres. Ellas, bajo la lluvia escénica y los focos blancos debajo de los pañuelos de modo que sus cabezas fueran a la vez luz de teatro y luz simbólica, fueron el punto que organizaba el pasado en función del presente. Ese punto es, como en toda historia, una elección. Se eligió a las Madres como protagonistas porque se las coloca en un más allá del debate. Ellas transportan una demanda ética que es aceptada por casi todos. De esta celebración de las Madres se excluirían solamente quienes piden que se trate a la guerrilla del mismo modo que al terrorismo de Estado, lo cual es, en sí mismo y según estándares nacionales e internacionales, un disparate jurídico.

El sentido del tiempo que, según Badiou, se ha convertido en un jeroglífico, un laberinto plano, se restablece por medio de una captación sensible, por el lado de los afectos y las comparaciones. La historia contorsionada se vuelve afectiva y simple. Incluso los errores son pasionales.

Para Kirchner esto tuvo ventajas evidentes. Frente a lo que hicieron las Madres, a nadie se le puede reclamar actos comparables. Ese lugar común traza una línea imaginaria: las Madres de un lado; del otro, el resto del mundo y, por lo tanto, si nadie es comparable con las Madres, Kirchner que no hizo nada durante toda la dictadura no tiene nada que reprocharse y, sobre todo, nadie puede reprocharle su inacción. Además se fortalece públicamente, en nombre de la República, el pacto del gobierno con las organizaciones de derechos humanos. Nótese bien: el pacto político es con las organizaciones y ellas son el soporte y el contenido de la imagen con la que se condensa la historia. Por eso Kichner no necesita, como lo hace Chávez, conocer un pasado del que nunca supo nada; no necesita saber quién fue Prestes o Simón Rodríguez, a los que Chávez nombra siempre.

Una anécdota aparentemente mínima es significativa.[23] A mediados de abril de 2005, Kirchner, su esposa, el ministro de Educación, el de Relaciones Exteriores y la comitiva de rigor visitaron el campo de concentración de Dachau, próximo a Munich. Según el diario *La Nación* del domingo 17 de abril, no desmentido por nadie, el Presidente respondió a la pregunta de una periodista de una agencia española sobre si "esto" (lo que estaban viendo) era comparable con lo que sucedió en Argentina durante la dictadura. La pregunta era inoportuna y, si se quiere, banal. El Presidente no la esquivó, algo que podría haber hecho fácilmente contestando que visitaba por primera vez en su vida un campo de concentración para recordar a los millones de víctimas y comprobar la barbarie de la muerte industrializada que el nazismo había organizado allí. Pero Kirchner no dijo eso, sino que contestó: "Es comparable. Con otras dimensiones y otros métodos de eliminación". Evidentemente, el canciller Bielsa no había preparado al Presidente para que respondiera de manera adecuada y "normal" a las preguntas; o, si lo había hecho, Kirchner no le prestó atención.

Es casi innecesario decir que un jefe de Estado no debería visitar un campo de concentración nazi ignorando por completo que, justamente en Alemania, estalló en 1986 una decisiva polémica sobre si la llamada "solución final" podía ser comparada con otros genocidios de la historia y, en especial, con los campos de concentración soviéticos. No es necesario ser un especialista en historia alemana para tener por lo menos una vaga idea de la existencia de esa polémica, que no fue sólo académica sino pública, con la participación estelar de Habermas. El Presidente podría no conocerla. Pero el ministro de Educación, un técnico que proviene de las ciencias sociales, y el Canciller, un intelectual y escritor, no pueden haber pasado por alto al menos el rebote de esa polémica en la segunda mitad de la década del ochenta.[24]

Todo esto no forma parte del mundo de Kirchner, que se consideró más allá del bien y de mal simplemente por su alianza con los organismos de derechos humanos. Entre los comportamientos adecuados a un presidente no está el de hablar como si sólo fuera un turista emocionado. Quien haya visitado un campo de concentración nazi podría agregar que el comportamiento más adecuado es quedarse en silencio y escuchar al guía. El impacto es tan absolutamente demoledor que el silencio no es una mala respuesta si no se ha llevado una frase preparada de antemano por un experto. Los funcionarios, cuando se mueven como tales en el espacio público, no tienen las prerrogativas de la dolida espontaneidad de los ciudadanos comunes.

La teoría de "los dos demonios" quizás sea en parte responsable de la respuesta de Kirchner. Inventada para establecer una falsa equivalencia entre la guerrilla y el terrorismo de Estado, se convirtió rápidamente en una suerte de test ideológico aplicado a todas las posiciones respecto de los crímenes de la dictadura militar. Esa utilización, más que aumentar el repudio contra la dictadura, pone una especie de límite a lo que se puede pensar sobre lo acontecido en la década del setenta. La teoría de "los dos demonios" no sólo es equivocada porque establece una equivalencia entre lo que hicieron ciudadanos particulares e instituciones del Estado como las fuerzas armadas; es también equivocada cuando se la utiliza para cerrar de manera sencilla el estudio de lo que sucedió en los años setenta. La dictadura militar asesinó sin ser un régimen nazi; inventó figuras como la del desaparecido, novedosas en la historia de la represión local e internacional, así como los nazis tuvieron que organizar una forma hasta entonces desconocida de matanza industrial, pero esos dos inventos no acercan a un régimen respecto del otro ni habilitan a comparar un campo de concentración nazi con un chupadero argentino. En ambos lugares se asesinaron personas en cantidades incomparables una con otra, y esos asesinatos fueron impulsados por imaginarios de muerte y de exterminación racial también muy diferentes. No se trata sólo del número de víctimas, sino de la decisión de exterminar a todos los que se definió como judíos, decisión llevada a cabo en un lapso de tiempo similar al que abarca el período que la dictadura dedicó intensamente a secuestrar y matar. Que entre los represores locales haya habido antisemitas, no convierte este dato en la ideología central del aparato represivo. Todo esto debe seguir siendo estudiado porque lo único que no admite es un sistema de equivalencias fácil, que es inservible tanto para entender a Dachau como a la ESMA. Así como la equivalencia de los dos demonios no sirve para entender el terrorismo de Estado ni el terrorismo guerrillero.

Durante la visita a Dachau, se suscitaba una y otra vez la comparación argentina, como si los visitantes tuvieran dificultades para concentrarse en lo que estaban viendo y sólo pudieran entenderlo si hacían comparaciones con la realidad de donde llegaban, como si fueran viajeros que entraran en un mundo desconocido. Esto es ciertamente raro, porque el Holocausto no es un mundo desconocido, sino el hecho clave del siglo XX, que se sostiene en sí mismo y que ha sido el gran tema de la historia, la política, la filosofía, el arte y los medios durante las últimas dos décadas.

Ningún universitario, miembro de las capas medias, puede visitar un campo de concentración como si lo visto allí lo agarrara de sorpresa. Cristina Fernández preguntaba, por ejemplo, cómo el olor de los crematorios no era percibido por los habitantes de la vecina ciudad de Munich, pasando por alto el contencioso capítulo, extensamente escrito, sobre cuánto sabían los alemanes de lo que sucedía en los campos. No se trata de un dato de historia académica; se trata de la divulgación histórica del último medio siglo.

Hacia el final de la visita, Kirchner siguió improvisando: "Hay que enseñar en los colegios lo que pasó en la Argentina", decía. El ministro de Educación, Daniel Filmus, lo atendía. "Quiero que se haga una película sobre la represión militar, sobre la base del libro de Miguel Bonasso", *Recuerdo de la muerte.* "Hay poco cine sobre el tema."[25] Con la simpleza del distraído, Kirchner pasó por alto todo lo que se filmó en la Argentina en los últimos veinte años. Por supuesto, alguien podría afirmar que siempre es poco comparado con la enormidad de los hechos, y que frente a miles de desaparecidos sólo serían suficientes miles de películas. Pero otros responderían que Kirchner no ha tenido tiempo para ver los films y videos sobre el terrorismo de Estado, los campos, los desaparecidos, ni de leer las novelas publicadas, y que sólo la ignorancia (un poco insultante) le hizo pronunciar la primera frase. En la segunda, adopta la perspectiva de un monarca: quiere que se haga una película sobre un libro determinado, como Luis XIV podía pedirle una tragedia a Racine, con la diferencia de que tenía a bien conocer qué tragedias se habían escrito antes. Kirchner y algunos en su entorno más próximo dieron la impresión de que acababan de incorporarse al amplio campo de ideas, hipótesis, discusiones y conflictos que se abrió después de la caída de la dictadura.

La invención política: ESMA

Finalmente, por eso, Kirchner confió todo su pasado a las Madres. Ellas definieron siempre uno de los ejes del progresismo. Primero, porque en los años de la dictadura sólo tuvieron el apoyo de pequeñas agrupaciones políticas de extrema izquierda, unos poquísimos políticos de los partidos tradicionales que estaban en la Asamblea Permanente por los Derechos Humanos (Alfredo Bravo y Raúl Alfonsín) y grupos como el de Adolfo Pérez Esquivel en el SERPAJ. Siempre estuvieron en el meridiano de la izquierda política, aunque durante la transición democrática se fracturaron y, al mismo tiempo, ampliaron sus apoyos con un reconocimiento tan vasto como fue estrecho su aislamiento durante la dictadura. Al declararse Kirchner como hijo de las Madres y de las Abuelas, quedó inscripto en ese campo magnético, que no había visitado antes. Fue su argumento principal en el comienzo de una disputa por el progresismo en Argentina.

Esos símbolos tuvieron escasa importancia en la vida de Kirchner como gobernador patagónico, atenida más bien a los horizontes materiales del poder. Si le habían importado los símbolos más allá de sus usos prácticos, ello sólo podría comprobarlo quien investigara su vida privada (y convengamos que no es el tema principal para investigar allí). Sin embargo, Kirchner hizo su acto en la ESMA y, ese 24 de marzo de 2004, dio un paso principal en su propia invención política. Tanto objetiva como subjetivamente fue un acto fundador, donde jugaron un papel los afectos, las convicciones demoradas, la imaginación, viejas experiencias sobre las que se habían acumulado los años y, sobre todo, la certeza de que la iniciativa era portadora de muchos bienes y pocas desventajas.

No se puede subestimar la sinceridad del acto fundador. Tampoco es posible pasar por alto que un político inteligente sabía que las organizaciones tenían un pliego de reclamos justos e insatisfechos para los cuales había llegado la oportunidad.

Poseído por la emoción, una frase del discurso de Kirchner reveló exactamente lo que creyó que estaba haciendo en ese momento: "Las cosas hay que llamarlas por su nombre y acá, si ustedes me permiten, ya no como compañero y hermano de tantos compañeros y hermanos que compartimos aquel tiempo, sino como Presidente de la Nación Argentina vengo a pedir perdón de parte del Estado nacional por la vergüenza de haber callado durante veinte años de democracia por tantas atrocidades. Hablemos claro: no es rencor ni odio lo que nos guía, me guía la justicia y la lucha contra la impunidad. Los que hicieron este hecho tenebroso y macabro de tantos campos de concentración, como fue la ESMA, tienen un solo nombre: son asesinos repudiados por el pueblo argentino".[26] La frase se sostenía en un olvido de origen personal y político.

Paradójicamente, Kirchner llegaba para reivindicar la memoria y comenzaba olvidando el Informe de la CONADEP y el juicio a las Juntas. Habría podido decir que los efectos de esos actos ocurridos durante el gobierno de Alfonsín habían sido cancelados por las leyes de Punto Final, Obediencia Debida y el indulto. Pero no dijo eso porque habría sido un rcconocimiento a Raúl Alfonsín y a la Cámara Federal que condenó a los comandantes; un reconocimiento también al trabajo de decenas de personas que, a diferencia de Hebe de Bonafini, aceptaron la tarea gigantesca e inaugural de la CONADEP. Decirlo habría sido ubicar la recuperación de la ESMA como capítulo de una historia con más de veinte años (aunque se pensara que era el capítulo más importante), que había arrancado en la transición democrática y que, precisamente, por el juicio a las Juntas, había diferenciado la transición argentina de otras latinoamericanas.[27]

Para presentar el acto en la ESMA como inaugural era necesario cancelar un pasado, incluso si al cancelarlo Kirchner perdía la oportunidad de acusar a Alfonsín de haber borrado el principio de justicia que había instalado con el juicio a las Juntas, y de acusar a Menem de cómplice de los crímenes que había indultado.

La frase de Kirchner lo impone como fundador. Lo que para él era una "primera vez" se convertía en "primera vez" para todos.

Él, que no se había ocupado de los derechos humanos hasta llegar a la presidencia, transfería ese *lapsus* al Estado argentino y a otro Presidente, Raúl Alfonsín, que había hecho su campaña electoral comprometiéndose a juzgar a los comandantes responsables de los crímenes de la dictadura. De haberlo mencionando, Kirchner habría podido decir que era demasiado poco, pero también renunció a esa crítica. Por otra parte, no mencionar a Alfonsín era evitarse el incómodo recuerdo de que él mismo votó, en 1983, a un Partido Justicialista que consideraba legal la autoamnistía que se habían otorgado los militares antes de dejar el gobierno.

Para Kirchner no existió la tortuosa historia de los gobiernos argentinos y los crímenes de la dictadura, hecha de avances extraordinarios y de retrocesos que no los borraban pero bloqueaban sus efectos jurídicos. Si yo no estoy, dice el fundador, no hay pasado; donde yo no estuve, no hubo justicia. No fue un error ni una manifestación cruda de sectarismo. Fue, más allá de todo cálculo, algo inevitable para quien se instituía como el primero de un nuevo comienzo. Un punto cero del pasaje iniciático que lo introducía en un mundo emocionante, triste, evocativo, nostálgico, revolucionario, democrático, afectivo, filial, ético y político.

Probablemente, puestos a hacer hipótesis, su relación con Hebe de Bonafini lo confirmó en la falsedad de que él, Kirchner, era el primero. Bonafini rechazó la CONADEP y criticó con salvajismo todos los actos del gobierno radical. Sectaria extrema, cuya intransigencia fue indispensable a su gesta pero la convirtió en paleoultraizquierdista, antes de la llegada de Kirchner ya había provocado una escisión en Madres de Plaza de Mayo. Resulta casi una improvisación poco verosímil que Kirchner escuchara la versión de Bonafini sobre los últimos veinte años y comenzara a mirar las cosas desde ese lugar irredento. Sin embargo, en el discurso de la ESMA, coincidió con ella y con la versión de la historia que agitaban las fracciones más radicalizadas del movimiento de derechos humanos.

Horas antes del acto en la ESMA, Kirchner había estado en el Colegio Militar. Allí el general Bendini, bajo las órdenes del presidente, debió descolgar los retratos de Videla y Bignone.[28] Antes de que Bendini se subiera a la escalerita para descolgar él mismo los retratos, demostrando subordinación a la orden de su jefe constitucional, muchas cosas, incómodas de recordar en aquel momento, habían sucedido. Entre ellas, que Menem (el archienemigo que ni se nombra) había designado al general Martín Balza como Jefe del Estado Mayor del Ejército, manteniéndolo allí desde 1991 hasta 1999. Ése fue un giro de orientación de las fuerzas armadas impreso por un militar que se había autocriticado públicamente de los hechos cometidos durante la dictadura (en los cuales no había participado de modo directo). Por supuesto, ese 24 de marzo de 2004, como se viene razonando, Kirchner no había llegado al Colegio Militar para presentarse como síntesis de lo que había conseguido la democracia, sino como iniciador de una nueva era.

Hubo quienes optaron por quedar afuera y quienes se sintieron dejados de lado. En la ESMA se desarrolló, en segundo plano, otra línea del drama político, con un argumento más terrenal. Kirchner pulseó con los gobernadores peronistas que no asistieron por las razones más diversas (alegadas o reales):

> Casi todo el gabinete nacional y tres gobernadores aplaudían desde la calle, mezclados con los manifestantes congregados para recordar el 28° aniversario del golpe militar y la entrega de la ESMA para transformarla en el Museo de la Memoria. La gran mayoría de los jefes peronistas faltó al acto tras los cuestionamientos de la titular de Madres de Plaza de Mayo, Hebe de Bonafini. Sólo fueron el santacruceño Sergio Acevedo y el misionero Carlos Rovira (hoy alejado de la estructura del PJ). También participó del acto el mendocino Julio Cobos, de la UCR. Kirchner, muy enojado, respondió desde el escenario a los cinco gobernadores peronistas que el día anterior habían redactado una solicitada en la que defendían su actuación durante la dictadura y su compromiso con los derechos humanos. "Esto no puede ser un tira y afloja entre quién peleó más o peleó menos, o algunos que hoy quieren volver a la superficie después de estar agachados durante años, que no fueron capaces de reivindicar lo que tenían que reivindicar", enfatizó. Fuentes del Gabinete explicaron que el Presidente estaba especialmente fastidiado con la actitud de José Manuel de la Sota y Felipe Solá, que encabezaron ceremonias en sus provincias y deslizaron críticas hacia la política de la Casa Rosada. Apenas había banderas partidarias en las cercanías de la ESMA, pero sí símbolos de gremios, de la asociación de ex piqueteros que conduce Luis D´Elía y de las agrupaciones de ex prisioneros de la dictadura.[29]

La lista de los presentes y de los que se quedaron al margen indica qué poco respondía a Kirchner el aparato justicialista de ese momento. Ningún poder territorial bonaerense, ni siquiera el gobernador. Ningún otro gobernador de gran peso. Previsor, Cobos, ya comenzaba su alineación con el Ejecutivo y no dejó solo al Presidente. De la plétora de organizaciones sociales que se multiplicarían poco después, sólo D'Elía. Visto en perspectiva (Kirchner descubrió esa perspectiva en ese mismo instante), esa soledad le permitía una libertad de movimiento y lenguaje que era la que necesitaba el fundador para cumplir, en primer lugar, con la condición necesaria de fundarse.

Consecuencia del acto de la ESMA fue el pacto de Kirchner y su gobierno con Madres, Abuelas de Plaza de Mayo, e HIJOS. Una alianza, la más duradera de los años Kirchner. Hebe de Bonafini y Estela de Carlotto, que habían diferido en estilo y táctica hasta ese momento, quedan unificadas por arriba, en el arco que pasa por la cabeza del Ejecutivo, las presencias como efigies tutelares en los actos en el Salón Blanco y el siempre emocionado abrazo de la esposa del Presidente. La renovación de la Corte Suprema impulsada por Kirchner hizo posible que se terminara de ajustar el capítulo de las deudas con el pasado cuando, en junio de 2005, declaró inconstitucionales las leyes de Punto Final y Obediencia Debida.[30]

Kirchner cumplió su promesa como no lo hizo, de modo tan completo y pleno, con ninguna otra. Se apoyó en un consenso democrático; el resultado fue que la anulación de esas leyes pasó directamente a fortalecer su figura política. Las organizaciones de derechos humanos quedaron comprometidas con ese hombre que siguió teniéndolas a su lado, en una intensa relación donde también se cruzan los laberintos del poder, los cargos públicos, las asignaciones de espacios y de presupuestos. Madres y Abuelas se politizaron en el sentido más cotidiano, prosaico y concreto. De organizaciones de la sociedad pasaron a ser intermediarias entre un conjunto de valores que representan y un gobierno que, hasta ahora, no las ha defraudado.

Fiel a su iniciación en ese espacio recién recuperado de la ESMA, Kirchner también se mantuvo fiel a quienes lo acompañaron hasta allí. Al fundarse, les asignó un lugar a las organizaciones en el nuevo esquema de poder que construiría. Encontró así una imagen diferente, más rica y más lanzada hacia el futuro que la del "hombre común" con la que se había presentado al asumir el gobierno. Entonces era un político sobre quien habían caído las responsabilidades y que prometía manejarlas con moderación y consenso. Un año después, este perfil democrático "normal", que se inscribe en el orden simbólico de la República, tomó un giro que interpela más directamente la afectividad y la dimensión imaginaria.[31] Kirchner mantiene una colocación doble respecto de las organizaciones: les asegura una promesa que va a cumplir como presidente, pero también como militante. Es y no es uno de ellos. Es también el hijo que ha regresado poderoso: algo que resuena con una imaginaria duplicidad positiva.

1 Norberto Bobbio, *Derecha e izquierda; razones y significados de una discusión política*, Madrid, Taurus, 1995 (primera edición italiana, 1994).

2 Bajo la influencia de Anthony Giddens, cuyo libro fue muy leído: *La tercera vía. La renovación de la socialdemocracia*, Madrid, Taurus, 1998.

3 Juan Carlos Torre hace una evaluación diferente de los votos perdidos por la Alianza en las elecciones legislativas de 2001. Analiza los resultados y sostiene que, además de que el peronismo fue el partido que perdió menos votos, los electores que antes habían votado por la Alianza proviniendo del FREPASO "dirigieron su descontento en una proporción mayor hacia otros dos destinos: las pequeñas agrupaciones de la izquierda ideológica (troskistas, socialistas revolucionarios, comunistas), las cuales multiplicaron en un 200 % su magro valor máximo anterior; y hacia una nueva formación de centro-izquierda, Argentina por una República de Iguales (ARI), creada en la víspera de las elecciones en nombre de la condena moral (...) Unos y otros convirtieron su respectivo disconformismo con la oferta partidaria existente en el problema político de la crisis de la representación partidaria en Argentina" ("La crisis de representación partidaria en Argentina", mimeo).

4 En el 2002, Casullo escribió sobre Kirchner en su tono atravesado por la crisis y el fracaso aunque también por la melancólica expectativa: "Néstor Kirchner representa la nueva versión de un espacio tan legendario y trágico como equívoco en la Argentina: la izquierda peronista (...) Busca resucitar esa izquierda sobre la castigada piel de un peronismo casi concluido después del saqueo ideológico, cultural y ético menemista. Convocatoria kirchneriana a los espíritus errantes de una vieja ala progresista". Y hacia el final: Kirchner "insiste en dar cuenta de que ésta no fue toda la historia. Que hay una última narración escondida en los mares del sur" (republicado en *Página 12*, 14 de noviembre de 2010).

5 El paradigma de "llegada" es definido por Silvia Sigal y Eliseo Verón en *Perón o muerte*, *op. cit.*

6 *La Nación* es sensible a la excepcionalidad del momento: "Eran las 15.49 cuando Kirchner concluyó su discurso y empezó a preparar el viaje a la Casa Rosada,

en un coche azul de cuatro puertas. Lo acompañaban su mujer, la senadora Cristina Fernández, y su hija, Florencia. Esta vez no se usó el tradicional Cadillac descapotable, por razones de seguridad. Sin embargo, apenas se bajó en la explanada de la casa de gobierno Kirchner rompió el protocolo y enloqueció a los custodios, al cruzar la calle Balcarce y acercarse a las vallas que lo separaban del público que intentaba saludarlo. Sin querer, un fotógrafo golpeó a Kirchner en la frente y le abrió una herida que lo obligó a colocarse un apósito y a aceptar, desde esa hora, las recomendaciones del protocolo". Martín Rodríguez Yebra, "Kirchner asumió con un fuerte mensaje de cambio", *La Nación*, 26 de mayo de 2003.

7 Luis Bruschtein, "Miles de personas en las plazas y en Avenida de Mayo", *Página 12*, 26 de mayo de 2003.

8 Esa frontera sería la de un "liderazgo de ruptura", como lo denomina Hugo Quiroga en *La Argentina en emergencia permanente*, Buenos Aires, Edhasa, 2005, p. 323.

9 Sobre la biografía política de Kirchner antes del 2003, véase al libro ya citado de Walter Curia.

10 Ricardo Sidicaro ha descripto los peronismos en su libro *Los tres peronismos, Estado y poder económico*, Buenos Aires, Siglo XXI, ed. aumentada 2010. Natalio Botana describe las refundaciones políticas del justicialismo con la fórmula "transformismo peronista". Véase: *Poder y hegemonía; el régimen político después de la crisis*, Buenos Aires, Emecé, 2006, cap. II.

11 Duhalde, por cierto, no le dejó a Kirchner una pesada herencia. Escribe Marcos Novaro que Duhalde le aseguró "el respaldo del PJ bonaerense y le heredó un ministro de Economía, Roberto Lavagna, y una política de equilibrio de las cuentas públicas, tipo de cambio alto, renegociación de la deuda y los pasivos bancarios con quitas significativas y contención de la inflación, que permitiría a la Argentina recuperar en los siguientes tres años el terreno perdido desde 1998. Para el desarrollo de esta política de reactivación, ejecutada en gran medida dentro de los parámetros de las recetas ortodoxas (superávit fiscal, tipo de cambio competitivo y saneamiento financiero), fue necesario contener las presiones por la recuperación de los ingresos, que perdieron entre fines de 2001 y 2003 alrededor de un 50% de su poder adquisitivo en el sector público y los pasivos, y algo más del 20% en el conjunto de la economía, y recién comenzarían a recuperarse bien avanzada la gestión de Kirchner, en 2005. A ello no sólo contribuyó la atribución de responsabilidades a la Alianza y al menemismo, sino la naturalización de los efectos de la devaluación del peso (que en el espacio de pocos meses pasó a cotizarse a 3 unidades por dólar) y de la inflación resultante (alrededor de 50% el primer año, aunque contenida y decreciente desde mediados de 2002). Complementariamente, Kirchner supo trazar, desde su asunción en mayo de 2003, una estrategia para compensar estos costos sociales con una orientación progresista en otros terrenos: la reapertura de los juicios por violaciones a los derechos humanos, el recambio de algunas figuras desprestigiadas de la Corte Suprema, un discurso confrontativo frente a la política exterior de EE.UU. y Europa, y una estrategia dura en la renegociación de contratos frente a los organismos internacionales de crédito, los tenedores de bonos, las empresas privatizadas y otros

grandes beneficiarios de las reformas de los noventa. Con esas banderas en sus manos, ganó aún más apoyo de la opinión progresista y permitió a muchos dirigentes provenientes del FREPASO, incluido el propio Álvarez, y de grupos aún más a la izquierda, de raíces peronistas la mayor parte, incorporarse como colaboradores en su gobierno declamando que no se debía ver en ello un regreso al PJ sino el origen de una nueva coalición que trascendería las barreras partidarias tradicionales y transformaría de cuajo la política, la economía y la sociedad argentinas" (M. Novaro, "Izquierda y populismo en la política argentina", en: Pedro Pérez Herrero (comp.) *La izquierda en América Latina*, Instituto Universitario Ortega y Gasset y Fundación Pablo Iglesias, Madrid, 2006). Véase también: Marcos Novaro, *La historia de la Argentina; 1955-2010*, Buenos Aires, Siglo XXI, 2010, p. 292.

12 Sobre los problemaa de las democracias "basadas en la opinión pública", véase el análisis de Bernardo Sork y Danilo Martuccelli, *El desafío latinoamericano; cohesión social y democracia*, Buenos Aires, Siglo XXI-Instituto Fernando Enrique Cardoso, 2008, especialmente pp. 90-99.

13 Morales Solá interpretó el discurso de asunción de Kirchner del siguiente modo: "Sus referencias a la economía han sido las de un socialdemócrata, las mismas que se podrían encontrar en cualquier exposición del español Felipe González o del brasileño Lula da Silva. Una argamasa donde conviven la disciplina fiscal (que prometió respetar con fanatismo), la sensibilidad social y la presencia del Estado donde el mercado no llega. Si bien se manifestó inclinado a la presencia de un 'capitalismo nacional', al mismo tiempo se despachó contra el 'nacionalismo ultramontano' para describir una economía ideal" ("Un hombre común sin atributos caudillescos", *La Nación*, 26 de mayo de 2003). Y no se trataba en ese momento de una equivocación; Morales Solá había escuchado un discurso desarrollista, que subrayaba la importancia del consumo interno, la responsabilidad fiscal, la inversión con recursos propios (no había otros con el default), la continuación de las políticas sociales de Duhalde y su extensión en la medida en que fuera posible, y un Estado que no fuera abordado con el dogmatismo de los noventa ni el hiperestatismo de los nacionalismos del pasado.

14 Hugo Quiroga, *La república desolada; los cambios políticos en la Argentina (2001-2009)*, Buenos Aires, Edhasa, 2010, pp. 63-64.

15 "Reinterrogando la democracia en América Latina". Conversaciones entre Isidoro Cheresky, Liliana De Riz, Ernesto Laclau, Vicente Palermo. Coordinadoras: Claudia Hilb, Susana Villavicencio, 9 de mayo, 2007 (mimeo, p. 10).

16 Observa Isidoro Cheresky que Néstor Kirchner "se instaló como líder por su acción de gobierno, configurando una imagen de representación del pueblo sustentada en una relación directa con la ciudadanía, aunque esta relación revistiera un carácter virtual o imaginario y sólo ocasionalmente se tradujera en el contacto real o aun mediado" ("Un signo de interrogación sobre la evolución del régimen político", en I. Cheresky (ed.), *La política después de los partidos*, Buenos Aires, Prometeo, 2006, p. 29). El carácter mediado no fue tan ocasional, ya que se trasmitían regularmente sus intervenciones en el Salón Blanco de la casa de gobierno, donde el Presidente no hablaba para su público inmediato sino para la prensa gráfica y audiovisual.

17 "El Estado indemnizará a los chicos apropiados durante la dictadura", *Página 12,* 13 de marzo de 2004. En el acto habló María Esther Alonso Morales, hija de desaparecidos, abogada de las Abuelas de Plaza de Mayo, que consideró que cualquier reparación seguiría siendo "irrisoria" hasta tanto no se esclarecieran las desapariciones y las identidades sustraídas.
18 Julio Bárbaro, "¿Cuál es el Perón verdadero?" *Perfil,* 25 de julio de 2010.
19 Jorge Fernández Díaz, "Kirchnerismo bolivariano del siglo XXI", *La Nación*, 29 de mayo de 2010.
20 Descripción del primer cuadro de Fuerzabruta en el Desfile del Bicentenario. Colgado en Canal 7.
21 A. Badiou, *El siglo*, Buenos Aires, Manantial, 2005, p. 13, nota 3.
22 *Ibid*., p. 137.
23 Retomo la noticia y su análisis de lo publicado en la revista *Debate.*
24 Las organizaciones de derechos humanos argentinas realizaron seminarios con militantes y especialistas en cuyo transcurso se tocó la cuestión y la Comisión Provincial de la Memoria también fue escenario de ese debate, donde Silvia Sigal y Hugo Vezzetti expusieron su opinión de que lo acontecido en la Argentina era, en sí mismo, lo suficientemente terrible sin requerir que se lo asociara al genocidio nazi ni por su imaginario ni por sus métodos.
25 Mariano Obarrio, "En Dachau, Kirchner reforzó su idea de los museos de la memoria", *La Nación*, 17 de abril de 2005.
26 *Página 12*, 25 de marzo 2004.
27 Marcos Novaro sostiene: "La desvalorización manifiesta del Presidente de lo que significó la transición democrática en este terreno (expresada no sólo en el argumento sobre la continuidad entre 1976 y 1983, sino en el "olvido" de los juicios a las Juntas y la tarea de la Conadep) lejos de significar un error o falta, es parte esencial del dispositivo político-cultural montado, que aspira a incorporar y disolver los derechos humanos en la tradición nacional-populista, antes que abrir ésta a la influencia de aquéllos" (p. 22).
28 Nora Veiras, "Quedaron los clavos para la historia", *Página 12,* 25 de marzo de 2004, escribe: "'Proceda' fue la orden del presidente Néstor Kirchner. El jefe del Ejército, Roberto Bendini, se subió a una escalerita y obedeció. Descolgó los retratos de los genocidas Jorge Rafael Videla y Reynaldo Benito Bignone. Las fotos enmarcadas en dorado desaparecieron rápidamente en manos de un ordenanza rumbo al despacho del director del Colegio Militar. El mismo día, hace veintiocho años, esos militares que pasaban al desván de la historia por sus crímenes habían pergeñado el último golpe institucional. 'Nunca más, nunca más, tiene que subvertirse el orden institucional en la Argentina', arengó Kirchner frente al pleno de cadetes en ropa de fagina y los exhortó a que 'las armas nunca más puedan ser direccionadas hacia el pueblo'".
29 *La Nación,* 25 de marzo de 2004.
30 Promulgadas por Raúl Alfonsín, habían sido anuladas por la Cámara de Diputados y el Senado en agosto de 2003. La iniciativa de anulación contó a diputados de la oposición, como Elisa Carrió, y Kirchner la apoyó decididamente.
31 Jorge Belinsky describe esta potencialidad de la imagen en sus consideraciones sobre Le Goff y Bazcko: "Real, simbólico, ideológico e imaginario... resulta

evidente que la imagen, como unidad semántico-conceptual, pertenece a lo imaginario pero no es ajena a los otros ámbitos: infiltra lo real, acecha lo simbólico y es parte sustancial de lo ideológico" (J. Belinsky, *Lo imaginario: un estudio*, Buenos Aires, Nueva Visión, 2007, p. 101).

VII. La "forma" Kirchner

"Con sus defectos y virtudes, logró sobreponerse
a todas las vicisitudes de la vida,
con un espíritu de lucha que merece ser destacado."

Juan Cabandié, legislador kirchnerista,
propuesta de monumento a Diego Maradona

Kirchner acertó una apuesta, cuyo resultado no era evidente, al convertir las elecciones parlamentarias del 2005 en un plebiscito de medio término. Todo Presidente prefiere ganar esas elecciones antes que perderlas. Esto es muy obvio y, por eso, acá y en Estados Unidos, como en cualquier parte, participa en las campañas de sus candidatos. Pero Kirchner fue un paso más lejos al jugar a Cristina Fernández como cabeza de lista en la crucial provincia de Buenos Aires (donde debía derrotar al duhaldismo, sobre cuya debilidad todavía no se estaba demasiado seguro). Plantear las elecciones dramatizando al máximo la coyuntura implica abrir un momento de decisión, donde el pueblo actúa como voluntad soberana. Implica, entonces, un momento político por excelencia. Kirchner tomó ese riesgo. De allí en más, todas las acciones se concentraron en acumular lo ganado como trofeo del poder de decisión presidencial. No ganó un partido sino un hombre. El "liderazgo de popularidad"[1] es, por supuesto, personalista.

En la campaña para esas elecciones, Kirchner pedía el voto como llave maestra para abrir una nueva etapa. Si las ganaba, derrotaba, en primer lugar, a quien había sido su antecesor, Eduardo Duhalde, y con esa derrota calculaba acertadamente, porque conocía el Partido Justicialista, que recibiría de inmediato los apoyos y las transferencias de poder que todavía lo esquivaban. Kirchner, con una boleta que no llevaba el término "justicialista" y con apoyos ilusionados de extrapartidarios, consolidaba su poder en el peronismo.[2] No se equivocaba: en la madrugada de la victoria, entre gallos y medianoche, abandonaron a Duhalde y se hicieron kirchneristas los fieles Díaz Bancalari y Pampuro, nombres importantes del derrotado peronismo bonaerense que hasta entonces llevaba los colores duhaldistas. Había llegado su gran momento.

Kirchner lo había preparado con su discurso de campaña. En todos los rincones del conurbano, mientras entregaba títulos de propiedad, inauguraba pavimentos o prometía obras, repetía: "Cuando venga octubre me van a decir si me dan la fuerza para seguir cambiando Argentina o eligen otro camino. Le pido firmemente al pueblo argentino que me ayude". Y ya con los resultados en la mano, el jefe de Gabinete Alberto Fernández no fue más cauto: el resultado era "casi como un plebiscito a la gestión". El Presidente vivía su primer triunfo electoral nacional.

Después de la victoria, Kirchner se percibe a sí mismo como constructor de una línea del peronismo que no parte del 17 de octubre de 1945 y de los Hechos del General, como la que fuera durante décadas la línea canónica, sino de los Hechos de los Apóstatas, los jóvenes peronistas radicalizados.[3] Por eso, como se vio, cuando nada lo anunciaba en su pasado, Kirchner hizo de la reivindicación de los setenta uno de los rasgos de su fisonomía ideológica, fundamentalmente a través del discurso sobre derechos humanos, justicia y terrorismo de Estado. En la década del noventa, estas ideas habían perdido gran parte de su capacidad para seguir produciendo hechos en el presente; Kirchner abrió de nuevo un capítulo cerrado, excepto para los más fieles a esa tradición de los setenta que, por eso mismo, eran también bastante marginales en el Partido Justicialista, o se habían reconvertido como menemistas o directamente estaban fuera de sus estructuras.

Carlos Altamirano, en un reportaje aparecido en *Perfil*,[4] ha dicho, con desprejuiciada inteligencia y buena observación del terreno: "Hoy gobiernan los Montoneros". Pero ¿qué quiere decir "montoneros" hoy? Kirchner trazó un nuevo punto de partida del peronismo, promoviendo una línea de autorreconocimiento generacional, con la siguiente fórmula: identificación con el *ethos* de entonces, creación de las políticas adecuadas al presente. Ahora bien, ¿sólo el rescoldo de los valores queda de aquel pasado?

También sobrevive la distancia desdeñosa frente a las instituciones republicanas y la libertad de prensa. Como a la juventud peronista radicalizada, al kirchnerismo no le importan las formas "burguesas" institucionales de la política. En 1973, este desprecio se alimentaba de la confianza en que las masas, siguiendo un *élan* revolucionario, desarrollarían formas más profundas e igualitarias de gobierno; la conducción del general Perón sería desbordada por el movimiento del pueblo (que respondería a su vanguardia armada). Hoy, en cambio, significa que la república institucional, siempre incómoda para el peronismo, es reemplazada por un Ejecutivo poderoso, implacable y concentrado en la figura presidencial. Con el *ethos* de los setenta, regresa la antipatía histórica del peronismo por las instituciones deliberativas, donde hay que escuchar voces opositoras, júzgueselas como se las juzgue.

Algunos razonan, con la agudeza del cinismo, que con este Parlamento y esta oposición la república kirchnerista es la república posible. De hecho, durante décadas, se ha dicho esto de diferentes maneras y con diferentes jefes. Con Kirchner pareció más a propósito, en primer lugar por la importancia de las políticas de justicia en lo que concierne al terrorismo de Estado y la renovación de la Corte Suprema; también por el trauma del 2001 con sus episodios emblemáticos: los saqueos y muertes, y la desorganización total de la nación, entre otras razones por la difusión de las cuasi monedas provinciales y los años de inestabilidad jurídica provocada por el corralito y el default. Kirchner también es aceptado por la prosperidad económica que embellece cualquier distorsión de la República, como sucedió durante buena parte del gobierno de Menem.

Así, no es sorprendente que el somero aunque enfático discurso de Kirchner lograra cubrir una parte considerable del espacio progresista.

Dinero y opinión

La era de los partidos corresponde a la de los Estados de bienestar y de la política moderna. En la actualidad, cuando la relación política entre representantes y representados está rota o carcomida, el Estado de bienestar ha sido reformado entre otras causas por sus propias limitaciones y, en Argentina, por el programa talibán de Menem y Cavallo; los partidos tienen tanta dificultad para reorganizarse como para adaptarse al presente. Sólo lo hacen con (improbable) éxito si cumplen una de estas dos condiciones: o son ideológico-morales e interpelan a las capas medias, o tienen los recursos del Estado y con ellos pueden llegar más lejos territorialmente y más abajo socialmente.

Por lo tanto, controlando el Estado, se pueden obtener los recursos necesarios para seguir controlándolo. Kirchner lo entendió con más claridad que ningún cientista político. Este rasgo explica, por lo demás, el desesperado reeleccionismo en las provincias (y su versión nacional con el ardid de la alternancia del matrimonio Kirchner, sutileza desbaratada por la muerte). La explicación es simple. Los gobernadores y los intendentes quieren ser reelectos para siempre porque, si dejan el gobierno, quedan privados de los recursos económicos que les permiten seguir haciendo política. Su sucesor los acapara y sus hombres en el territorio terminan, como réplicas de Díaz Bancalari, pasándose al nuevo gobierno. Fuera del Ejecutivo, se depende de los favores del sucesor que ha esperado su turno y, a su vez, intentará consolidarse. Felipe Solá vio con entera claridad este destino de príncipe en el destierro que le esperaba, a merced de que se lo rescatara desde el Ejecutivo nacional y no perdiera figuración antes de intentar una nueva aventura. El "pato rengo" no es el presidente o el gobernador que se queda sin poder antes de terminar su mandato y su sucesión no está asegurada por ningún leal (de todos modos, ¿quién cree en los leales?), sino el político que ya sabe que no tendrá acceso al dinero público para continuar siendo un político de primera línea, y su experiencia le indica que las lealtades territoriales se miden en subsidios, viviendas y planes sociales.

Kirchner actuó acatando esta lógica. Amasó una fortuna personal en siete años, porque sabía que, si le tocaba perder, esos millones eran las armas de su regreso al poder. Muchas veces impresionó como poco entrenado en el discurso progresista que quiso presentar como propio de su identidad y su gobierno, como si no lo hubiera practicado en mucho tiempo y se le mezclaran temas populistas clásicos, invocaciones a la dignidad nacional, autoritarismo, teorías conspirativas, etcétera. Pero estaba entrenado a la perfección en el conocimiento de esta mecánica económica y territorial del poder. No es un saber que debió recuperar desde el pasado (como quien rescata las imágenes de un sueño, el sueño setentista), sino algo que practicó cuando fue gobernador de Santa Cruz. Su relación con el poder fue pragmática y su olfato se agudizó con la experiencia. Conoció el mapa del tesoro, donde están trazadas las líneas que vinculan fondos públicos y poder.[5]

Pero, como suele decirse, la plata no es todo, aunque ayude a librarse de la servidumbre de los aparatos por el camino corto de la cooptación de sus jefes. Kirchner no podía olvidar (porque no es olvidable) el crucial 30 de diciembre de 2001, cuando Rodríguez Saá se vio caído, hundido y encerrado en Chapadmalal, abandonado por un puñado de gobernadores, en primer lugar por Kirchner mismo. No iba a permitir que le hicieran algo parecido a ese acto de abandono y debilidad final.

En realidad, Kirchner sólo podía sostener el primer tramo de su gobierno apoyándose en la opinión (de sus votantes y sobre todo de quienes no lo habían sido).[6] Para su fortuna, esto, que era inevitable, coincide con una estrategia sensible al clima de época. La crisis de los partidos, grave en la Argentina pero conocida en el mundo, obligó a Kirchner a buscar esa forma de reconocimiento que prescinde de la mediación de las estructuras políticas tradicionales y que también prescinde de convocatorias plebiscitarias en la plaza pública. Se trata más bien de una combinación inestable de repercusión mediática y registro de la opinión en encuestas, de voces emergentes consideradas representativas y manifestaciones espontáneas de apoyo. El carácter encuestológico y mediático es su aspecto principal. De allí la importancia que se adjudica a los medios y a las alianzas o disputas con sus dueños. Conquistar la opinión es, evidentemente, un trabajo inestable, inseguro e interminable, porque la opinión vive de dos fantasías: la expresión de los individuos como tales, su autonomía respecto de las estructuras; y el rechazo a sentirse representado en ellas.

La opinión que desconfía de los partidos y de los tiempos parlamentarios, contradictoriamente, puede ser el tenor subjetivo de lo que Guillermo O'Donnell llama "democracias delegativas" que "otorgan al presidente la aparente ventaja del ejercicio veloz de las decisiones, pero a expensas de probables errores importantes, de implementaciones peligrosas y de una concentración de los resultados sobre una sola persona. No es casual que presidentes de este tipo sufran los más extremos cambios de popularidad: hoy se los aclama como salvadores, mañana se los maldice como a dioses caídos".[7] Lo que se le niega a las instituciones deliberativas se le otorga a un Jefe. Al sentirse muy alejada de los trámites institucionales y de sus extensas deliberaciones, la opinión legitima el escenario de un tipo de liderazgo independiente de los controles institucionales: que se vayan todos, pero, finalmente, alguien decide.

De todos modos, Kirchner no podía elegir. Comenzaba a gobernar sin una vasta estructura propia. La importancia de ganar la opinión pública no provenía del reconocimiento académico de que los partidos ya no representaban a los votantes, sino de necesidades impuestas por su debilidad. Kirchner no fue un líder posmoderno, sino un político peronista a quien no le quedó más remedio. Al no poder confiar en un partido que, durante varios años, renunció a presidir, ni en la representación, sólo le quedaba eso, "la gente".

Hay que tener en cuenta dos aspectos más. Por un lado, en el mismo momento en que compensaba su debilidad electoral buscando esos apoyos en la opinión pública, Kirchner encaró la reforma y ampliación de su propio instrumento político, el Frente para la Victoria. Por el otro, ejerció un gobierno centralizado, cerrado, unipersonal, sin convocar a un diálogo ni con sus propias fuerzas ni con las de la oposición. Kirchner, aunque moderado su estilo por la debilidad de origen, ya estaba completo en los primeros meses, en cuyo transcurso el Presidente, al contrario de sus predecesores, usó los atributos en plenitud: ni dialogó con el Congreso, como fue el caso de Duhalde; ni dudó ante las determinaciones como De la Rúa. Fue un caudillo autocentrado que, más allá de una subjetividad inabordable, emanaba decisión y autoridad.

Además, Kirchner tenía un desventaja que también convirtió en virtud o por lo menos neutralizó. No lo conocían sino los especialistas o los dirigentes del peronismo. Sobre él podían proyectarse deseos. Kirchner entendió perfectamente que este vacío de cualidades o defectos, primero, lo afectaba, pero, luego, lo favorecía. Por otra parte, siempre fue un peronista. En consecuencia, aceptó en continuado afiliaciones, arrimes y pases, nuevos y viejos cuadros, adopciones sospechosas, renovados juramentos, vinieran de donde vinieren. Justamente que esos cuadros políticos llegaran no sólo significaba que lo reconocían como jefe, algo bastante sencillo ya que se trataba del Presidente de la República, sino que al sumarse esos reconocimientos lo constituían como Jefe, hacían un lleno de identidad de la que Kirchner carecía hasta ese momento.

Toda esta operación es esencialmente política. Kirchner probó que, incluso en años de crisis, es posible asentar las bases de un poder. Se necesitan solamente algunas condiciones. La primera fue el realismo para reconocer la debilidad de origen. Esto le permitió salir a buscar afuera de un círculo muy chico. En esa búsqueda, encontró a las organizaciones de derechos humanos y algunos dirigentes sociales. Ya se consideró este aspecto.

En segundo lugar, se dio cuenta de que, carente de estructuras territoriales partidarias, los medios de comunicación debían convertirse en su red territorial. En esto sigue la tradición histórica del peronismo. A diferencia de los radicales, los peronistas "se meten" con los medios, los favorecen, los acosan o los cortejan, fundan medios y los financian. Antes de cualquier teoría académica sobre las comunicaciones, han sido expertos en estado práctico. Hizo también acuerdos con el Grupo Clarín, que se rompieron recién en el 2008.

Pero no fue sólo esto. Kirchner, como Perón, aprovechaba cualquier oportunidad para emitir un discurso que se independizara del motivo débil o caprichoso que lo había originado para trasmitir el mensaje del momento. En el pasado, la estructura territorial de los partidos aseguraba estas comunicaciones "a las bases". Hoy, cuando las estructuras territoriales cumplen otras funciones (fundamentales en la movilización física plebiscitaria y en el control electoral), están los medios. Saltaba cuanto podía por encima de la traducción periodística de su discurso para obligar a los medios a presentar su palabra casi en directo (a falta de otra noticia, a falta de conferencias de prensa). La palabra presidencial tiene una fuerza magnética que el periodismo se ve en la obligación de seguir. Por el espacio que ocupa, el Presidente es noticia.

En tercer lugar, Kirchner operó con una tradición táctica que había fundado el peronismo. A diferencia de la UCR que examina cuidadosamente los documentos de identidad que acreditan pertenencia o vínculo con las familias que hicieron la historia del partido, el justicialismo es de una sustancia más porosa. Si bien la expresión "peronista de la primera hora" en algún momento tuvo significado, los documentos de pertenencia son escrutados con menos detenimiento. Se puede entrar en el peronismo desde cualquier parte: en sus orígenes confluyeron socialistas sindicales, conservadores provinciales, nacionalistas populares y reaccionarios. Tratándose de una nueva formación política, era inevitable. Ese origen variado marcó también una historia de alianzas con pequeños partidos: en 1973 el FREJULI reunía al justicialismo con el MID, el Partido Popular Cristiano y el Conservador Popular de donde salió Vicente Solano Lima, que ocupó la vicepresidencia.

Cuando Kirchner planteó la transversalidad (llamada concertación plural) no repetía mecánicamente ese gesto, pero tampoco estaba proponiendo algo que había sido completamente extranjero a los usos y costumbres del PJ. Esta capacidad de atracción, como si el peronismo tuviera siempre un conjunto de valencias libres dispuestas a enlazarse hacia fuera, le permitió al kirchnerismo crecer incluso antes de la victoria electoral del 2005, después de la que recibió los aportes inmediatos de los duhaldistas que habían sido derrotados y saltaron al kirchnerismo con tanta velocidad como gusto.[8] Esta plasticidad del peronismo se combina perfectamente con las venganzas contra quienes no sepan reconocer quién ejerce el liderazgo. Aquellos que no distingan entre una organización porosa, pero donde rige también la obediencia y el alineamiento, sufren. Scioli, el vicepresidente de Kirchner, cuando quiso darle a su rango una relevancia que trascendiera su despacho del Senado, fue tratado con dureza y puesto en caja rápidamente. En esto consistió la última lección de peronismo que Scioli necesitó aprender.

Historia reciente de la transversalidad

Por otra parte, si hacemos un poco de historia reciente, se verá que la idea de la transversalidad no es nueva. Primero se trató de un proyecto diseñado por Chacho Alvarez con el fin de renovar el sistema de partidos, cortando las organizaciones políticas por una línea que permitiera vincular las "renovaciones" generacionales y conceptuales del radicalismo, del peronismo y sus disidentes, en los años donde la tarea era armar la oposición contra Menem y proyectar el escenario donde se jugara su sucesión. Federico Storani, José Octavio Bordón y Álvarez fueron los pivotes de un eje horizontal que aislaría a los protagonistas del Pacto de Olivos (la "vieja política") y, al mismo tiempo, definiría un conjunto de acuerdos. Era una movida táctica, pero básicamente inscripta en una estrategia de renovación ideológica. Tenía que ver con la "nueva política" y se apoyaba en coincidencias generacionales, en experiencias comunes y en la convicción de que se había agotado un modelo (una "forma de hacer política", como se decía). No esbozaba meramente un frente electoral; por el contrario, las coincidencias ideológicas y éticas parecían más importantes que los acuerdos por los votos. La transversalidad no sumaba viejas fuerzas grandes o pequeñas, como un frente, sino que justamente se proponía, a largo plazo, desarticularlas. No se pretendía simplemente una victoria electoral, sino un cambio en el sistema político.

Esa primera transversalidad terminó en la Alianza, que llevó a Chacho Álvarez como compañero de fórmula de De la Rúa, donde desde el principio fue evidente que se había borrado la idea inicial y se trabajaba para un arreglo electoral que la gente parecía aprobar, con la obsesión de impedir que Duhalde fuera presidente. Al impulsar la Alianza, el Frepaso firmó su acta de defunción. El experimento fue rebelde a todos los deseos y sacó lo peor de quienes participaron en él. Álvarez se alejó, De la Rúa cayó, y los restos del Frepaso terminaron acomodándose en el ARI, en el Gobierno de la Ciudad de Buenos Aires (donde, en algún momento hoy increíblemente remoto aunque cercano en el tiempo, Ibarra pareció un transversal exitoso, una prueba de la concertación plural) o en el kirchnerismo, en cuyas tiendas los transversales pretéritos son personal estable, desde la Cancillería al Parlamento y cargos de segunda línea en los ministerios. Hoy viejos frepasistas son ministros.

La transversalidad de los años noventa fracasó. Sin embargo, la idea en sí misma no era descabellada. El gobierno de Menem, sólidamente reaccionario, producía la impresión de que no sólo había que juntar fuerzas sino que debía fortalecerse algo nuevo frente a las "viejas formas de hacer política". Pocos lo tenían enfocado a Kirchner en ese momento. Como gobernador no se había distinguido por proyectarse en la escena nacional sino por abroquelarse en su provincia y defender las regalías del petróleo y las cuotas de la coparticipación, que el gobierno de Menem repartía en sintonía con sus amistades políticas.

El pacto de Olivos fue la coyuntura a partir de la cual la transversalidad, hasta entonces más bien sólo una idea, encontró escenarios concretos. Debía aislarse a quienes lo habían firmado, al mismo tiempo que en la Asamblea Constituyente, que resultó del pacto, los representantes hipotéticos de la transversalidad establecían cabeceras de puente y mesas de diálogo que darían su fruto en el futuro.

Como sea, para que una idea se realice debe contar con los protagonistas necesarios. Federico Storani nunca pareció demasiado convencido de que se iban a obtener grandes cosas si un puñado de radicales que provenían de la renovación juvenil partidaria se independizaban del aparato y se plantaban frente a Alfonsín para explorar un nuevo campo de coincidencias. Storani no se sentía cómodo fuera de los ámbitos radicales puros, en los que había transcurrido toda su vida; tampoco lo caracteriza un sentido alerta de la iniciativa y es probable que desconfiara del ímpetu de Chacho Alvarez, de su carisma y de su pasado. De la Rúa, aunque se había opuesto al pacto de Olivos, representaba el ápice de la política tradicional, y era, además, un tradicionalista en términos ideológicos. Bordón, que fue compañero de Álvarez en una fórmula presidencial (recordémoslo: Álvarez no quería ser Presidente pero terminó dos veces como candidato a la vicepresidencia), no bien se perdieron las elecciones en las que Menem volvió a ganar, se esfumó en completa ignorancia y total desinterés de lo que podía hacerse con el capital de millones de votos que había recibido. Reculando, casi pareció retirarse de la política por un tiempo.

Chacho Álvarez quedó nuevamente dándole vueltas a una idea que carecía de actores capaces de representarla y, finalmente, cambió la transversalidad por una alianza, de inspiración más tradicional, con De la Rúa, un político con el que pocos años antes no compartía ni quería compartir absolutamente nada. Cuando se firmó la Alianza, la transversalidad ya había pasado a ser algo conocido: el armado de las listas, la intercalación de candidatos en los distritos; y, cuando se llegara al gobierno, el reparto de los ministerios y las secretarías. Pero la Alianza no fundó nuevamente la política, sino que sus debilidades constitutivas desembocaron en la crisis del 2001, que terminó de desacreditarla por completo.

Esto es justamente lo que corrigió Kirchner en su versión de la concertación plural; registró que la fracasada Alianza no tuvo un líder capaz de conducir los elementos que confluían en ella; no había una única voluntad política. Si existe algo que Kirchner desplegó hasta la exageración es el ejercicio de esa voluntad unificadora. La política encontró un cuerpo.

Triquiñuelas

La llamada concertación plural fue una respuesta a la relativa debilidad de Kirchner dentro del aparato justicialista. Como se vio, el peronismo no había desechado, a lo largo de su historia, esa forma de la ingeniería política. Pero después del conflicto con el campo (que se verá enseguida), Kirchner previó que su potencial electoral había quedado disminuido. Eso decían las encuestas y, sobre todo, eso dejaban prever los vientos que soplaban en la coyuntura previa a las elecciones de medio término de la presidencia de Cristina Fernández, en junio de 2009.

Hay que decir que las manipulaciones preelectorales no fueron una tendencia solamente acatada por Kirchner. En Buenos Aires, Gabriela Michetti, que era vicejefa de gobierno de Mauricio Macri, decidió que representaría mejor los intereses de la ciudad si abandonaba ese puesto para el cual había sido electa, y encabezaba la lista de diputados nacionales. Dos años antes había subrayado su vocación por el gobierno de la ciudad y no había manifestado el menor indicio de que se la representaba mejor como diputada nacional (en un Congreso que, en verdad, se ocupa de muy pocos y excepcionales asuntos específicamente urbanos). Al aceptar un pase por motivos simplemente electorales, Michetti razonaba con tanta mala fe como Kirchner. Nadie decía la verdad más sencilla: los candidatos debían ser aquellos que estuvieran en las mejores condiciones para llevarse la mayor cantidad de votos. Todos los cargos conseguidos y a conseguir entraban en una tómbola cuyas reglas pasaban por alto promesas electorales anteriores y declamadas obligaciones.

Triquiñuelas de este tipo signaron las elecciones de renovación parlamentaria. Los desplazamientos de fechas en las provincias y de candidatos se decidieron, en el límite y más allá de la legalidad, en la dirección hacia la que indicaban las encuestas. A esta ingeniería Kirchner le agregó una invención: las llamadas "candidaturas testimoniales", es decir, candidaturas de personas que no tenían intención de ocupar el cargo electivo para el que se presentaban.

El adjetivo "testimonial" procuraba encubrir este evidente engaño. Más aún, tenía la función de ennoblecerlo, ya que se da testimonio de las buenas causas y, sólo bajo obligación judicial, de las tropelías. El gobernador de la provincia de Buenos Aires, Daniel

Scioli, y el jefe de Gabinete, Sergio Massa, dos políticos con "buena onda" fueron los candidatos testimoniales más notorios. Scioli, especialmente, entendió a fondo cómo se jugaba ese juego y fue casi imposible extraerle declaraciones sobre sus planes en caso de resultar electo diputado. ¿Abandonaría la gobernación de la primera provincia argentina para hundirse en la Cámara? "El pueblo de la provincia sabe lo que voy a hacer", fue su más explícita declaración.[9] El mayor notable de la serie "testimoniales" fue Néstor Kirchner sobre quien, hasta el momento mismo de jurar su banca, no se sabía si resolvería asumir o se dedicaría a los deberes de la presidencia de Unasur.

A diferencia de las listas armadas según los métodos de la concertación plural, las listas que incluyeron candidatos testimoniales implicaron la actitud más despreciativa de la política respecto de las instituciones. La concertación plural podía defenderse legítimamente, aun cuando detrás de ella operaran, como suele ser habitual, las ambiciones personales de quienes abandonaban sus partidos de origen (como Julio Cobos o los socialistas de la provincia de Buenos Aires) siguiendo el impulso de las conveniencias más que de las convicciones ideológicas.

Pero las candidaturas "testimoniales" no respondían a ese patrón tradicional de alianza o de cooptación, sino a una invención instrumental y sin principios. A un sistema político cuya representatividad ya estaba desquiciada, las "testimoniales" aportaron un elemento de grosero cualquierismo institucional.[10] El parlamento y sus funciones son difíciles de captar por una ciudadanía que reclama resultados más que normas; la idea de una representación parlamentaria es cada vez más débil y sobre todo ininteligible en repúblicas que se inclinan al hipepresidencialismo; los medios suelen ser también poco pacientes con el trámite extendido de los debates en comisiones y en el recinto parlamentario. La unión de estos factores no produce el mejor escenario para que se despliegue el sentido de renovación y balance, control y posible innovación de las elecciones de medio término. En esta situación deletérea, las triquiñuelas "testimoniales" fueron un aporte que descalificaba de antemano aquello por lo cual se competía electoralmente.

No es un deber de los políticos contribuir a calificar el sistema que los hace posibles. Muchos pueden habitar ese edificio institucional sin contribuir a mejorarlo. Pero la táctica de Kirchner (seguida también por el PRO y el Peronismo Federal, cada uno en la medida de sus posibilidades) no fue una picardía de consecuencias neutrales. Marcó el momento en que la victoria electoral sin principios era todo el mensaje: estrategia de comodines que demuestra, como los comodines, que el valor de las cartas no es el que está escrito.

El estallido: campo y medios

Sería demasiado sencillo (y está en la crónica de los diarios) redactar una lista de los traspiés de los años kirchneristas. Hay de todo. Episodios de corrupción funambulesca, como la importación, casualmente frustrada, de una valija con dólares que un gordo ignoto, pero *habitué* en las orillas del ministerio De Vido, abandonó en el aeropuerto de Ezeiza al ser descubierto su tráfico; montañas de acusaciones, entre las que se distingue el mapa que Graciela Ocaña trazó del PAMI antes de renunciar; hechos cuyas consecuencias jurídicas son graves, como el oportunismo de Kirchner frente al secuestro y asesinato de Axel Blumberg (en cuanto vio que el padre podía reunir algunas decenas de miles en la plaza pública, obligó al Congreso a introducir reformas al Código Penal que los expertos juzgan un disparate o un mamarracho); uso del presupuesto nacional y de los planes asistenciales para mantener la lealtad territorial de jefes políticos o sociales; cooptación y mano dura, adulaciones y ninguneos, peleas y reconciliaciones con esos jefes, comenzando por el teatral D'Elía; un aparato de reparto de recursos que, en los hechos, pasa por encima del federalismo y de las autonomías provinciales; la inflación disfrazada por razones políticas, lo que implica ignorar la pobreza que genera; el apoyo a la ciencia y la tecnología y, en sentido opuesto, la destrucción del INDEC. También hay que incorporar al balance el equilibrio presupuestario y los superávits, la afirmación de la soberanía en la toma de decisiones, la amistad con Chávez pero también con España, Chile y Brasil; la política de derechos humanos respecto del pasado. A Kirchner lo definió un haz contradictorio: concentración, velocidad e inteligencia; tenacidad, conocimiento e impericia; fortuna y sangre fría; mezquindad con la oposición, sectarismo, encierro.

Pero hubo dos acontecimientos que develaron la "forma" Kirchner y dejaron ver, hasta el menor detalle, el estilo que le imprimió a los conflictos considerados cruciales: la no negociable ni negociada Resolución 125 y la Ley de Servicios de Comunicación Audiovisuales. Aunque la palabra, y su apócope, no se usara desde el principio, los enemigos, en ambos casos, se definieron, en el lenguaje de *6 7 8*, como las "corporaciones", la "corporación" (periodística, agraria) o la "corpo".

El gran conflicto de 2008 con el sector agropecuario fue un primer capítulo. Una frase de Cristina Kirchner, con gran impacto sentimental y social, sostuvo que los paros agrarios ponían en peligro la "mesa de los argentinos". En su discurso de espaldas al Congreso del 15 de julio de 2008 (el más bravío de todo ese enfrentamiento), Kirchner recurrió a una oposición que de un lado ubicaba a todos los argentinos y del otro lado, a muy pocos. La operación retórica e ideológica definió un Todo (los Argentinos), del cual quedó excluida una Parte minoritaria (los Agrarios). Las dimensiones nacionales y populares del Todo enfatizan el carácter siniestro de la Parte que pretendía subordinarlo, haciéndole padecer las consecuencias del lucro que la Parte cree únicamente suyo.[11] El perjuicio que la Parte impone al Todo ha encontrado (avanza Kirchner en su discurso) el obstáculo de que el Todo tiene jefes dispuestos a enfrentar a la Parte. La legitimidad del enfrentamiento se demuestra por el hecho de que la Parte, al defender sus ganancias exorbitantes, lastima derechos humanos básicos, como el precio y el acceso a los alimentos.

> En estos tiempos y en estos días, dijo la Presidenta que era fundamental —y escuchen bien— que a la mesa de los argentinos los alimentos lleguen a precios nacionales y no internacionales, y puso las retenciones. Y aquellos que ahora tienen que ser solidarios, no todos, pero aquellos de la concentración económica, saltaron rápidamente porque no quieren compartir ningún esfuerzo con el resto de los argentinos. Entonces, hay un Estado que tiene que poner equilibrio, y las retenciones permiten que ustedes puedan comer a costos nacionales. Hay un dirigente de ellos que lo dijo casi con una actitud de caradurismo increíble: dijo que paguemos el lomo a $ 80, como los uruguayos. ¡Qué poco le importan los argentinos!

La eficacia de este par de opuestos tiene un fundamento histórico. Remite, aunque no se la nombre invariablemente, a una contraposición con densa historia: la de Pueblo y Oligarquía en la versión más esquemática y difundida del peronismo. La ideología reduplica el enfrentamiento real. Para todos (amigos y enemigos del gobierno) el conflicto con el campo evoca otra Escena. Kirchner la trae al presente al mencionar a los ominosos Comandos Civiles:

> Hablan de democracia, y cortan las rutas; hablan de democracia, y desabastecen a los argentinos; hablan de democracia, y nos queman los campos; hablan de democracia, y —escuchen bien, por favor, esto—, como en las peores etapas del 55 y el 76, salen como comandos civiles o grupos de tarea a agredir a aquellos que no piensan como ellos en forma vergonzosa.

Como ya se vio, Carta Abierta definió esa otra escena con el adjetivo "destituyente": es la del golpe de Estado de 1955 (reduplicada imaginariamente en 1976, aunque las circunstancias fueran muy distintas). No es necesario suscribir al pie de la letra la historiografía peronista para caracterizar ese golpe como la inauguración de las desgracias de la segunda mitad del siglo XX. Un "nuevo 55" es una amenaza no sólo para los peronistas. En esa otra Escena, la historia argentina se descompone durante casi treinta años (hasta la transición democrática) y sus huellas quedan en las sucesivas proscripciones y gobiernos ilegítimos. Abrir esa Escena es leer la Historia como advertencia para el presente. Además, Kirchner evoca sus sectores más bárbaramente antipopulares: los emblemáticos Comandos Civiles, cuya mención remite también al bombardeo a Plaza de Mayo del 16 de junio de 1955, realizado por aviones de la Marina, cuyo sólo recuerdo dispara hoy en dirección al golpe de 1976 y el terrorismo de Estado. Por este trabajo intuitivo pero eficaz de la memoria, el conflicto de 2008 queda soldado al de 1955: el deslizamiento le da una dimensión siniestra a los agrarios, enemigos del pueblo extraídos vertiginosamente del presente para ocupar sus oscuros lugares pretéritos.[12]

A Kirchner le asistían razones históricas, ya que la elite de los agrarios (pero no la mayoría de los que manifestaban en ese momento en las rutas) había formado parte del frente civil antiperonista que confluyó con los militares golpistas del 55. Remover esas aguas turbias implicaba definirlos como un sujeto diferente del que eran en el 2008. Kirchner arma una cadena de equivalentes: comandos civiles del 55, grupos de tareas de la dictadura, piquetes agrarios en 2008. Le agrega el tema, también clásico, de la confusión o el engaño de las capas medias que se alinean con sus enemigos por enceguecimiento cultural e ideológico. En esas líneas enfrentadas desde 1955, aunque en realidad desde mucho antes, el conflicto agrario no es una mera disputa por la renta como efectivamente lo fue y sigue siendo, sino que deja ver la sustancia real (los irreductibles intereses, lo oscuro y que no puede manifestarse ni decirse a la luz del día), que va cambiando sus formas simbólicas y desplazándose en las brumas engañosas del imaginario:

> Muchos de ellos ni siquiera cambiaron los collares; son los mismos. Por eso tenemos que tenerlo absolutamente presente, y por eso nuestra clase media, que fue lamentablemente instrumentada muchas veces, tiene que darse cuenta de que nunca van a encontrar la solidaridad de los sectores de la oligarquía argentina. Sí van a encontrar la solidaridad de los trabajadores, de los intelectuales, de los estudiantes, de toda la patria entera. Por eso la Argentina hoy se encuentra acá. Yo hoy les puedo asegurar que vine a esta plaza a convocar a los argentinos en el campo nacional y popular... Fíjense ustedes que cuando digo permanentemente que acá quisieron destituir al gobierno nacional y popular lo digo con la fuerza de la realidad. Hoy están mostrando todos los que actuaban en la oscuridad dónde están, cómo se movían; hoy empezaron a verse en los diarios abrazados unos con otros. Ellos eran los que estaban y los que quieren desestabilizar la patria. Ahí están los que quieren enlodar las banderas de Perón y Evita, claudicando con esa oligarquía que persiguió hasta el cadáver de Eva Perón; ahí están los que claudicando y queriendo enlodar la memoria de Perón y Evita se abrazan junto a Rojas y a todos aquellos que históricamente estuvieron contra los intereses nacionales y populares. Ahí están, ahí los vieron. También pasó en las dictaduras y en la noche liberal.
>
> ...
>
> Basta al corte de rutas, basta a los comandos civiles, basta al grupo de tareas, basta todos estos esquemas de enfrentamiento, estos esquemas de cobardía que el pueblo no necesita más. Abramos los brazos, abramos las avenidas de la patria, abramos la convivencia, abramos la pluralidad. ¡Viva la patria, viva la Argentina, vivan los

trabajadores, vivan los estudiantes, viva la juventud, vivan nuestros intelectuales, vivan nuestras madres y abuelas, vivan el general Perón y Eva Perón! ¡Viva la patria! ¡Fuerza, dignidad, alegría, convivencia![13]

Las citas pertenecen a un sistema argumentativo que refuerza la dimensión épica de un enfrentamiento que no había comenzado como epopeya, que volviera inevitable una escalada ideológica, porque se trataba de porcentajes de retenciones, números perfectamente negociables si hubiera habido una mesa donde el gobierno sentara a los protagonistas y reconociera sus profundas diferencias internas. Nadie quiere perder nada, por supuesto, pero un conflicto de apropiación de ganancias normalmente no se tramita como guerra. Por el contrario, se convirtió en ello. El recurso a la historia lo instaló en una línea narrativa que le dio un sentido políticamente rico, si se lo compara con el objetivo recaudador y fiscalista que tuvo la Resolución 125. Planteaba, sin duda, un conflicto redistributivo, pero el gobierno no lo había pensado de ese modo cuando la suscribió. Se dio cuenta después de que podía ser remitido a la redistribución, mientras que, al comienzo, su motor fue presupuestario y se eligió al campo porque era el sector a cuyos ingresos se podía acceder de manera más sencilla, sin requerir nueva legislación y sin tocar los intereses de otras actividades fuertemente rentísticas, como la bancaria y la minera, con la que el kirchnerismo no ha interferido en forma alguna sino que, por el contrario, apoya y ubica allí nuevas oportunidades para sus amigos.

Pero, al constituir al campo en una especie de "enemigo principal", obtuvo lo que un estratega inteligente procura evitar: fortaleció a sus enemigos por llevarlos a unirse con los que no debían ser inevitablemente sus amigos; consolidó el frente de quienes habría debido encarar por separado; incluso empujó a ese frente a organizaciones agrarias que habrían podido ser aliadas del gobierno. Consiguió el portento de que se abrazara la Federación Agraria con la Sociedad Rural (a medida que los ataques escalaban, más se consolidaba esa unión que no era inevitable, ni siquiera probable, algunos meses antes).

Finalmente, obtuvo lo menos pensado, que sectores de capas medias urbanas entendieran el conflicto agrario como conflicto democrático e institucional, lo tradujeran en nombre de la oposición democracia versus autoritarismo y rodearan a los chacareros y a los grandes sojeros como si fueran una súbita vanguardia republicana. En el centro de un enfrentamiento de carácter económico, se vivió otro de carácter político en el que se implicaron las capas medias urbanas que no tienen raíces ni intereses rurales, pero que se movilizaron expresando un repudio a los modos en que el conflicto agrario fue tramitado por el Ejecutivo. Entonces, un diferendo económico que afectaba exclusivamente al interior (no sólo a los rurales, sino también a los que producen para ellos bienes y servicios), se reduplicó en un conflicto urbano que se desarrolló en la dimensión simbólica. La verdad económica se expresó como disputa política. Kirchner lo hizo y, de este modo, consiguió una derrota en una batalla que todavía no ha terminado y que, en los dos años siguientes, siguió sin entenderse.

Esta misma conversión de un conflicto en escena abiertamente ideológica sucedió con la ley de servicios audiovisuales.

Algunos antecedentes: Kirchner mantuvo siempre, abiertamente o en sordina, una ofensiva contra la autonomía de los medios respecto de su gobierno. Los defensores de la ley de medios convirtieron estos reflejos políticos hostiles en una panoplia de motivos ideológicos, valores y principios, muchos de los cuales son perfectamente defendibles y preferibles a cualquier monopolio informativo. Pero la inquina kirchnerista no comenzó cuando asumió el gobierno, sino antes, en Santa Cruz, y se convirtió en la forma de su relación con la prensa desde que llegó al gobierno nacional. Ejerció un estilo sostenido básicamente en tres pilares. Uno: Alberto Fernández, cuya eficacia ya ha sido mencionada; hay que creerle a Fernández cuando afirma que no tuvo nada que ver en las reuniones de Kirchner con Magnetto y las concesiones que se le hizo al Grupo Calrín. Resulta más difícil imaginar que prescindiera de seguir y emprolijar una estrategia establecida por el Presidente. Segundo pilar: lo que el mismo Fernández llamó "comunicación directa", a la que también se hizo referencia. Tercer pilar: el manejo de la pauta de publicidad oficial y de las concesiones de licencias en medios audiovisuales, tal como lo había hecho en Santa Cruz.[14]

Digamos que, en este último aspecto, Kirchner no necesitó aprender nada nuevo. La libertad de prensa y la igualdad de condiciones de los medios frente al Estado no había sido nunca una preocupación ni de Perón, ni de la JP ni de los Montoneros. A Kirchner le sobraban antecedentes en el propio movimiento peronista para anunciar, desde un principio, que con los dueños de medios se hacen negocios para tenerlos de este lado o se los ataca. No fue para él una cuestión de principios, sino una cuestión de método. Por eso, el kirchnerismo sólo recordó que quería con urgencia una nueva ley de medios audiovisuales cuando se agudizó la escalada contra el Grupo Clarín, ese al que en los primeros años de gobierno había considerado su aliado. Como sucedía con Kirchner, una ley que podría haber sido democrática y culturalmente interesante fue un arma en la riña cotidiana y eso le dio su sesgo a aspectos fundamentales, como la casi inevitable hegemonía del Poder Ejecutivo sobre los organismos de control y administración del sistema de medios. Kirchner fue antiliberal no en términos económicos (en ese terreno fluctuaba), sino ideológicos. En eso pone de manifiesto su afinidad con el sustrato antiliberal del peronismo y, en general, de los regímenes populistas fundados en particiones netas de la Nación en campos enfrentados. La hipóstasis de una Nación popular asediada por conspiraciones es particularmente útil para emprender el socavamiento de la prensa de derecha o de izquierda.

Hay que resaltar la antipatía de Kirchner por la filosofía liberal que funda la libertad de prensa. "¿Qué te pasa, *Clarín*?", o "Yo le digo a Morales Solá..." son amenazas si las enuncia un Presidente desde la Casa Rosada. Y no dejan de ser amenazas cuando el aliado de ayer es atacado más tarde como el grupo económico más poderoso de la Argentina (francamente, ¿antes no sabía que lo era?). Cuando se peleó con *Clarín* quiso que esa pelea se interpretara en términos de un combate contra los monopolios y las "corpo". Sin embargo, antes Kichner no había tenido problemas en hacerle concesiones a Magnetto. Tuvo una idea del poder que fue hostil a la libertad de prensa. Y no siempre hostil al capitalismo concentrado.

Se ha repetido hasta el cansancio que Kirchner fue amigo del Grupo Clarín mientras convergieron sus intereses y que se volvió enemigo a causa de la línea difundida por el diario durante el conflicto agrario.[15] No hubo allí cuestión de principios. Pero no es la materia sobre la que giró el conflicto sino su forma, como en el caso del enfrentamiento con los agrarios, la que interesa como ejemplo espectacular de transferencia de sentidos. En el caso del campo, el frente agrario fue convertido en portador de una sustancia histórica nefasta. Esa transferencia permitía desplegar al conflicto en una escena simbólica que, en verdad, lo sacaba de la puja redistributiva a la que volvía ininteligible.

Sobre la ley de medios operó un desplazamiento que borró las secuencias temporales como las borra el mito. Kirchner le había renovado las licencias al grupo de medios audiovisuales que dos años después deseaba sacar de la mesa de juego. En ese lapso no había sucedido otra cosa que el cambio de línea editorial del diario, un cambio de los que en la historia de *Clarín* hay otros ejemplos, ya que es un grupo de medios y un grupo económico al mismo tiempo. La operación discursiva del enfrentamiento tuvo una matriz mistificadora: al confundir la secuencia temporal, al esconder que fue Kirchner quien favoreció al Grupo con la extensión de licencias que ahora quería sacarle, en realidad hizo posible que el Grupo se presentara como víctima. La matriz mistificadora que puso el kirchnerismo en el conflicto benefició precisamente a quienes Kirchner deseaba perjudicar. Y como los medios viven de la opinión pública que producen, el Grupo Clarín no se vio en las circunstancias de explicar lo que antes había recibido de Kirchner sino de defenderlo como si estuviera en la naturaleza misma de la libertad de expresión.

La matriz mítica le dio forma a un tema que podría haber recibido otro tratamiento. El ataque, paradójicamente, embelleció a los medios. Se perdió una oportunidad por un reflejo típicamente kirchnerista: el uso instrumental de cuestiones de principio para decorar intereses económicos o políticos. Por ejemplo, los derechos humanos en el caso de los hijos adoptivos, sospechados de haber sido apropiados, de la dueña de *Clarín*; la denuncia de que ese diario y *La Nación* se habrían apoderado de Papel Prensa amparados por la dictadura que perseguía y encarcelaba a sus dueños (oscuro melodrama político que todavía no fue retomado pese a la espectacular presentación oficial que se hizo del tema);[16] también la consigna de que era urgente una nueva ley de medios ya que en la Argentina todavía regirían las disposiciones de la dictadura, como si no hubiera pasado un cuarto de siglo, decenas de medidas en los sentidos más dispares y, sobre todo, siete años de gobierno kirchnerista en cuyo transcurso no se había agitado ese antecedente nefasto.

Derechos humanos, apropiación de niños, legislación dictatorial fueron usados como pantalla ideológica de medidas que, justas o discutibles, pertenecían enteramente a la coyuntura. Los principios eran puestos al servicio de las necesidades del momento. La razón que vuelve instrumentales a los valores es reaccionaria en su forma y en sus consecuencias.

Como discutir sobre literatura a punta de pistola, el debate de la ley de medios fue la masa blanda que se deformó en un guión de hierro. En el transcurso de ese debate, Kirchner no permitió dudas en su propia tropa y, lo que fue más espectacular, desblocó de manera precisa y astuta, por chantaje moral y cultural ejercido sobre convicciones legítimas, los votos opositores que necesitaba para alcanzar una mayoría en el Congreso. Los principios de pluralidad y el rechazo a los monopolios informativos jugaron para otra Escena donde se buscaba obligar, por ley, a que el Grupo Clarín abandonara, en un plazo perentorio, las posiciones en medios audiovisuales que el mismo gobierno le había otorgado. El principio justo de impedir la concentración de medios se trasmutaba en una venganza.

Además del conflicto con el Grupo Clarín, la relación de Kirchner con los medios atravesó dos momentos. Primero, el gobierno no tuvo, excepto *Página 12*, órganos propios significativos de circulación nacional. Todo sucedía como si el enfrentamiento con la prensa escrita tuviera que ser dirimido en revistas respetables de circulación restringida, como *Debate*. Para lo demás, estaban Kirchner y la opinión pública. Pero esto era insuficiente respecto de las necesidades del período presidencial iniciado en 2007. El segundo momento comienza, de manera franca, con el conflicto agrario. Se amplían las asignaciones de publicidad oficial a medios propios. Sergio Szpolski fundó *El Argentino*, periódico de distribución gratuita, en julio de 2008. También es dueño de *Miradas al Sur*, que dirige Eduardo Anguita, desde mayo de 2008.[17] *El Argentino* va a un público que no lee los semanarios políticos sino que, hasta ese momento, recibía con indiferente beneplácito el diario de distribución gratuita *La Razón* (del Grupo Clarín), dirigido a esos nuevos lectores que no compran diarios, esos lectores que los diarios pagos han perdido, como en muchos otros lugares del mundo, porque migraron primero a la radio y luego, los más activos, a la web.

La relación entre estos cambios no es directa, pero tampoco suceden independientemente. Están implicados en la agudización del conflicto de Kirchner con el Grupo Clarín; el estallido del conflicto con el campo, que compromete profundamente a *La Nación* y a muchos diarios del interior; la ascendente agresividad en el tratamiento de periodistas tanto por el ex Presidente como por la nueva Presidenta. Enlazado con estas dimensiones expansivas y dinámicas (de la movilización rural a los grandes actos en ciudades, de los piquetes en las rutas a los cacerolazos), el gobierno eligió no una sino dos tácticas. La primera es muy evidente y quedó para la historia en el vocativo y la pregunta que Kirchner empleó en toda su guerra mediática a lo largo de la campaña electoral del 2009: "¿Qué te pasa, *Clarín*? ¿Estás nervioso?". Un éxito.

La segunda, y de mayor alcance, fue la ley de medios. La ley tiene nombre propio, no el del titular del COMFER, Gabriel Mariotto, que llegó allí desde la Universidad de Lomas de Zamora; Mariotto la promovió como militante convencido, y podría aspirar a que su nombre quedara adherido a una legislación. Pero el nombre real de la ley es Magnetto. Son sospechosas las leyes hechas a favor o en contra de alguien, porque usan la forma parlamentaria para resolver disputas de intereses individualizados. En este caso, un conflicto entre la Presidencia y un grupo económico propietario de medios, es decir, una pelea coyuntural con aspectos secretos. Hoy, la ley está en suspenso. Más allá de que llegue a aplicarse, indica no sólo la ampliación de una esfera pública de medios (lo cual está muy bien), sino también las modalidades de su administración y de la concesión de licencias. Detrás de sus objetivos edificantes, la ley tiene un revés centralizador cuyo ápice es el Poder Ejecutivo, que en cada una de las instancias de decisión puede articular una mayoría. Ahí está su corazón.[18] Nuevamente, los grandes principios de pluralidad de voces en la esfera audiovisual y representación de minorías culturales y sociales (abundantes menciones de los "pueblos originarios") son puestos al servicio de la razón instrumental. Los sujetos particulares defienden sus intereses convirtiéndolos en encarnaciones eternas del bien general. Cuando lo hacen los gobiernos, la cuestión es verdaderamente más grave.

En el marco de discusión de esta ley hubo enfrentamientos cerrados, como en el caso de las retenciones agrarias. Pero no fueron tan inclusivos, porque no se llegó al límite que se había tocado durante las movilizaciones del 2008. Los sectores medios, que salieron durante el conflicto con el campo, esta vez no se interesaron tan intensamente en el objeto de debate. En cambio, otra fracción de capas medias novedosamente kirchneristas estuvo allí, anunciando lo que sería su organización a partir de entonces: televisión pública partidaria, política web, organización y salida al espacio público. No hay una implicación mecánica entre el conflicto con los dueños de medios y un gobierno que maneja los medios públicos como si fueran propios. Pero las cosas corren en un paralelo significativo.

Kirchner percibió la necesidad de independizar su propaganda política de los pactos con un grupo informativo en particular (que hasta el 2008 había sido el Grupo Clarín), ya sea porque experiencias anteriores le demostraron la inestabilidad de esos compromisos, ya porque a él en determinado momento le parecieron demasiado pesados o porque la contraparte los encontró demasiado injustos y muy lejanos de una lógica informativa. Asegurarse la aquiescencia de los medios a partir de concesiones materiales es inestable (en ese sentido son más inteligentes los gobiernos que "se la bancan"). Kirchner y el grupo de profesores de comunicación que, enarbolando las banderas de la expresión de minorías acompañaron los foros donde se discutió la ley, anticiparon dos o tres años lo que resultaría de su aplicación. Comenzaron la experiencia directamente en aquellos medios que están en poder del Estado. Los convirtieron en órganos del gobierno, sin matices ni disimulo. Fútbol para Todos completó la movida que, en nombre del derecho a la información, estableció una cabecera de puente de la propaganda oficialista. Cuando se hizo el anuncio de las trasmisiones de fútbol, la razón instrumental tocó la parodia, porque era demasiado grande la distancia que separaba la realidad de una acción de gobierno del discurso con el que se la presentaba. La imagen de los "goles secuestrados" es insuperable. Por primera vez en los años Kirchner se banalizaba hasta la irrisión la memoria de los desaparecidos.

La última instancia

Ésta fue la "forma Kirchner". Recurrió siempre a la última instancia. Ése fue su territorio. Colocó sistemáticamente los conflictos en el punto en que un solo camino era transitable. Para ello debió dramatizar cada una de las circunstancias y presentar todos los temas como decisivos para la victoria final. No era suficiente decir que se consideraba justo que los agrarios perdieran algo de su renta para que estas riquezas fueran distribuidas, lo cual habría instalado la discusión en un tira y afloje propio de la política. ¿Quiénes deben perder más entre los agrarios? ¿Cómo diferenciar en su interior a fracciones muy diferentes? ¿Por qué eran ellos y no otros rentistas, como los financieros, mineros y petroleros, los que debían coparticipar sus ganancias? ¿Qué otros se beneficiaban de un lucro extraordinario? Las preguntas volvían al problema más complejo pero, al mismo tiempo, lo desdramatizaban, porque requería una discusión en detalle (y también afectar a capitalistas amigos del ex Presidente).

Kirchner optó por el camino directo, la puesta en escena dramática y el discurso de oposiciones netas apoyado en vagos paralelos de una historia tanto real como mitológica. Esta *forma mentis* kirchneriana se implantó sobre una concepción del presente: se gobierna siempre en estado de excepción.

Confundir a Kirchner con un político inspirado, sin saberlo, por Carl Schmitt es un subterfugio o una ignorancia. El "estado de excepción" es, precisamente, excepcional: el momento en que el soberano (el político, el rey) se coloca más allá de la ley para fundar la nueva ley. Ese momento, para Schmitt, devela la esencia de la política pero no define su cotidianeidad. Kirchner consideró excepcionales todas aquellas circunstancias en que debía imponer una decisión suya, no importa cuál fuera la trascendencia. Su excepcionalismo era temperamental, no filosófico. Como sea, ese temperamento le permitió actuar como soberano en los (pocos) momentos ciertamente excepcionales y, sobre todo, ocupar el punto cero de la política aquel 25 de mayo de 2003.

Desde la entrega anticipada del gobierno por Alfonsín a Menem, todos los presidentes se presentaron con un giro clásico: venían a reconstruir la nación en ruinas que había demolido su predecesor. Menem dijo esto de Alfonsín; la Alianza, aunque De la Rúa no lo dijera, también presentó su llegada como un proceso de reparación; por cierto, los cinco presidentes que se sucedieron a fines del 2001 tuvieron verdaderas razones para hablar de incendios, ruinas y precipicios. El único que, en verdad, se benefició con una transición relativamente previsible fue Kirchner. Durante un año y medio, Duhalde había trabajado en la reparación de un país en ruinas, un país donde la palabra incendio no era una hipérbole sino una imagen descriptiva bastante realista. A diferencia de Menem y del propio Duhalde, Kirchner tuvo transición y hasta conservó durante dos años el mismo ministro de Economía de quien lo había precedido. El plan Jefes y Jefas de Hogar, que Kirchner continuó, fue una iniciativa y una realización de Duhalde; lo mismo las políticas monetarias.

Sin embargo, Kirchner interpretó su llegada como punto cero y la presidencia de Duhalde empezó a borrarse para ser reemplazada por una crisis que habría durado exactamente hasta mayo de 2003. Esta definición de fronteras temporales que comienzan en cero corresponde al soberano fundador, que no tiene precedentes porque su emergencia es, en sí misma, la prueba de su excepcionalidad. Con una versión mítica del tiempo político, Kirchner se inscribe en este punto de quiebre, donde el tiempo corrompido de la crisis puede ser redimido por un nuevo comienzo.

Poco después de su muerte, Ricardo Forster escribió:

> Kirchner, su nombre, al igual que otros procesos contemporáneos que se abrieron en Sudamérica, produjo un asalto anacrónico a la fortaleza del "fin de la historia" y a las resignaciones de una posmodernidad entre banal y despolitizada. Su irrupción debe ser leída en el interior de la ruptura de esa linealidad recurrente y repetitiva que venía asolando toda esperanza en un cambio del decurso de la historia. No nació de un repollo ni careció de antecedentes; simplemente enloqueció lo esperado abriendo las compuertas de otro tiempo de la vida nacional a contrapelo de la tendencia mundial dominante. El nombre de Kirchner vino a romper esa continuidad malsana, vino a desequilibrar la marcha regular hacia la barbarie de un modelo económico-político que, desde hace mucho tiempo, no sólo venía ejerciendo su poderío sobre la vida material de los desposeídos sino, también, había logrado capturar los núcleos más profundos y decisivos de la vida cultural apuntalando, de ese modo, sus propios intereses, transformándolos en los únicos visibles de cara a una sociedad que se mostraba como vaciada de sí misma y demudada. Kirchner, su nombre, interrumpió esa marcha triunfal de los poderosos de siempre. Logró, de manera

inesperada, desviar el curso decadente de una sociedad que desde hacía mucho tiempo había perdido la brújula.[19]

En efecto, frente al fin de la historia, una ciega teodicea capitalista que había prevalecido como sentido común en los años noventa, la crisis del 2001 abrió este nuevo tiempo en el cual la Argentina osciló, durante los primeros meses del gobierno de Duhalde, sobre el filo de la disolución en el sentido menos metafórico: incapacidad del Estado de mantener el monopolio de la moneda, proliferación de títulos provinciales que alentaban la crisis en lugares semiautonómicos pero devastados, un país en default en la escena internacional. Estaba disolviéndose el Estado que garantiza la continuidad de políticas y la continuidad de los papeles que representan el valor. Cuando llegó Kirchner, la situación seguía siendo excepcionalmente grave, sobre todo para los miserables y los excluidos, pero no se dudaba ya sobre la continuidad de las funciones del Estado y la capacidad de que un gobierno las desempeñara.

Sin embargo, por una operación discursiva, por una construcción de nuevos límites temporales, Kirchner se convenció de que le convenía que la frontera entre Duhalde y la crisis colapsara en una nueva frontera que lo dejara a él sólo enfrentado con el país en llamas de diciembre del 2001. La abolición de Duhalde es lo que funda la excepcionalidad del tiempo kirchnerista. Y la aversión desmedida que Kirchner siente por Duhalde corresponde con el conocimiento que Duhalde tiene de esta operación mítica de un tiempo refundado.

Por eso Forster asegura que Kirchner vino a interrumpir una "continuidad malsana" con los noventa. No se le reconoce a Duhalde el borroso comienzo de esa ruptura porque su gobierno no tuvo consecuencias culturales profundas como las del kirchnerismo. Y, sin embargo, cuando Duhalde fue el candidato presidencial aborrecido por Menem (entre otras cosas porque impidió su tercera elección) trazó, con la media lengua poco inspiradora de un discurso peronista clásico, populista clásico, productivista clásico, un límite con los noventa.

Lo que Kirchner realizó fue diferente: encontró el espacio de una refundación en un momento en que todos sentían que la cuestión era refundación o muerte. En las elecciones de 1998, en cambio, los votantes pedían continuidad del uno a uno, como si fuera posible seguir viviendo de ese invento venenoso de la paridad cambiaria que había producido el ejército de desocupados. En el 2001, los mismos sectores que se habían aferrado a la convertibilidad veían que la crisis se les venía encima, que caían gentes parecidas a ellos: nada hay más parecido a la solidaridad que el miedo.

Por tanto, llegaba el momento de liquidar los noventa y empezar de nuevo. Kirchner, que llegaba del corazón de los noventa,[20] fue naturalmente quien se benefició con el merecido descrédito de esa década que lo tuvo entre los gobernadores menemistas. Como había gobernado en la Patagonia y no en la provincia de Buenos Aires, la opinión pública pasó por alto la revisión de los antecedentes. Y no era Kirchner un hombre para desaprovechar un olvido tan conveniente.

O sea que se presenta tal como lo describe Forster. La autoimagen es eso, una construcción que persuada no sólo a su autor sino a los otros; cuando se tiene éxito en construirla, responde al boceto de quien la imaginó. Kirchner tuvo el talento de prever que podía ganar apoyo político por medio de una nueva ruptura en la línea de tiempo. El artículo de donde proviene la cita de Forster se titula "La anomalía kirchnerista" y es enteramente exacto con la hipótesis que presenta. Muy brevemente: cuando el tiempo de la historia fue alisado por la banalidad moral y la miseria económica, la normalidad es la repetición indeseable de esas condiciones. Sólo un salto anómalo, fuera de norma, puede extraer las cosas de un cauce y colocarlas súbitamente en otro. Los cambios históricos provienen de estas anomalías de las que las revoluciones son un ejemplo.

Por eso, Forster piensa a Kirchner como fundador de un nuevo orden: la revolución (es decir, la remoción de los obstáculos que el pasado pone ante el futuro) ya había sido realizada por la crisis del 2001. El nuevo orden inaugura un nuevo tiempo: irrumpe cortando lo que Forster llama la "eternidad inexorable".[21] Romperla implica restaurar la línea de futuro, también redentora del pasado, que es, finalmente, la línea de la política. Forster sintetiza en este artículo (que también puede leerse como una despedida) las razones por las que la legitimidad kirchnerista no es la de la institucionalidad burguesa.

Sintetiza también la razón filosófica de una victoria cultural, que ha sido, lo reconozcan o no, el mayor problema que el kirchnerismo ha planteado a sus críticos. Se restituyó densidad a una política que, durante los años noventa, se había propuesto como administración de las cosas según las leyes del mercado. Frente al realismo (catastrófico) de los noventa, la pregnancia simbólica del kirchnerismo puede ser discutida en sus formas y en su tópica, pero no en la importancia que tomó como dinámica repolitizadora. Tener una hipótesis de tiempo implica ordenar de nuevo los personajes y las acciones de un drama.

Lo ingobernable

No hay resultado electoral (sea victoria o derrota) que explique del todo la intensidad con que Kirchner encarnó la política en los últimos ocho años. Contra una idea tecnocrática simplista, impugnó la equivalencia inerte de política y gestión; criticó un sentido común, insensible a las desigualdades, para el cual la segunda es preferible a la primera. El kirchnerismo tradujo todas sus batallas al lenguaje más apropiado a estas ideas. De ese modo, la ley de medios que respondía a una venganza se convirtió en bandera de ampliación de los derechos de quienes no había sido escuchados porque los monopolios mediáticos lo habían impedido. Frente al tecnocratismo inerte que proponen Duhalde y Terragno, el kirchnerismo contestó con la vitalidad del conflicto. Frente a la desideologización de una derecha expresada por Macri o De Narváez, respondió sin principios y sin acuerdos, con intolerancia extrema y arrestos autoritarios, pero tomando siempre la iniciativa de gobierno.

Kirchner se diferencia de quienes asfixian la política bajo la consigna de gestión (y que, además, no son eficientes gestionando, precisamente porque, sin política, la gestión no es eficiente sino anodina). Siempre puso a la política en el puesto de mando, incluso para hacer negocios personales, favorecer el capitalismo de amigos o permitir la corrupción de los aliados sindicales y de funcionarios de su gobierno. Pero también fue inseparable de la gestión, obsesionado por el seguimiento de las cuentas públicas, aunque no ofreció la imagen de un gobernante anclado en esos detalles. Nunca se mostró abrumado por el día a día. En realidad, la gestión fue el lado administrativo de la política y ese lado, donde se hacen los negocios, Kirchner siempre procuró que no se entreviera en los palcos donde se agitaron sus banderas. Por otra parte, el voluntarismo de su temperamento le habría impedido frasear a la política como gestión.

El voluntarismo tiene, siempre, obsesiones fuertes y, muchas veces, principios débiles. Lo indica la destrucción del INDEC. Por un lado, en voz baja, se afirmó que los índices falsos eran indispensables para que no subieran los intereses que pagan los bonos argentinos; se mentía en defensa del bien público, un acto casi patriótico. Por otro lado, la inflación debía someterse, como todo, a los dictados de la voluntad política. Antes se habría recurrido al control de precios, imposible hoy pese a la violencia verbal de Moreno y sus resoluciones comerciales de coyuntura. Kirchner, entonces, recurrió al control de números.[22] La capacidad destructiva de esta decisión tuvo consecuencias póstumas. La inflación debió ajustarse a una imagen de lo deseable establecida sobre el engaño. Los índices del INDEC son el producto del voluntarismo político en su momento de más irremediable fantasía. La falsificación crea una especie de "sociedad Potemkin" donde los pobres reales producidos por la inflación se esfuman por la magia de los números imaginarios.

Pero la realidad fue tenaz y le presentó protagonistas y escenarios menos maleables. Cuenta el rumor que la noche anterior a su muerte Kirchner discutió por teléfono con Hugo Moyano. Antes de que pasaran tres meses de la muerte de Kirchner, el diputado Héctor Recalde mantuvo el siguiente e ilustrativo intercambio periodístico:

—*¿Hasta dónde puede llegar Moyano? ¿Puede ser Presidente?*

—¿Por qué no? Él mostró capacidad de conducción y de administración. No tiene límites.

—*¿Le parece bien que los sindicalistas sean empresarios?*

—No, el rol del sindicalista no es ser empresario. Ahora, Moyano es un emprendedor que bajó costos para evitar que lo curren.

—*Pero ¿le parece bien que una obra social sindical tenga como prestador a una empresa que es propiedad del líder del gremio?*

—Legalmente no hay inhibición. Y él rinde cuentas a sus trabajadores que son los que le dan el poder. ¿Quién soy yo para cuestionarlo? Si logra una reducción de costos...[23]

Llamar a Recalde simplemente un "moyanista" es describirlo mal. No sólo es el abogado de la CGT, sino quien sostiene más francamente un sindicalismo político; sus proyectos potencian con coherencia el costado laborista del peronismo. Sabe de qué habla y sabe con quiénes habla. Por supuesto, Recalde encuentra como sujetos históricos a los sindicalistas que habitan una zona franca para los negocios, donde se ganan los millones de la familia y las fortunas que se necesitan para seguir en política (ya se vio antes esta relación inextricable entre dinero y poder). Nadie es perfecto. Kirchner conocía tanto como Recalde esta fisiología del poder sindical. No se había sentido molesto por cuestiones cuya naturaleza moral no las diferenciaba tanto de las que algunos practicaban en su entorno. De modo que la discusión con Moyano (no la última discusión, sino la conversación que se desarrollaba desde tiempo atrás) no tenía como tema las denuncias de Graciela Ocaña ni otro motivo de inspiración ética, salvo que se mencionara específicamente una causa judicial manejable o inmanejable. Se trataba del lugar de Moyano en el planetario de poder kirchnerista.

Sobre esa última noche del 26 de octubre de 2010, también se dice que Kirchner la pasó preocupado por la muerte de Mariano Ferreyra, un militante trotskista de 23 años, asesinado seis días antes, verosímilmente por matones sindicales y barras bravas de presencia habitual como acompañantes del gremio ferroviario. Kirchner había tratado de evitar una muerte así, que siempre, durante siete años, fue la pesadilla que le recordaba la salida anticipada de Duhalde. Nadie quiere que le tiren un muerto; nadie quiere que ese muerto sea víctima de sindicalistas o delincuentes a su servicio, formen o no en el alineamiento de las tendencias de apoyo. Nadie desea una muerte como consecuencia de un enfrentamiento; la muerte llega donde ese enfrentamiento no ha sido previamente modulado por alguna institución o por la señal de un caudillo. El asesinato de Mariano Ferreyra trazó una línea que Kirchner creyó que no iba a tocarle cruzar.

Esa noche del 26 de octubre de 2010, se encontró frente a las consecuencias no deseadas de su modelo: trabajadores tercerizados, una condición laboral en la que a igual trabajo no se tienen iguales derechos, una forma de empleo que utilizan grandes empresas de servicios y transporte a las que el Ministerio de Trabajo no ha logrado convencer de que suspendan esa práctica paraconstitucional. El llamado "proyecto" kirchnerista está pletórico de tercerizados y trabajadores en negro que los sindicatos no sólo no defienden sino que enfrentan con violencia. No es necesario decir que a Kirchner le gustaban esos métodos del sindicalismo argentino. Basta con señalar que se sentaba con esos hombres y no cumplió la promesa de dar la personería a la CTA.

Kirchner no se propuso nunca, en lo más mínimo, una reforma sindical que tocara los poderes fácticos de la "columna vertebral". Sin duda, era posible que amenazara con la justicia penal a alguno que se pasara de la raya, o que dejara actuar a los jueces cuando el caso (como el de Zanola) era flagrante. Se dice que Moyano sabía que Kirchner estaba dispuesto a "mirarla pasar" si no percibía un compromiso firme para las elecciones de 2009. Moyano se había sentado en la silla del PJ de la provincia de Buenos Aires y esas palabras juntas (Partido-Justicialista-provincia-Buenos-Aires) tienen siempre un eco amenazante, se hayan cumplido o no los vaticinios anteriores. Por su parte, Moyano amagaba competir, ya que la martingala electoral de sucesión entre esposos podía llevar cualquier aspiración a un más allá de duración desconocida.

La noche del 26 de octubre, entonces, Kirchner sentía la respiración de Moyano en la nuca. No importa mucho si discutió o no con él en esas horas. Lo que importa es que, pocos días antes, lo ingobernable se había presentado con la muerte de un joven militante. Ambos datos eran diferentes. Uno había querido evitarse. El otro, Moyano, había sido parte del paisaje político conocido, pero estaba trasmutando. Probablemente Kirchner habría podido seguir adelante sin sufrir demasiado las consecuencias. Pero esta hipótesis no borraba el impacto de lo ingobernable. Kirchner podía pensar: hicimos todo bien y, sin embargo, pese a la prosperidad de capas medias, pese a la inclusión del ingreso a la niñez, la realidad pone sus límites. No era alguien que iba a rendirse frente a ellos. Pero tampoco tuvo tiempo para mostrar cómo iba a moverse en un paisaje que le era favorable pero que incorporaba estos rasgos. En paralelo con el consumo festivo que ya se anunciaba para el tercer trimestre de 2010 también estaba la lucha, desde afuera de los aparatos sindicales, por el trabajo digno y, desde dentro de esos aparatos, por el reparto del poder. Afuera del trabajo y, casi, del consumo, permanecían los sumergidos, un millonario número, incierto entre otras razones por la falsificación de datos. En ese momento, murió Kirchner.

Un día después, el 28 de octubre de 2010, en un *post* del Foro de Periodistas se afirmaba: "No conocí un período de Argentina en el que se corrieran tanto las fronteras de lo posible".[24] Es, sin duda, una frase hecha y muy repetida; pero los mitos se construyen con esas frases. A días de su muerte, aparecieron afiches que representaban a Kirchner como el Eternauta, retomando una imagen que se había usado poco antes, para convocar al acto del 14 de septiembre en el Luna Park: "Kirchner le habla a la juventud". Hoy se dice que Kirchner le sigue hablando a esa militancia juvenil. Y también se dice que no alcanzan seis cuadros políticos para reemplazarlo. Nadie puede lo que él podía. Trasmutado como imagen pop, sintoniza la cultura juvenil a la que también impactó su aire transgresivo, de rico, poderoso y rebelde, como lo son las *rock stars*.

Los interesados en la construcción del mito oscilan entre avalar o discutir estas imágenes. Si Kirchner deviene un mito es porque son verdaderas y él tuvo una incomparable potencia imaginaria. Pero un mito no se reemplaza ni tiene sucesores. Un mito es, como la muerte o como el carisma, ingobernable. Por lo tanto, la continuidad del kirchnerismo depende, paradójicamente, de que el parcial olvido ponga a Kirchner en la serie de los políticos "normales", como él se presentó al llegar en 2003 a la escena nacional.

1 Véase: Isidoro Cheresky, "La política después de los partidos", en la compilación del mismo título, Buenos Aires, Prometeo, 2006. Y "Representación institucional y autorrepresentación ciudadana en la Argentina democrática", donde escribe Cheresky: "los liderazgos de popularidad son los organizadores de la competencia política, alimentando una relación directa —generalmente *mass mediática*— con sus simpatizantes y a veces sustentados en una red institucional o en un partido. Pero estos últimos como tales tienen limitada su capacidad para definir la oferta política —ya sea por el peso de los líderes en la decisión o por la expresión ciudadana en los raros casos en que ésta es consultada ampliamente" (*Ciudadanos y política en los albores del siglo XXI*, Buenos Aires, Manantial-CLACSO, 2010, pp. 301 y ss.

2 "Paradójicamente, del mismo modo que sucedió con el menemismo diez años antes, aunque con una orientación ideológica opuesta, el resultado más inmediato de esta apelación presidencial a apoyos extrapartidarios para sostener su 'nuevo modelo' fue que Kirchner pudo tomar rápidamente el control del peronismo: desde una posición marginal en su vida interna pasó a contar con el apoyo de casi todos los gobernadores, incluido el bonaerense Felipe Solá, y los sindicalistas, y a desbancar de sus posiciones de poder a eventuales o efectivos competidores, Menem, Rodríguez Saá y el propio Duhalde: cuando Kirchner marginó a su an-

terior benefactor en la integración de las listas para las elecciones parlamentarias de 2005, la gran mayoría de los hasta entonces duhaldistas se alinearon con el Presidente, y aquél fue ampliamente derrotado en el distrito que desde hacia 15 años controlaba férreamente (la lista del peronismo bonaerense retuvo apenas el 22% de los votos frente al 45% del oficialista Frente para la Victoria" (Marcos Novaro, "Izquierda y populismo en la política argentina", en: Pedro Pérez Herrero, comp., *La izquierda en América Latina*, Instituto Universitario Ortega y Gasset y Fundación Pablo Iglesias, Madrid, 2006).

3 Retomo algunas hipótesis desarrolladas en *Punto de Vista*, número 87, abril de 2007.

4 *Perfil*, "El Observador", 28 de enero de 2007. Altamirano también presenta esta tesis en el reportaje, realizado por Jorge Halperín, incluido en el volumen *El progresismo argentino. Historia y actualidad*, Buenos Aires, Capital Intelectual-Le Monde Diplomatique, 2006.

5 Véase, entre las innumerables acusaciones al entorno de Kirchner, la sistematización de estas noticias e investigaciones en: José Antonio Díaz, *La Kaja Kirchner S.A.*, Buenos Aires, Sudamericana, 2010.

6 "Su tarea primera y fundamental no era otra que el restablecimiento pleno de la autoridad presidencial, sin la cual no podía organizar su propia capacidad de gobierno. Una de las consecuencias de esa situación fue la instauración de una democracia basada en la opinión pública" (Hugo Quiroga, *La república desolada; los cambios políticos de la Argentina (2001-2009)*, Buenos Aires, Edhasa, 2010, p. 45).

7 "Delegative democracy gives the President the apparent advantage of practically no horizontal accountability. DD has the additional apparent advantage of allowing swift policy-making, but at the expense of a high likelihood of gross mistakes, of hazardous implementation, and of concentrating responsibility for the outcomes on the President. Not surprisingly, these Presidents suffer the wildest swings in popularity: today they are acclaimed saviors, tomorrow they are cursed as only fallen gods can be" (Guillermo O'Donnell, "Delegative Democracy", *working paper* , n, 172).

8 "El poder de Kirchner pudo extenderse porque estuvo abierto a todos los que aceptasen la apuesta presidencial. En este sentido el crecimiento del poder es 'indiscriminado', pues en sus alianzas no repara en ideologías, ni en pasados dudosos" (Hugo Quiroga, *op.cit.*, p. 55).

9 Notable, en este sentido fue su casi cómica intervención en el programa de TN, "Palabras más palabras menos", de Ernesto Tenembaum y Marcelo Zlotowgiazda, poco antes de las elecciones.

10 A ese cualquierismo contribuyeron las candidaturas de *celebrities*, como Nacha Guevara, y el circo que muchos políticos y neopolíticos aceptaron visitar en la televisión (analizados en el capítulo I).

11 Ésta fue una definición que puede describirse como abiertamente ideológica, colocada más allá de las bases reales del enfrentamiento. Como afirma Vicente Palermo: "Un ejemplo de constitución innecesaria de adversarios es lo ocurrido con una porción importantísima de productores rurales y de grupos sociales de

un modo u otro vinculados con ellos. Como nadie desconoce, la guerra con el campo no se debió a las retenciones (que se venían aplicando desde el gobierno de Duhalde) sino a la Resolución 125, cuyas características catalizaron el descontento, aglutinaron y activaron la movilización de un modo insólito. Un ejemplo de incapacidad para identificar reacciones preventivas y/o de represalia que dan por tierra una política es la fuga de capitales. Los agentes económicos votan con el bolsillo (hay que admitir que se trata de votos calificados...), pero los ciudadanos votan en las urnas —¡algo falla si un proyecto progresista-reformista es derrotado en elecciones en la provincia de Buenos Aires por un candidato como Narváez!" (V. Palermo, "Centro-izquierda argentina: manual de instrucciones" en *Revista Umbrales de América del Sur*, año 4, número 10, mayo-julio 2010).

12 Para nombrarla con exactitud, la operación es una metonimia.

13 Todos los diarios. Discurso completo en: http://apuntesmilitantes.blogspot.com/2008/07/discurso-de-nstor-kirchner-en-la-plaza.html.

14 En la causa del diario *Perfil* contra el Estado por el manejo de la pauta de publicidad oficial, hay interesantes declaraciones de Jorge Lanata (Jorge Fontevecchia, "El juicio por la publicidad oficial", *Perfil* , 24 junio de 2007). En *Perfil*, 5 de septiembre de 2010, véase también los datos del primer semestre de ese año. Según últimas informaciones publicadas en *La Nación*, durante el 2010 el gobierno nacional gastó en publicidad 148 millones (un 18,5 más que en 2009). En los meses que van de enero a noviembre de 2010, casi la mitad del gasto publicitario oficial fue al grupo encabezado por el empresario kirchnerista Sergio Szpolski y a *Página 12* (21% y 26%, respectivamente). "Szpolski también es propietario de los diarios *El Argentino* (gratuito), que distribuye, según las fuentes, entre 50.000 y 150.00 ejemplares diarios en la Capital Federal, y *Diagonales* (de la ciudad de La Plata), del semanario dominical *Miradas al Sur* y de las revistas *Newsweek Argentina*, *7 Días* y *Asterisco*. En los medios audiovisuales, es dueño de la señal de noticias CN23, que se transmite por la televisión digital estatal, algunos canales de cable y DirecTV, y controla los contenidos de Radio América. Todos los medios mencionados en esta lista fueron fundados o adquiridos por Szpolski a partir de 2005" (José Crettaz, "Publicidad oficial: el 47% a dos grupos editoriales afines", *La Nación*, 20 de enero de 2011).

15 En el blog "Con todas las letras", Damián Toschi resume una historia: "A principios de los 80, el diario fundado por Roberto Noble apostó por el triunfo de Ítalo Lúder en las elecciones presidenciales del 30 de octubre de 1983, que consagraron a Raúl Alfonsín. En ese momento, Kirchner, orgánico y disciplinado, militó activamente y votó por el candidato del Partido Justicialista. En los albores de la democracia, el dirigente tucumano, recordado por firmar el decreto de aniquilación de la subversión el 6 de octubre de 1975, durante el gobierno constitucional de María Estela Martínez de Perón, impulsaba la amnistía para los militares acusados de violar los derechos humanos. En el decenio menemista *Clarín* logró la derogación del artículo 45 de la Ley de Radiodifusión y se constituyó como multimedio. Paralelamente, el entonces gobernador sureño respaldó la privatización de YPF, vociferó que Carlos Menem era el mejor Presidente de la historia argentina y, por recomendación de Domingo Cavallo,

depositó en la banca extranjera los fondos provenientes de las regalías petroleras. Pasada la crisis de diciembre de 2001, la pesificación asimétrica impulsada por Eduardo Duhalde y la Ley de Bienes Culturales, aprobada el 18 de junio de 2003, salvaron las arcas del diario más leído del país. Tiempo después, el caudillo bonaerense dio la bendición política y los votos necesarios para que el ex intendente de Río Gallegos llegue al Sillón de Rivadavia el 25 de mayo de 2003. El desembarco santacruceño en Balcarce 50 encontró a los hoy enemigos en la misma vereda. Tras dos años de cordiales relaciones, el 20 de mayo de 2005, mediante el decreto 527, el gobierno extendió las licencias del *Grupo Clarín* por diez años. Asimismo, el 7 de diciembre de 2007, la Casa Rosada avaló la fusión entre Cablevisión y Multicanal, consolidando el monopolio televisivo. Durante aquellos años, y hasta antes del conflicto agropecuario que estalló en marzo de 2008, Kirchner y Magnetto almorzaron juntos una docena de veces. En ese momento, al *holding* no le importó el crecimiento patrimonial del matrimonio K ni el monopolio informativo de Rudy Ulloa en Santa Cruz. Y Kirchner ignoró la "dictadura mediática" de su socio. Así las cosas, al margen de coincidencias o discrepancias puntuales, la sancionada Ley de Servicios de Comunicación Audiovisual, el "Fútbol para Todos", la decretada caducidad de Fibertel, las versiones cruzadas sobre la verdad histórica de Papel Prensa y la intención gubernamental de igualar las condiciones de producción del periodismo gráfico, lejos de representar una puja entre dos modelos ideológicos antagónicos, cristalizan los intereses de una disputa económica entre dos ex aliados". http://www.damiantoschi.blogspot.com/.

16 La versión oficial de Lidia Papaleo (que coincide punto por punto con el relato que hizo Cristina Kirchner el 23 de agosto de 2010) puede leerse en *El Argentino*, 30 de agosto de 2010. Lidia Papaleo no se presentó a declarar como víctima de la dictadura en ninguna instancia de los últimos 25 años, no fue a la CONADEP ni presentó su caso ante la justicia. Mario Wainfeld sostiene que sólo ahora, con los Kirchner, se sintió segura para contar su historia ("Debates, memoria, pasado, futuro", *Página 12*, 20 de agosto de 2010. Las seguridades que habría necesitado Lidia Papaleo para hablar hoy subrayan el coraje de quienes, en 1984, se presentaron ante la CONADEP y luego fueron testigos del juicio a las Juntas. Subraya también el coraje de Jorge Julio López, un obrero jubilado que, sin infraestructura de apoyo, participó en el juicio a Miguel Etchecolatz y pagó con su desaparición en 2006. No debe hacerse un *ranking* de conductas entre las víctimas, tiene razón Wainfeld. Hay, simplemente, diferencias.

17 Demostrar la necesidad de estos diarios kirchneristas es una empresa de autoevidencia. En los comentarios en la web que acompañan la salida de las primeras ediciones, con tradicionales mayúsculas incluidas y respeto de la grafía original: "Yo hace tiempo que no leo Clarín, leo Página12 desde su primer número, y ahora desde hace 3 meses, también Miradas al Sur, y que entre ambos me informo de lo que la censura mediática Y MONOPÓLICA oculta: LA VERDAD DEL ACONTECER POLÍTICO ARGENTINO, sobre todo de la ilustre clase política opositora argentina. El Clarín, es para mi, algo tipo así: EL OPIO DE LA CLASE MEDIA (no toda claro) ARGENTINA. Y que las doñas ROSAS, luego

en la feria, repiten después como loritos que descubrieron la rueda" (http://arte-politica.com/comunidad/miradas-al-sur-el-nuevo-periodico-dominical/).

18 Por la importancia del tema me permito retomar acá algunas críticas a la ley que publiqué en *Clarín*, cuando fue votada por Diputados. El órgano que controla y dispone la actividad de los medios del Estado (y otorga las licencias a los medios públicos no estatales y privados) es definido por el Poder Ejecutivo que nombra directamente a su presidente y director; el Parlamento nombra a tres representantes, uno de ellos por la primera minoría, que normalmente es la del Ejecutivo. Sobre siete miembros, y tomando resoluciones sólo sobre la base de una mayoría simple, el Ejecutivo tiene casi todo en sus manos para mandar. Las notas a pie de página de la ley mencionan casos de legislación comparada donde también hay representación del Poder Ejecutivo en este tipo de organismos: Australia o Chile, por ejemplo. Pero la legislación comparada se vuelve abstracta si no se la completa con un poco de política comparada: el Poder Ejecutivo de Australia y Chile tiene tradiciones de mayor autolimitación que el Ejecutivo personalista, hiperpresidencialista y concentrado de la Argentina. Si un alumno presentara estos ejemplos de legislación comparada, cualquier profesor le sugeriría hacer también un poco de historia comparada, ya que se legisla para un país no para una ficción política. Quienes parecen más entusiasmados por el proyecto de ley son los académicos de las carreras de comunicación. Sería insidioso pensar que los académicos se entusiasman porque el proyecto les asegura un lugar en cada uno de los organismos propuestos. Creo que las ideas juegan su papel. Por ejemplo, la reserva de un tercio del espacio audiovisual para las organizaciones de la sociedad civil, disposición de la ley que es más progresista pero no menos erizada de dificultades. Es agradable la idea de que allí no sólo crecerán flores envenenadas por la cooptación política o los intereses sindicales, sino organizaciones fuertes e independientes que encontrarán también en la sociedad civil fuentes de financiación voluntaria (la financiación voluntaria de medios públicos es, en Argentina, una experiencia esotérica). Los entusiastas de las radios comunitarias las ven salir de las penosas condiciones en que hoy sobrevive la mayoría de ellas para convertirse en sólidas emisoras independientes que produzcan buena información y buenos contenidos locales, nacionales e internacionales, indispensables porque los medios privados ya no podrán cubrir todo el territorio con sus redes. No hay disposiciones claras para la asistencia técnica y económica de las pequeñas emisoras garantizando su independencia (no serían deseables radios que reprodujeran la lógica del piqueterismo oficialista). La ley no establece el tipo y la vía de asistencia a las pequeñas organizaciones de la sociedad civil (comenzando por las de los pueblos originarios, que nombra a cada rato como si fuera un mantra y que en diciembre de 2010 ya se han enfrentado a propósito de cuáles, entre sus múltiples representantes, obtendrán las licencias). Esas radios del sector público, si no pertenecen en el futuro a sindicatos y corporaciones poderosas, pasarán por el remolino de los subsidios.

19 Ricardo Forster, "La anomalía kirchnerista", *Página 12,* 12 de noviembre de 2010.

20 En su blog escribe hoy, con malicia, Domingo Cavallo: "Yo conocí muy bien a Néstor Kirchner y me consta que era un hombre sumamente inteligente. Como

Gobernador de Santa Cruz recibió todo mi apoyo, porque, a diferencia de la mayoría de los gobernadores, era fiscalmente prudente y gobernaba la provincia en línea con las reformas que estábamos llevando adelante a nivel nacional. Él también apoyó toda mi gestión como Ministro de Economía entre 1991 y 1996 y me siguió apoyando en mis intentos por llegar a gobernar la ciudad de Buenos Aires. Más aún, cuando yo competía con Duhalde y De La Rúa para la Presidencia, en 1999, él sugirió que Duhalde y yo presentáramos una fórmula conjunta, algo que resultaba imposible porque algunas definiciones de Duhalde en la campaña electoral hacían no creíble una alianza con mi partido. Él me siguió apoyando mientras fui Ministro de De La Rúa, especialmente en mi apelación al Gobierno de la Provincia de Buenos Aires para que ajustara sus cuentas fiscales y redujera su endeudamiento con el sistema bancario. Su única desinteligencia conmigo, a fines de 2001, se produjo cuando yo le pedí medidas de ajuste a todas las provincias, incluida la suya, que nunca se había endeudado. Yo lo hice intentando suavizar el ajuste que debían hacer las provincias más endeudadas, en particular, la provincia de Buenos Aires, pero él entendía que era injusto. Me temo que tenía razón, porque los dirigentes de la provincia de Buenos Aires, prefirieron incendiar al País para evitar tener que pagar ellos los costos políticos de un ajuste explícito. Néstor Kirchner no estuvo de acuerdo con el abandono de la convertibilidad que decidió Eduardo Duhalde en enero de 2002, cuando dispuso la pesificación y produjo la fuerte devaluación que llevó el precio del dólar a casi 4 pesos. Por eso no aceptó ser el jefe de Gabinete en el Gobierno de Duhalde. Siempre interpreté que su adhesión posterior al discurso del 'Dólar Alto' y su diatriba permanente a las reformas de los 90s, fueron recursos de campaña con los que se enredó para llegar a la Presidencia y para acumular poder una vez elegido. Luego, las circunstancias internacionales lo llevaron a descubrir como adecuado para lograr records de recaudación impositiva y a introducir gradualidad a la reversión de la fuerte caída en los salarios reales, las jubilaciones y el gasto público a que llevaron la pesificación y la fuerte devaluación de 2002. Estas dos propiedades de esa política le ayudarían a construir poder de la forma que él había decidido hacerlo.

Lamentablemente, las consecuencias inflacionarias del 'Dólar Alto' lo llevaron a adoptar medidas de intervención en los mercados y de reestatización de empresas en las que nunca había creído. Y más lamentablemente aún, transformó a esas políticas en la médula de su discurso económico, adornado con las diatribas en contra del FMI, entidad cuyas acreencias honró mucho más rápidamente que todos los presidentes anteriores" (http://www.cavallo.com.ar/?p=869).

21 "Momentos de ruptura o de inflexión que desplazan las fuerzas inerciales y dominantes en esa historia que aparecía como repetitiva e inexpugnable, para asumir que algo distinto, quizás imprevisto y no escrito en ninguna causalidad ni en ninguna garantía histórica, se hace presente y hace saltar los goznes de esas continuidades asfixiantes que, la mayoría de las veces, suelen ser la expresión de un discurso del fin de la historia y de la muerte de las ideologías que, claro, terminan por afirmar el modelo de la dominación proyectándolo hacia una eternidad inexorable" (R. Forster, *ibid.*).

22 Gustavo Noriega, *Indec, historia íntima de una estafa*, Buenos Aires, Sudamericana, 2009.
23 Gabriel Sued, "Moyano mostró capacidad de conducción y no tiene límites", *La Nación*, 18 de enero de 2011.
24 Debo la referencia a Claudio Jacquelin.

Índice